#연산반복학습
#생활속계산
#문장읽고계산식세우기
#학원에서검증된문제집

수학리더
연산

Chunjae
Makes
Chunjae

기획총괄 박금옥
편집개발 지유경, 정소현, 조선영, 최윤석
디자인총괄 김희정
표지디자인 윤순미, 박민정
내지디자인 박희춘
제작 황성진, 조규영

발행일 2022년 4월 15일 초판 2024년 4월 15일 3쇄
발행인 (주)천재교육
주소 서울시 금천구 가산로9길 54
신고번호 제2001-000018호
고객센터 1577-0902
교재 구입 문의 1522-5566

※ 이 책은 저작권법에 보호받는 저작물이므로 무단복제, 전송은 법으로 금지되어 있습니다.

※ 정답 분실 시에는 천재교육 홈페이지에서 내려받으세요.
※ KC 마크는 이 제품이 공통안전기준에 적합하였음을 의미합니다.
※ 주의
책 모서리에 다칠 수 있으니 주의하시기 바랍니다.
부주의로 인한 사고의 경우 책임지지 않습니다.
8세 미만의 어린이는 부모님의 관리가 필요합니다.

수학 리더 연산 4-B

차례

이 책의 구성과 특징

이번에 배울 내용을 알아볼까요?

공부할 내용을 만화로 재미있게 확인할 수 있습니다.

기초 계산 연습

계산 원리와 방법을 한눈에
익힐 수 있고 계산 반복 훈련으로
확실하게 익힐 수 있습니다.

1일차 받아올림이 없는 (진분수)+(진분수)

기초 계산 연습

맞은 개수 / 25개

$\frac{1}{5}+\frac{2}{5}=\frac{1+2}{5}=\frac{3}{5}$

분모는 그대로 두고 분자끼리 더해요.

계산해 보세요.

① $\frac{1}{4}+\frac{1}{4}=\frac{1+\square}{4}=\frac{\square}{\square}$

② $\frac{2}{7}+\frac{3}{7}=\frac{2+\square}{7}=\frac{\square}{\square}$

③ $\frac{3}{8}+\frac{4}{8}=\frac{\square+4}{8}=\frac{\square}{\square}$

④ $\frac{3}{6}+\frac{2}{6}=\frac{\square+2}{6}=\frac{\square}{\square}$

⑤ $\frac{2}{5}+\frac{2}{5}=\frac{\square+\square}{5}=\frac{\square}{\square}$

⑥ $\frac{4}{9}+\frac{3}{9}=\frac{\square+\square}{9}=\frac{\square}{\square}$

⑦ $\frac{5}{10}+\frac{2}{10}=\frac{\square+\square}{10}=\frac{\square}{\square}$

⑧ $\frac{1}{7}+\frac{5}{7}=\frac{\square+\square}{7}=\frac{\square}{\square}$

⑨ $\frac{4}{11}+\frac{5}{11}=\frac{\square+\square}{11}=\frac{\square}{\square}$

⑩ $\frac{8}{13}+\frac{2}{13}=\frac{\square+\square}{13}=\frac{\square}{\square}$

⑪ $\frac{1}{5}+\frac{3}{5}$ ⑫ $\frac{2}{4}+\frac{1}{4}$ ⑬ $\frac{4}{7}+\frac{2}{7}$

⑭ $\frac{3}{9}+\frac{5}{9}$ ⑮ $\frac{5}{8}+\frac{2}{8}$ ⑯ $\frac{1}{6}+\frac{4}{6}$

⑰ $\frac{3}{7}+\frac{1}{7}$ ⑱ $\frac{7}{10}+\frac{2}{10}$ ⑲ $\frac{4}{9}+\frac{4}{9}$

⑳ $\frac{3}{8}+\frac{3}{8}$ ㉑ $\frac{2}{12}+\frac{9}{12}$ ㉒ $\frac{3}{11}+\frac{5}{11}$

㉓ $\frac{3}{10}+\frac{4}{10}$ ㉔ $\frac{7}{13}+\frac{3}{13}$ ㉕ $\frac{5}{15}+\frac{4}{15}$

플러스 계산 연습

다양한 형태의 계산 문제를 반복하여
완벽하게 익힐 수 있습니다.

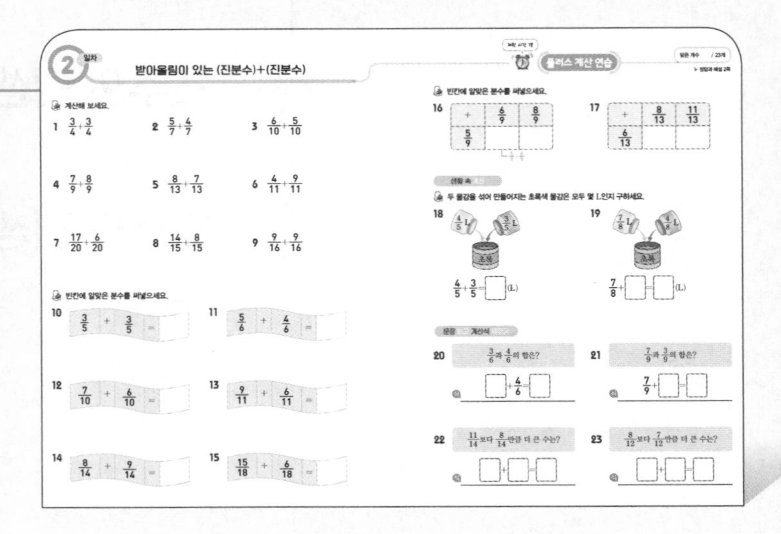

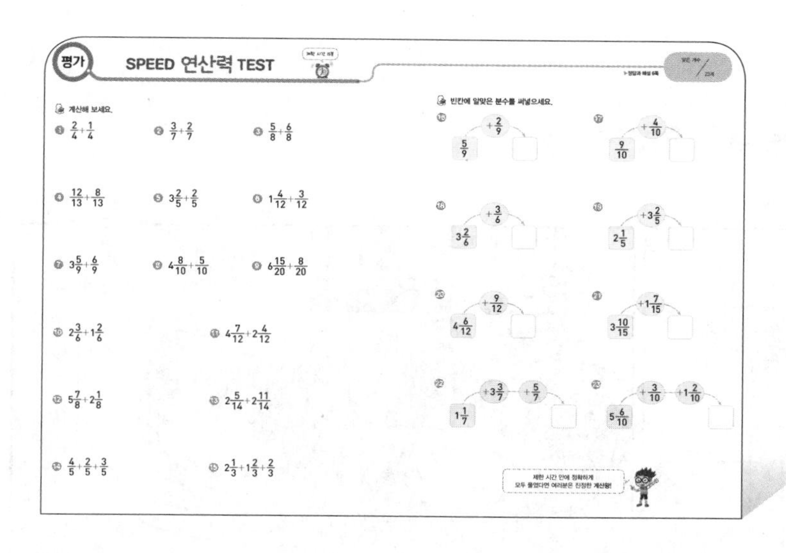

평가 SPEED 연산력 TEST

배운 내용을 테스트로 마무리 할 수 있습니다.

특강 문장제 문제 도전하기

단순 연산 문제와 함께
문장제 문제도 연습할 수
있습니다.

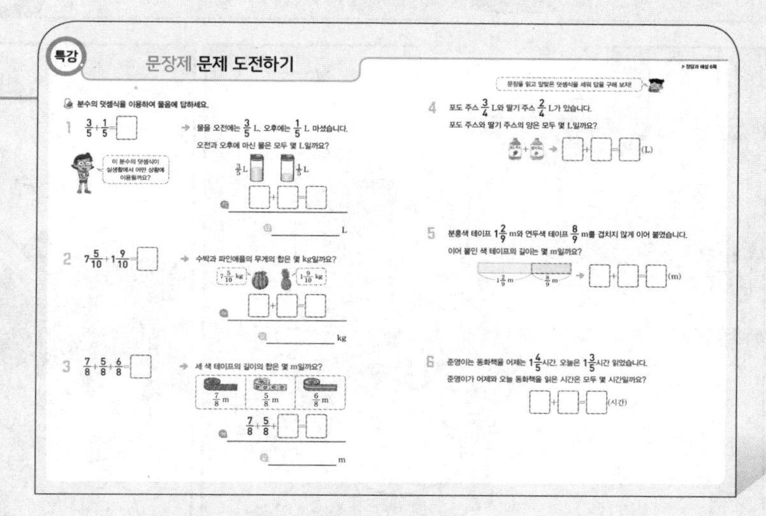

특강 창의·융합·코딩·도전하기

요즘 수학 문제인 창의·융합·코딩
문제를 수록하였습니다.

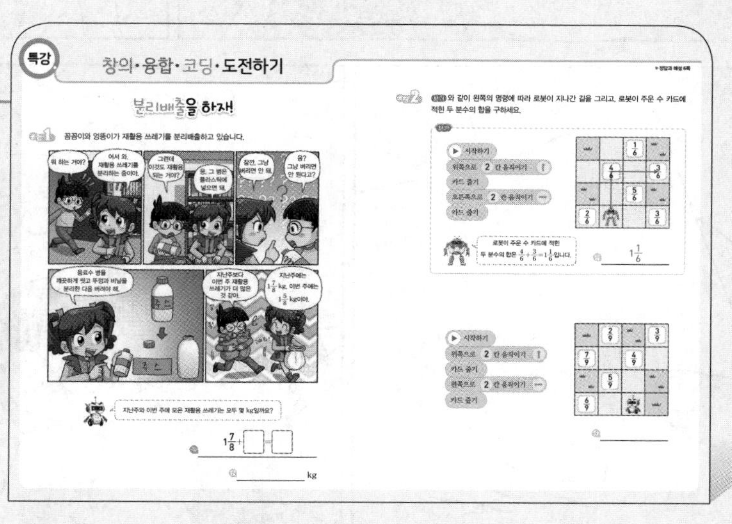

분수의 덧셈

실생활에서 알아보는 재미있는 수학 이야기

이번에 배울 내용을 알아볼까요?

- 1일차 ~ 2일차 (진분수)+(진분수)
- 3일차 ~ 4일차 받아올림이 없는 (대분수)+(진분수), (대분수)+(대분수)
- 5일차 ~ 6일차 받아올림이 있는 (대분수)+(진분수), (대분수)+(대분수)
- 7일차 세 분수의 덧셈

1 일차 받아올림이 없는 (진분수)+(진분수)

이렇게 해결하자

$$\frac{1}{5}+\frac{2}{5}=\frac{1+2}{5}=\frac{3}{5}$$

분모는 그대로 두고 분자끼리 더해요.

계산해 보세요.

❶ $\frac{1}{4}+\frac{1}{4}=\frac{1+\square}{4}=\frac{\square}{\square}$

❷ $\frac{2}{7}+\frac{3}{7}=\frac{2+\square}{7}=\frac{\square}{\square}$

❸ $\frac{3}{8}+\frac{4}{8}=\frac{\square+4}{8}=\frac{\square}{\square}$

❹ $\frac{3}{6}+\frac{2}{6}=\frac{\square+2}{6}=\frac{\square}{\square}$

❺ $\frac{2}{5}+\frac{2}{5}=\frac{\square+\square}{5}=\frac{\square}{\square}$

❻ $\frac{4}{9}+\frac{3}{9}=\frac{\square+\square}{9}=\frac{\square}{\square}$

❼ $\frac{5}{10}+\frac{2}{10}=\frac{\square+\square}{10}=\frac{\square}{\square}$

❽ $\frac{1}{7}+\frac{5}{7}=\frac{\square+\square}{7}=\frac{\square}{\square}$

❾ $\frac{4}{11}+\frac{5}{11}=\frac{\square+\square}{11}=\frac{\square}{\square}$

❿ $\frac{8}{13}+\frac{2}{13}=\frac{\square+\square}{13}=\frac{\square}{\square}$

기초 계산 연습

맞은 개수 / 25개

▶ 정답과 해설 1쪽

⑪ $\frac{1}{5}+\frac{3}{5}$

=

=

⑫ $\frac{2}{4}+\frac{1}{4}$

=

=

⑬ $\frac{4}{7}+\frac{2}{7}$

=

=

⑭ $\frac{3}{9}+\frac{5}{9}$

=

=

⑮ $\frac{5}{8}+\frac{2}{8}$

=

=

⑯ $\frac{1}{6}+\frac{4}{6}$

=

=

⑰ $\frac{3}{7}+\frac{1}{7}$

=

=

⑱ $\frac{7}{10}+\frac{2}{10}$

=

=

⑲ $\frac{4}{9}+\frac{4}{9}$

=

=

⑳ $\frac{3}{8}+\frac{3}{8}$

=

=

㉑ $\frac{2}{12}+\frac{9}{12}$

=

=

㉒ $\frac{3}{11}+\frac{5}{11}$

=

=

㉓ $\frac{3}{10}+\frac{4}{10}$

=

=

㉔ $\frac{7}{13}+\frac{3}{13}$

=

=

㉕ $\frac{5}{15}+\frac{4}{15}$

=

=

1 일차

받아올림이 없는 (진분수)+(진분수)

계산해 보세요.

1 $\frac{1}{4}+\frac{2}{4}$

2 $\frac{3}{7}+\frac{2}{7}$

3 $\frac{2}{8}+\frac{2}{8}$

4 $\frac{3}{10}+\frac{6}{10}$

5 $\frac{2}{9}+\frac{6}{9}$

6 $\frac{5}{13}+\frac{3}{13}$

7 $\frac{9}{15}+\frac{4}{15}$

8 $\frac{8}{17}+\frac{3}{17}$

9 $\frac{6}{18}+\frac{7}{18}$

빈칸에 두 분수의 합을 써넣으세요.

10

$\frac{2}{6}$	$\frac{3}{6}$

11

$\frac{2}{9}$	$\frac{2}{9}$

12

$\frac{1}{8}$	$\frac{2}{8}$

13

$\frac{4}{12}$	$\frac{7}{12}$

14

$\frac{5}{11}$	$\frac{2}{11}$

15

$\frac{7}{20}$	$\frac{6}{20}$

플러스 계산 연습

맞은 개수 / 23개

▶ 정답과 해설 1쪽

빈칸에 알맞은 분수를 써넣으세요.

16

⊕ →		
$\frac{2}{7}$	$\frac{1}{7}$	
$\frac{3}{7}$	$\frac{3}{7}$	

17

⊕ →		
$\frac{3}{10}$	$\frac{5}{10}$	
$\frac{5}{10}$	$\frac{2}{10}$	

18

⊕ →		
$\frac{3}{9}$	$\frac{4}{9}$	
$\frac{5}{9}$	$\frac{2}{9}$	

19

⊕ →		
$\frac{1}{13}$	$\frac{8}{13}$	
$\frac{7}{13}$	$\frac{4}{13}$	

문장 읽고 계산식 세우기

20 $\frac{4}{8}$와 $\frac{3}{8}$의 합은?

식 $\frac{4}{8}+\square=\square$

21 $\frac{5}{11}$와 $\frac{4}{11}$의 합은?

식 $\square+\frac{4}{11}=\square$

22 빨간색 끈 $\frac{1}{10}$ m, 초록색 끈 $\frac{6}{10}$ m가 있을 때, 두 끈의 길이의 합은 몇 m?

식 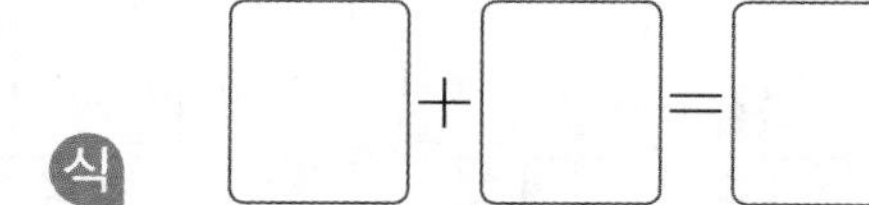
$\square+\square=\square$ (m)

23 하늘색 끈 $\frac{6}{12}$ m, 분홍색 끈 $\frac{5}{12}$ m가 있을 때, 두 끈의 길이의 합은 몇 m?

식 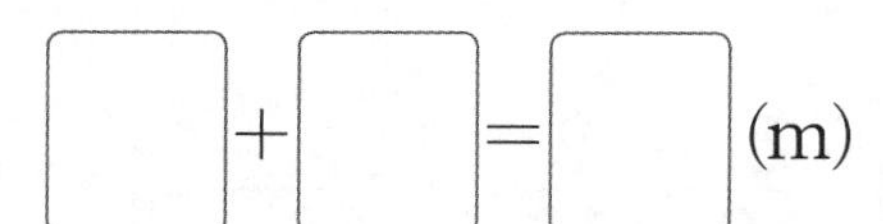
$\square+\square=\square$ (m)

2 일차

받아올림이 있는 (진분수)+(진분수)

이렇게 해결하자

$$\frac{3}{4}+\frac{2}{4}=\frac{3+2}{4}=\frac{5}{4}=1\frac{1}{4}$$

계산 결과가 가분수이면 대분수로 나타내요.

계산해 보세요.

❶ $\frac{3}{5}+\frac{4}{5}=\frac{\square}{5}=\square\frac{\square}{5}$

❷ $\frac{2}{3}+\frac{2}{3}=\frac{\square}{3}=\square\frac{\square}{3}$

❸ $\frac{5}{6}+\frac{2}{6}=\frac{\square}{6}=\square\frac{\square}{6}$

❹ $\frac{4}{8}+\frac{5}{8}=\frac{\square}{8}=\square\frac{\square}{8}$

❺ $\frac{4}{9}+\frac{7}{9}=\frac{\square}{9}=\square\frac{\square}{9}$

❻ $\frac{6}{7}+\frac{4}{7}=\frac{\square}{7}=\square\frac{\square}{7}$

❼ $\frac{6}{8}+\frac{5}{8}=\frac{\square}{8}=\square\frac{\square}{8}$

❽ $\frac{5}{11}+\frac{9}{11}=\frac{\square}{11}=\square\frac{\square}{11}$

❾ $\frac{5}{10}+\frac{8}{10}=\frac{\square}{10}=\square\frac{\square}{10}$

❿ $\frac{8}{15}+\frac{8}{15}=\frac{\square}{15}=\square\frac{\square}{15}$

기초 계산 연습

맞은 개수 / 25개

▶ 정답과 해설 1쪽

⑪ $\frac{5}{7}+\frac{6}{7}$

=

=

⑫ $\frac{4}{5}+\frac{4}{5}$

=

=

⑬ $\frac{6}{9}+\frac{4}{9}$

=

=

⑭ $\frac{5}{6}+\frac{5}{6}$

=

=

⑮ $\frac{3}{8}+\frac{6}{8}$

=

=

⑯ $\frac{9}{10}+\frac{8}{10}$

=

=

⑰ $\frac{7}{9}+\frac{3}{9}$

=

=

⑱ $\frac{7}{11}+\frac{6}{11}$

=

=

⑲ $\frac{6}{7}+\frac{3}{7}$

=

=

⑳ $\frac{8}{12}+\frac{9}{12}$

=

=

㉑ $\frac{3}{6}+\frac{4}{6}$

=

=

㉒ $\frac{6}{13}+\frac{9}{13}$

=

=

㉓ $\frac{2}{11}+\frac{10}{11}$

=

=

㉔ $\frac{8}{14}+\frac{9}{14}$

=

=

㉕ $\frac{11}{15}+\frac{8}{15}$

=

=

2 일차

받아올림이 있는 (진분수)+(진분수)

계산해 보세요.

1 $\frac{3}{4}+\frac{3}{4}$

2 $\frac{5}{7}+\frac{4}{7}$

3 $\frac{6}{10}+\frac{5}{10}$

4 $\frac{7}{9}+\frac{8}{9}$

5 $\frac{8}{13}+\frac{7}{13}$

6 $\frac{4}{11}+\frac{9}{11}$

7 $\frac{17}{20}+\frac{6}{20}$

8 $\frac{14}{15}+\frac{8}{15}$

9 $\frac{9}{16}+\frac{9}{16}$

빈칸에 알맞은 분수를 써넣으세요.

10 $\frac{3}{5}$ + $\frac{3}{5}$ = ☐

11 $\frac{5}{6}$ + $\frac{4}{6}$ = ☐

12 $\frac{7}{10}$ + $\frac{6}{10}$ = ☐

13 $\frac{9}{11}$ + $\frac{6}{11}$ = ☐

14 $\frac{8}{14}$ + $\frac{9}{14}$ = ☐

15 $\frac{15}{18}$ + $\frac{6}{18}$ = ☐

▶ 정답과 해설 2쪽

빈칸에 알맞은 분수를 써넣으세요.

16

+	$\frac{6}{9}$	$\frac{8}{9}$
$\frac{5}{9}$		

$\frac{5}{9}+\frac{6}{9}$

17

+	$\frac{8}{13}$	$\frac{11}{13}$
$\frac{6}{13}$		

생활 속 계산

두 물감을 섞어 만들어지는 초록색 물감은 모두 몇 L인지 구하세요.

18

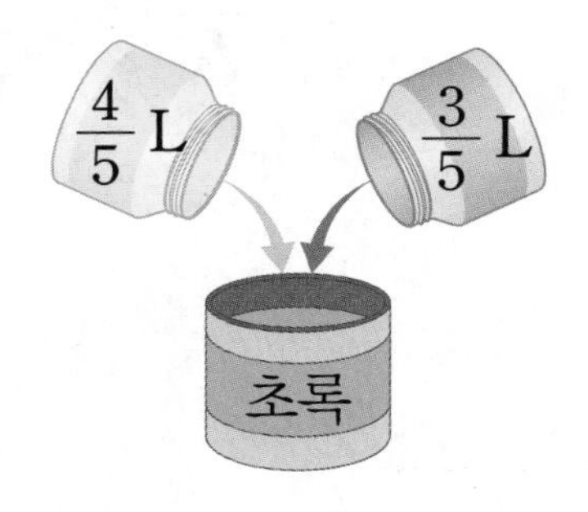

$\frac{4}{5}+\frac{3}{5}=\square$ (L)

19

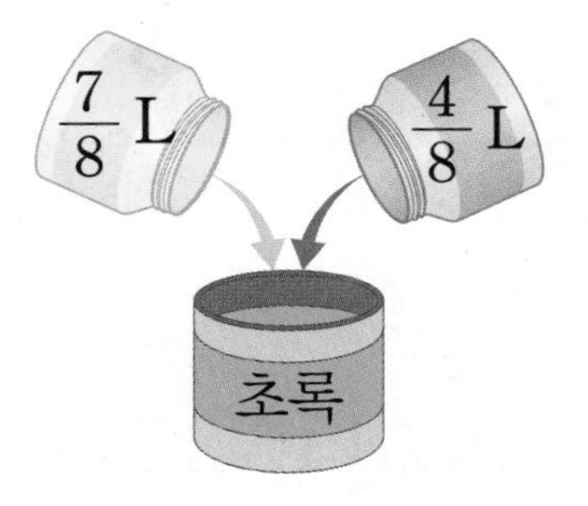

$\frac{7}{8}+\square=\square$ (L)

문장 읽고 계산식 세우기

20 $\frac{3}{6}$과 $\frac{4}{6}$의 합은?

식 $\square+\frac{4}{6}=\square$

21 $\frac{7}{9}$과 $\frac{3}{9}$의 합은?

식 $\frac{7}{9}+\square=\square$

22 $\frac{11}{14}$보다 $\frac{8}{14}$만큼 더 큰 수는?

식 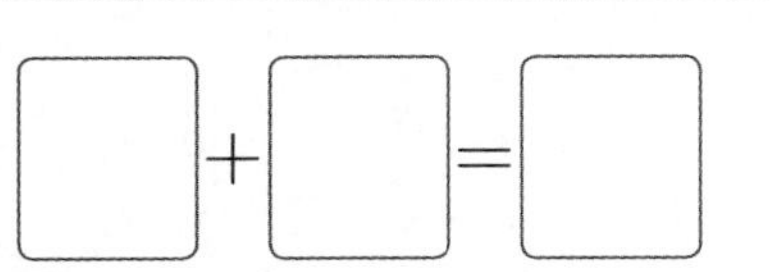

23 $\frac{8}{12}$보다 $\frac{7}{12}$만큼 더 큰 수는?

식 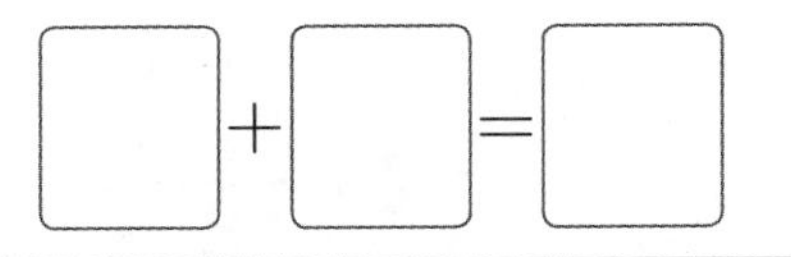

받아올림이 없는 (대분수)+(진분수)

이렇게 해결하자

• $1\frac{4}{6}+\frac{1}{6}$의 계산

자연수 부분과 진분수 부분으로 나누어 계산하거나
대분수를 가분수로 바꾸어 계산해요.

방법 1 $1\frac{4}{6}+\frac{1}{6}=1+\left(\frac{4}{6}+\frac{1}{6}\right)=1+\frac{5}{6}=1\frac{5}{6}$

방법 2 $1\frac{4}{6}+\frac{1}{6}=\frac{10}{6}+\frac{1}{6}=\frac{11}{6}=1\frac{5}{6}$

계산해 보세요.

❶ $1\frac{1}{3}+\frac{1}{3}=1+\left(\frac{1}{3}+\frac{\square}{3}\right)=1+\frac{\square}{3}=\square\frac{\square}{3}$

❷ $2\frac{1}{4}+\frac{2}{4}=\frac{\square}{4}+\frac{2}{4}=\frac{\square}{4}=\square\frac{\square}{4}$

❸ $3\frac{2}{7}+\frac{3}{7}=3+\left(\frac{\square}{7}+\frac{3}{7}\right)=3+\frac{\square}{7}=\square\frac{\square}{7}$

❹ $1\frac{3}{6}+\frac{2}{6}=\frac{\square}{6}+\frac{2}{6}=\frac{\square}{6}=\square\frac{\square}{6}$

❺ $2\frac{3}{5}+\frac{1}{5}=2+\left(\frac{3}{5}+\frac{\square}{5}\right)=2+\frac{\square}{5}=\square\frac{\square}{5}$

❻ $1\frac{1}{8}+\frac{6}{8}=\frac{\square}{8}+\frac{6}{8}=\frac{\square}{8}=\square\frac{\square}{8}$

제한 시간 6분

기초 계산 연습

맞은 개수 / 21개

▶ 정답과 해설 2쪽

⑦ $3\frac{1}{5}+\frac{2}{5}$

=

=

=

⑧ $1\frac{1}{7}+\frac{4}{7}$

=

=

=

⑨ $2\frac{3}{8}+\frac{2}{8}$

=

=

=

⑩ $2\frac{1}{6}+\frac{4}{6}$

=

=

=

⑪ $1\frac{5}{9}+\frac{2}{9}$

=

=

=

⑫ $5\frac{2}{10}+\frac{1}{10}$

=

=

=

⑬ $3\frac{2}{8}+\frac{5}{8}$

=

=

=

⑭ $2\frac{1}{4}+\frac{1}{4}$

=

=

=

⑮ $4\frac{1}{7}+\frac{5}{7}$

=

=

=

⑯ $5\frac{2}{11}+\frac{6}{11}$

=

=

=

⑰ $3\frac{6}{12}+\frac{5}{12}$

=

=

=

⑱ $4\frac{3}{8}+\frac{3}{8}$

=

=

=

⑲ $2\frac{4}{9}+\frac{4}{9}$

=

=

=

⑳ $3\frac{5}{10}+\frac{2}{10}$

=

=

=

㉑ $6\frac{4}{20}+\frac{7}{20}$

=

=

=

3 일차 받아올림이 없는 (대분수)+(진분수)

계산해 보세요.

1 $4\frac{1}{5}+\frac{3}{5}$

2 $3\frac{6}{8}+\frac{1}{8}$

3 $1\frac{4}{12}+\frac{4}{12}$

4 $2\frac{4}{10}+\frac{3}{10}$

5 $2\frac{5}{16}+\frac{2}{16}$

6 $1\frac{8}{14}+\frac{4}{14}$

7 $5\frac{3}{11}+\frac{5}{11}$

8 $7\frac{6}{18}+\frac{7}{18}$

9 $3\frac{12}{20}+\frac{7}{20}$

빈칸에 알맞은 분수를 써넣으세요.

10

$1\frac{3}{7}$	$+$	$\frac{1}{7}$	$=$	
		$\frac{2}{7}$		
		$\frac{3}{7}$		

11

$3\frac{2}{9}$	$+$	$\frac{1}{9}$	$=$	
		$\frac{3}{9}$		
		$\frac{5}{9}$		

12

$2\frac{5}{11}$	$+$	$\frac{2}{11}$	$=$	
		$\frac{4}{11}$		
		$\frac{5}{11}$		

13

$3\frac{4}{12}$	$+$	$\frac{3}{12}$	$=$	
		$\frac{6}{12}$		
		$\frac{7}{12}$		

제한 시간 8분

플러스 계산 연습

맞은 개수 / 21개

▶ 정답과 해설 2쪽

 빈칸에 알맞은 분수를 써넣으세요.

14

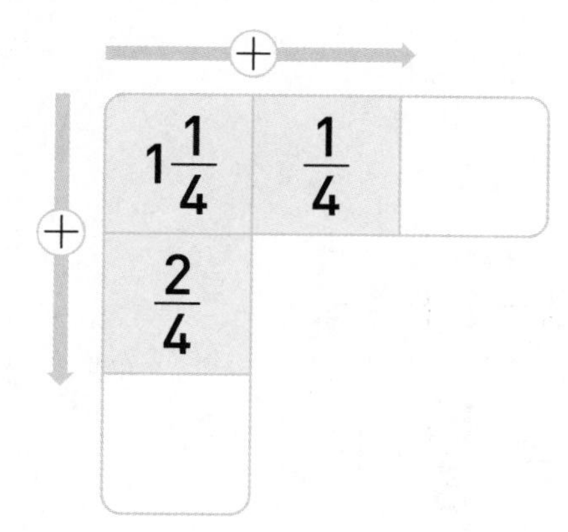

15

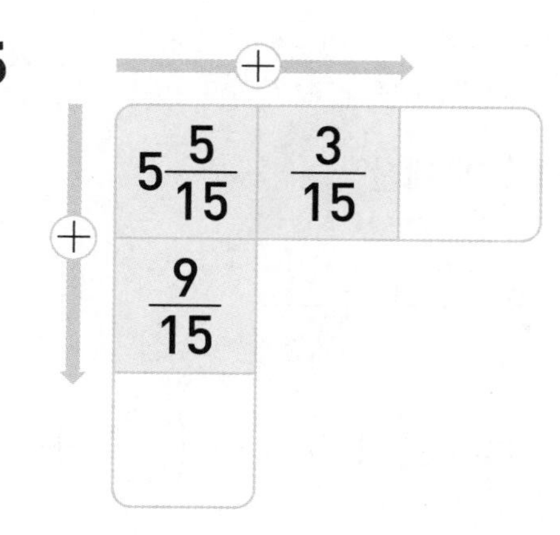

생활 속 계산

물을 더 부었을 때 수조에 들어 있는 물은 모두 몇 L인지 구하세요.

16

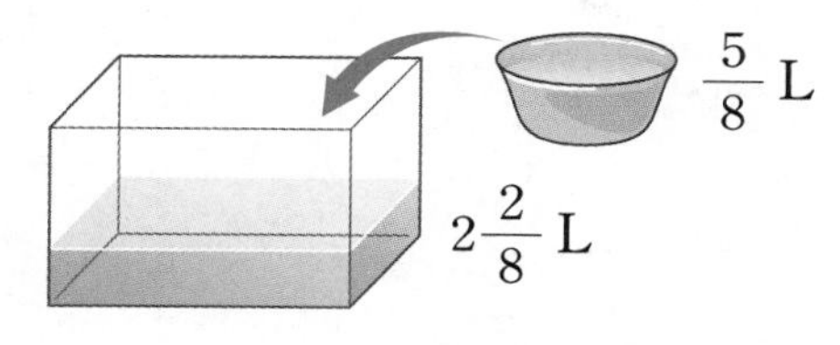

$2\frac{2}{8}+\frac{5}{8}=\square$ (L)

17

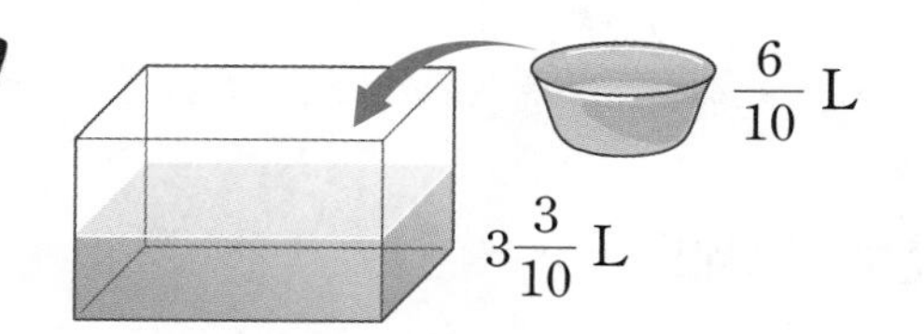

$3\frac{3}{10}+\square=\square$ (L)

문장 읽고 계산식 세우기

18 $2\frac{1}{5}$과 $\frac{2}{5}$의 합은?

식 $2\frac{1}{5}+\square=\square$

19 $3\frac{3}{11}$과 $\frac{7}{11}$의 합은?

식 $\square+\frac{7}{11}=\square$

20 소고기 $1\frac{1}{8}$ kg과 돼지고기 $\frac{3}{8}$ kg의 무게의 합은 몇 kg?

식 $\square+\square=\square$ (kg)

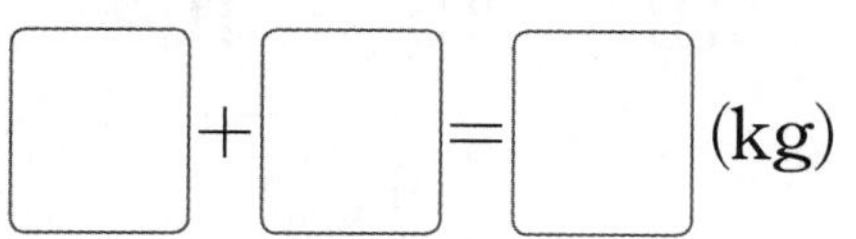

21 고구마 $2\frac{3}{20}$ kg과 감자 $\frac{6}{20}$ kg의 무게의 합은 몇 kg?

식 $\square+\square=\square$ (kg)

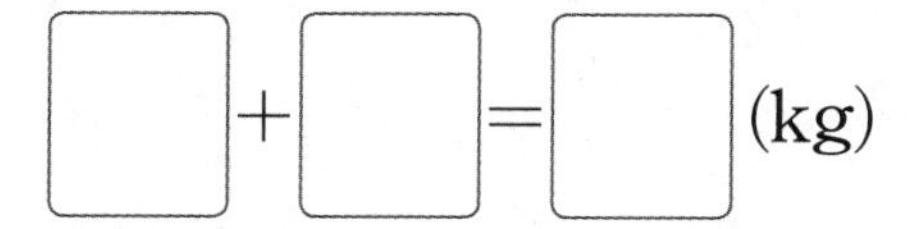

4 일차

받아올림이 없는 (대분수)+(대분수)

이렇게 해결하자

• $3\frac{2}{5}+1\frac{1}{5}$의 계산

방법 1 $3\frac{2}{5}+1\frac{1}{5}$

$=(3+1)+\left(\frac{2}{5}+\frac{1}{5}\right)$

$=4+\frac{3}{5}$

$=4\frac{3}{5}$

방법 2 $3\frac{2}{5}+1\frac{1}{5}$

$=\frac{17}{5}+\frac{6}{5}$

$=\frac{23}{5}$

$=4\frac{3}{5}$

계산 결과가 가분수이면 대분수로 나타내요.

계산해 보세요.

❶ $1\frac{2}{6}+2\frac{3}{6}=(1+2)+\left(\frac{2}{6}+\frac{\square}{6}\right)$

$=\square+\frac{\square}{6}=\square\frac{\square}{6}$

❷ $1\frac{2}{4}+3\frac{1}{4}=\frac{\square}{4}+\frac{13}{4}$

$=\frac{\square}{4}=\square\frac{\square}{4}$

❸ $2\frac{4}{8}+2\frac{1}{8}=(\square+2)+\left(\frac{\square}{8}+\frac{1}{8}\right)$

$=\square+\frac{\square}{8}=\square\frac{\square}{8}$

❹ $2\frac{2}{7}+1\frac{3}{7}=\frac{16}{7}+\frac{\square}{7}$

$=\frac{\square}{7}=\square\frac{\square}{7}$

❺ $3\frac{3}{9}+1\frac{4}{9}=(\square+1)+\left(\frac{3}{9}+\frac{\square}{9}\right)$

$=\square+\frac{\square}{9}=\square\frac{\square}{9}$

❻ $3\frac{1}{10}+1\frac{8}{10}=\frac{\square}{10}+\frac{\square}{10}$

$=\frac{\square}{10}=\square\frac{\square}{10}$

제한 시간 6분

기초 계산 연습

맞은 개수 / 21개

▶ 정답과 해설 3쪽

⑦ $1\frac{1}{3}+2\frac{1}{3}$

=

=

=

⑧ $2\frac{3}{5}+1\frac{1}{5}$

=

=

=

⑨ $3\frac{1}{8}+1\frac{6}{8}$

=

=

=

⑩ $2\frac{4}{7}+1\frac{1}{7}$

=

=

=

⑪ $1\frac{5}{9}+4\frac{2}{9}$

=

=

=

⑫ $3\frac{2}{6}+3\frac{1}{6}$

=

=

=

⑬ $2\frac{3}{11}+4\frac{3}{11}$

=

=

=

⑭ $1\frac{3}{10}+1\frac{4}{10}$

=

=

=

⑮ $2\frac{4}{7}+5\frac{2}{7}$

=

=

=

⑯ $2\frac{3}{9}+4\frac{4}{9}$

=

=

=

⑰ $3\frac{2}{8}+1\frac{5}{8}$

=

=

=

⑱ $2\frac{4}{15}+1\frac{4}{15}$

=

=

=

⑲ $1\frac{5}{10}+3\frac{2}{10}$

=

=

=

⑳ $2\frac{1}{11}+2\frac{7}{11}$

=

=

=

㉑ $2\frac{4}{20}+1\frac{5}{20}$

=

=

=

4 일차

받아올림이 없는 (대분수)+(대분수)

 계산해 보세요.

1 $2\frac{1}{5}+2\frac{2}{5}$

2 $5\frac{3}{9}+1\frac{1}{9}$

3 $1\frac{2}{8}+2\frac{3}{8}$

4 $3\frac{1}{10}+3\frac{8}{10}$

5 $4\frac{5}{12}+1\frac{6}{12}$

6 $6\frac{3}{15}+1\frac{1}{15}$

빈칸에 알맞은 분수를 써넣으세요.

7

		$1\frac{1}{6}$		
$1\frac{2}{6}$	$+$	$3\frac{2}{6}$	$=$	
		$2\frac{3}{6}$		

8

		$1\frac{3}{7}$		
$1\frac{3}{7}$	$+$	$2\frac{1}{7}$	$=$	
		$3\frac{2}{7}$		

9

		$1\frac{2}{11}$		
$2\frac{5}{11}$	$+$	$3\frac{3}{11}$	$=$	
		$4\frac{4}{11}$		

10

		$3\frac{5}{14}$		
$1\frac{3}{14}$	$+$	$1\frac{1}{14}$	$=$	
		$2\frac{8}{14}$		

제한 시간 8분

플러스 계산 연습

맞은 개수 / 18개

▶ 정답과 해설 3쪽

생활 속 계산

집에서 건물을 지나 공원까지의 거리는 몇 km인지 구하세요.

11

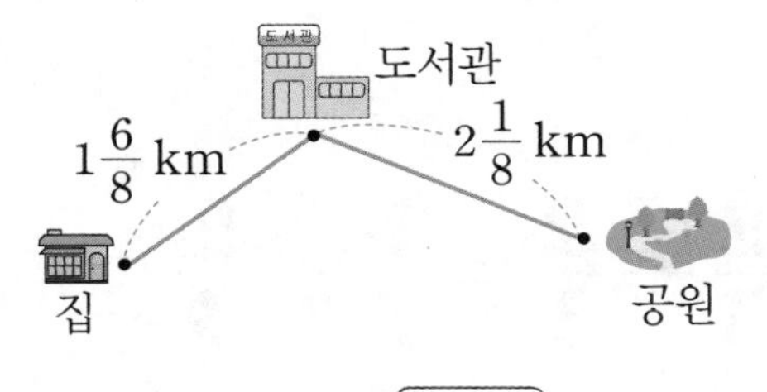

$1\frac{6}{8}+2\frac{1}{8}=\square$ (km)

12

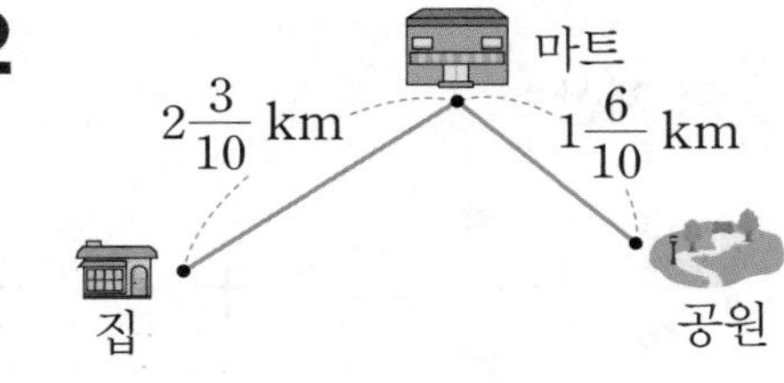

$2\frac{3}{10}+1\frac{6}{10}=\square$ (km)

13

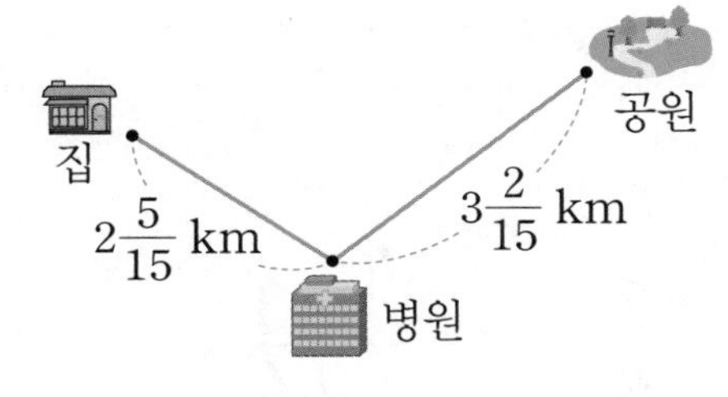

$2\frac{5}{15}+\square=\square$ (km)

14

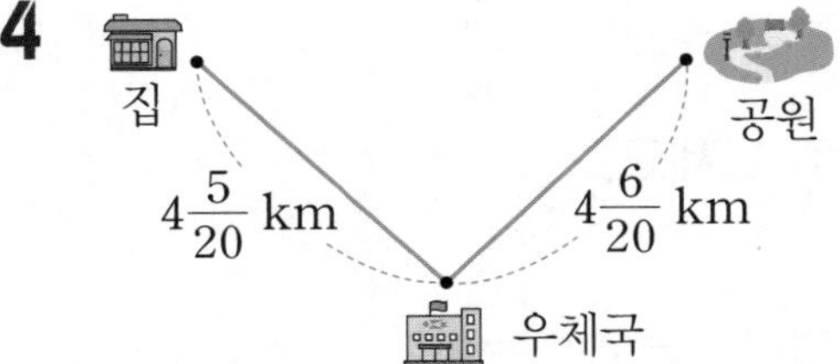

$4\frac{5}{20}+\square=\square$ (km)

문장 읽고 계산식 세우기

15 $2\frac{4}{9}$와 $6\frac{1}{9}$의 합은?

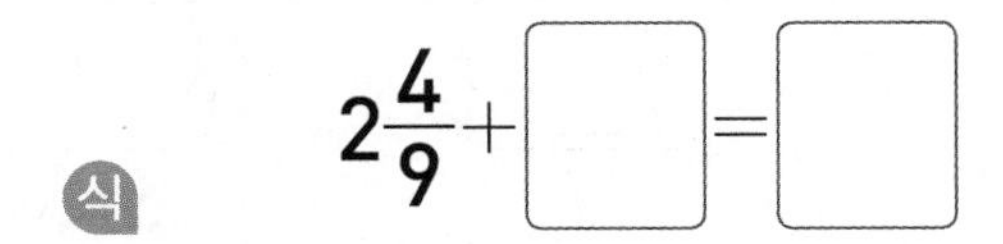

식 $2\frac{4}{9}+\square=\square$

16 $3\frac{7}{13}$과 $1\frac{3}{13}$의 합은?

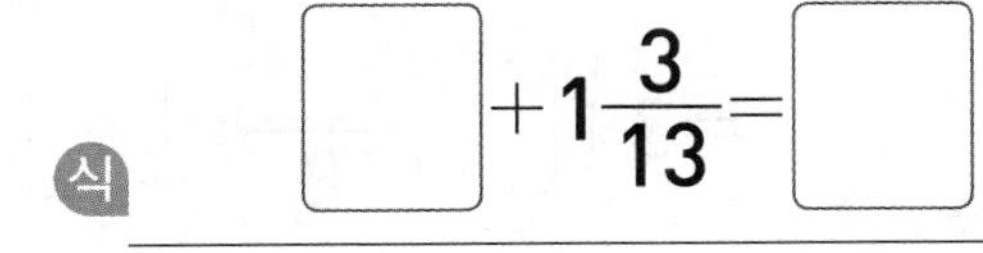

식 $\square+1\frac{3}{13}=\square$

17 $5\frac{5}{10}$보다 $2\frac{4}{10}$만큼 더 큰 수는?

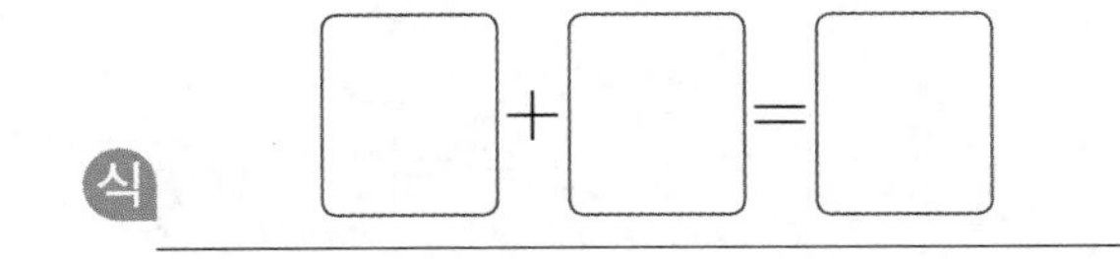

식 $\square+\square=\square$

18 $4\frac{10}{16}$보다 $1\frac{3}{16}$만큼 더 큰 수는?

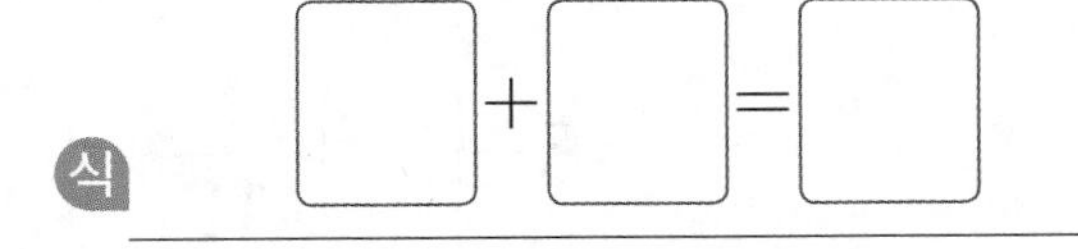

식 $\square+\square=\square$

1 분수의 덧셈

5 일차

받아올림이 있는 (대분수)+(진분수)

이렇게 해결하자

• $1\frac{2}{3}+\frac{2}{3}$의 계산

방법 1 $1\frac{2}{3}+\frac{2}{3}=1+\frac{4}{3}$

$=1+1\frac{1}{3}$

$=2\frac{1}{3}$

방법 2 $1\frac{2}{3}+\frac{2}{3}=\frac{5}{3}+\frac{2}{3}$

$=\frac{7}{3}$

$=2\frac{1}{3}$

계산 결과가 가분수이면 대분수로 나타내요.

계산해 보세요.

❶ $2\frac{4}{5}+\frac{3}{5}=2+\frac{\square}{5}$

$=2+\square\frac{\square}{5}=\square\frac{\square}{5}$

❷ $2\frac{2}{4}+\frac{3}{4}=\frac{\square}{4}+\frac{3}{4}$

$=\frac{\square}{4}=\square\frac{\square}{4}$

❸ $3\frac{7}{8}+\frac{3}{8}=3+\frac{\square}{8}$

$=3+\square\frac{\square}{8}=\square\frac{\square}{8}$

❹ $4\frac{4}{6}+\frac{3}{6}=\frac{\square}{6}+\frac{3}{6}$

$=\frac{\square}{6}=\square\frac{\square}{6}$

❺ $5\frac{9}{12}+\frac{4}{12}=5+\frac{\square}{12}$

$=5+\square\frac{\square}{12}=\square\frac{\square}{12}$

❻ $1\frac{5}{7}+\frac{5}{7}=\frac{\square}{7}+\frac{5}{7}$

$=\frac{\square}{7}=\square\frac{\square}{7}$

맞은 개수 / 21개

▶ 정답과 해설 4쪽

⑦ $1\frac{5}{6}+\frac{2}{6}$

=

=

=

⑧ $3\frac{2}{5}+\frac{4}{5}$

=

=

=

⑨ $1\frac{7}{9}+\frac{4}{9}$

=

=

=

⑩ $2\frac{5}{7}+\frac{6}{7}$

=

=

=

⑪ $3\frac{8}{10}+\frac{5}{10}$

=

=

=

⑫ $2\frac{7}{8}+\frac{6}{8}$

=

=

=

⑬ $3\frac{5}{9}+\frac{7}{9}$

=

=

=

⑭ $5\frac{5}{12}+\frac{8}{12}$

=

=

=

⑮ $4\frac{5}{6}+\frac{4}{6}$

=

=

=

⑯ $2\frac{9}{11}+\frac{6}{11}$

=

=

=

⑰ $2\frac{7}{14}+\frac{8}{14}$

=

=

=

⑱ $3\frac{9}{10}+\frac{8}{10}$

=

=

=

⑲ $1\frac{9}{15}+\frac{10}{15}$

=

=

=

⑳ $4\frac{5}{8}+\frac{6}{8}$

=

=

=

㉑ $1\frac{8}{12}+\frac{9}{12}$

=

=

=

5 일차 받아올림이 있는 (대분수)+(진분수)

계산해 보세요.

1 $1\frac{5}{7}+\frac{4}{7}$

2 $2\frac{7}{8}+\frac{4}{8}$

3 $3\frac{4}{5}+\frac{2}{5}$

4 $2\frac{2}{10}+\frac{9}{10}$

5 $3\frac{10}{15}+\frac{7}{15}$

6 $1\frac{15}{16}+\frac{8}{16}$

7 $3\frac{14}{19}+\frac{7}{19}$

8 $2\frac{19}{22}+\frac{5}{22}$

9 $3\frac{11}{20}+\frac{12}{20}$

같은 색의 화살표를 따라가며 계산해 보세요.

10
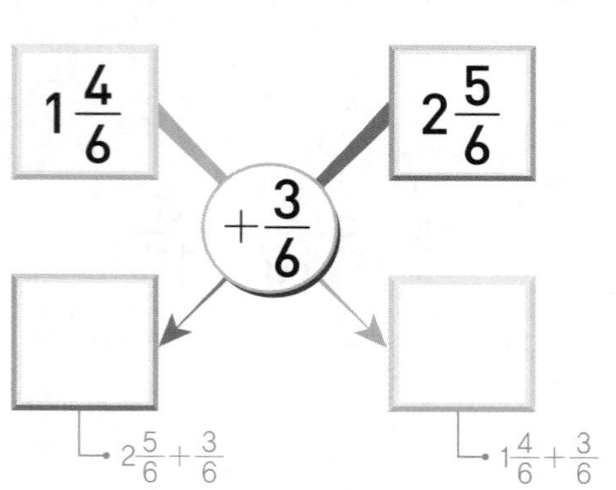

11
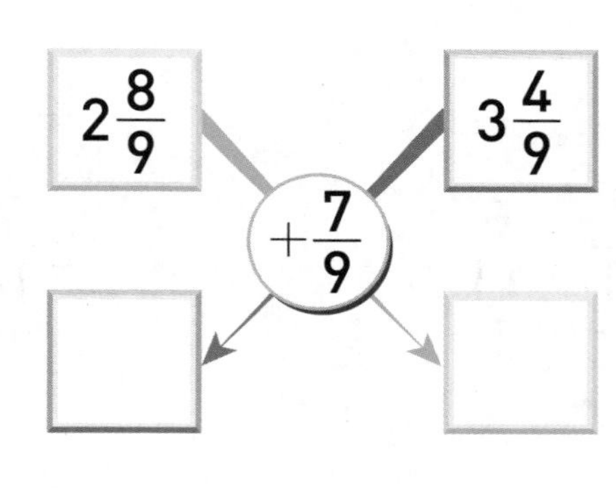

12
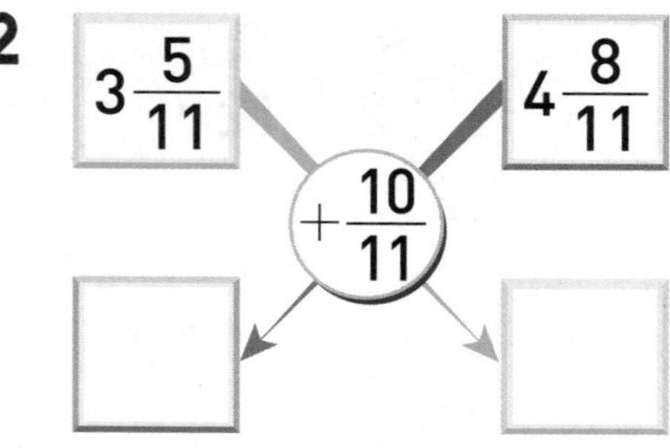

13
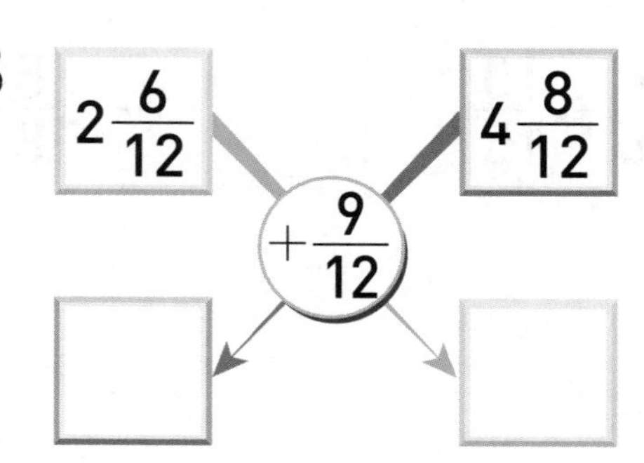

맞은 개수 / 21개

▶ 정답과 해설 4쪽

빈칸에 알맞은 분수를 써넣으세요.

14

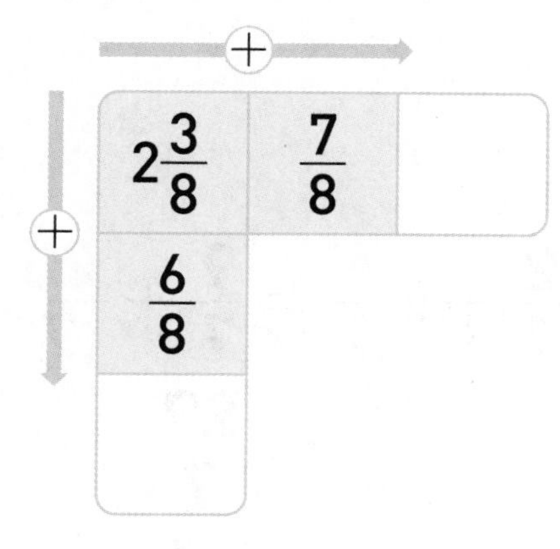

15

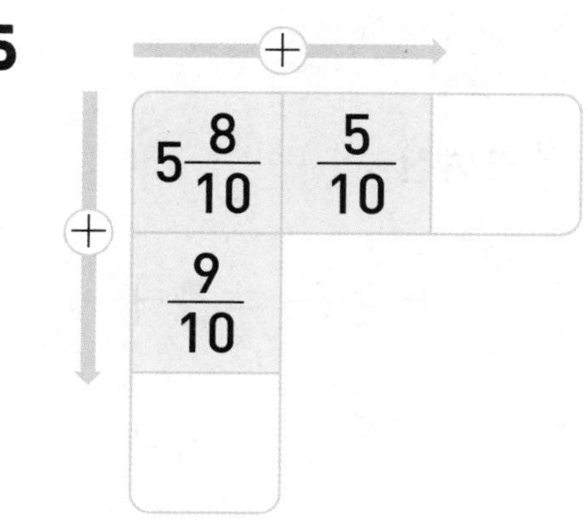

16

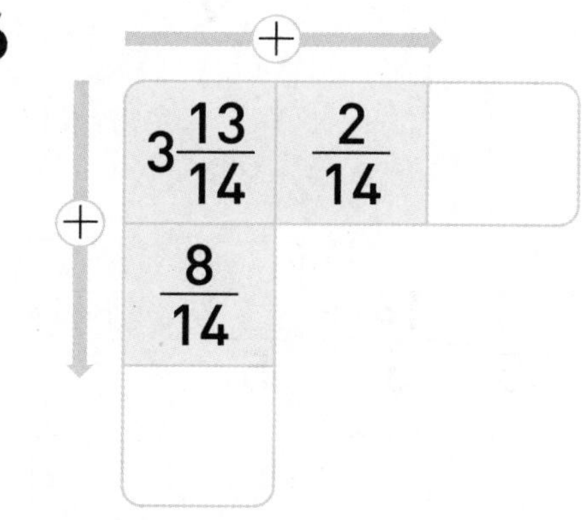

17

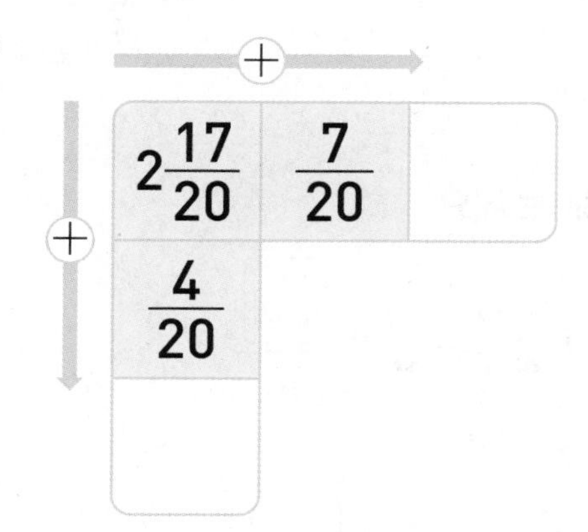

문장 읽고 계산식 세우기

18 $1\frac{5}{6}$와 $\frac{4}{6}$의 합은?

식 $1\frac{5}{6}+\square=\square$

19 $7\frac{9}{14}$와 $\frac{6}{14}$의 합은?

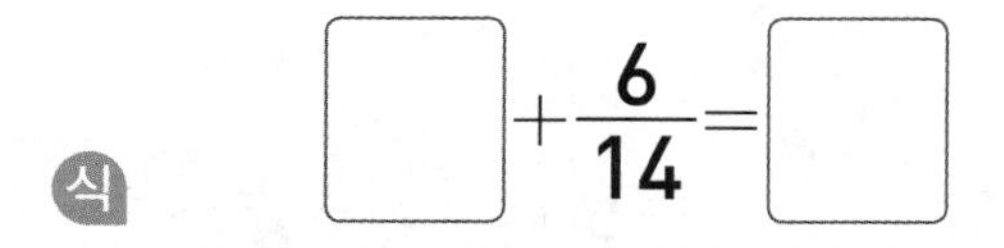

20 밤 $1\frac{2}{4}$ kg과 도토리 $\frac{3}{4}$ kg의 무게의 합은 몇 kg?

식 $\square+\square=\square$ (kg)

21 수박 $5\frac{7}{10}$ kg과 참외 $\frac{8}{10}$ kg의 무게의 합은 몇 kg?

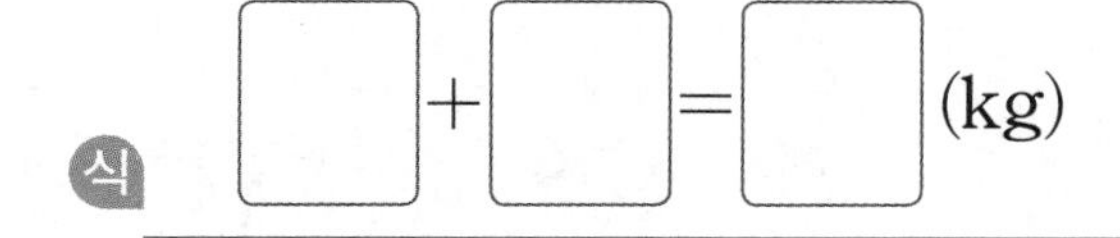

6 일차 받아올림이 있는 (대분수)+(대분수)

이렇게 해결하자

• $1\frac{2}{7}+2\frac{6}{7}$의 계산

방법 1 $1\frac{2}{7}+2\frac{6}{7}=3+\frac{8}{7}$

$=3+1\frac{1}{7}$

$=4\frac{1}{7}$

방법 2 $1\frac{2}{7}+2\frac{6}{7}=\frac{9}{7}+\frac{20}{7}$

$=\frac{29}{7}$

$=4\frac{1}{7}$

계산해 보세요.

❶ $1\frac{3}{4}+2\frac{2}{4}=3+\frac{\square}{4}$

$=3+\square\frac{\square}{4}=\square\frac{\square}{4}$

❷ $2\frac{4}{5}+1\frac{3}{5}=\frac{14}{5}+\frac{\square}{5}$

$=\frac{\square}{5}=\square\frac{\square}{5}$

❸ $3\frac{7}{8}+3\frac{6}{8}=6+\frac{\square}{8}$

$=6+\square\frac{\square}{8}=\square\frac{\square}{8}$

❹ $3\frac{5}{10}+2\frac{8}{10}=\frac{\square}{10}+\frac{28}{10}$

$=\frac{\square}{10}=\square\frac{\square}{10}$

❺ $1\frac{6}{11}+3\frac{9}{11}=4+\frac{\square}{11}$

$=4+\square\frac{\square}{11}=\square\frac{\square}{11}$

❻ $2\frac{5}{9}+1\frac{6}{9}=\frac{23}{9}+\frac{\square}{9}$

$=\frac{\square}{9}=\square\frac{\square}{9}$

제한 시간 7분

기초 계산 연습

맞은 개수 / 21개

▶ 정답과 해설 4쪽

⑦ $1\frac{2}{3}+2\frac{2}{3}$
=
=
=

⑧ $1\frac{6}{8}+1\frac{3}{8}$
=
=
=

⑨ $2\frac{5}{6}+1\frac{3}{6}$
=
=
=

⑩ $3\frac{4}{5}+2\frac{2}{5}$
=
=
=

⑪ $1\frac{4}{7}+1\frac{3}{7}$
=
=
=

⑫ $2\frac{8}{9}+1\frac{3}{9}$
=
=
=

⑬ $2\frac{3}{4}+2\frac{3}{4}$
=
=
=

⑭ $2\frac{4}{10}+1\frac{9}{10}$
=
=
=

⑮ $2\frac{10}{11}+3\frac{8}{11}$
=
=
=

⑯ $6\frac{5}{8}+2\frac{4}{8}$
=
=
=

⑰ $3\frac{4}{9}+1\frac{8}{9}$
=
=
=

⑱ $1\frac{11}{14}+2\frac{12}{14}$
=
=
=

⑲ $2\frac{5}{12}+5\frac{11}{12}$
=
=
=

⑳ $1\frac{12}{13}+2\frac{2}{13}$
=
=
=

㉑ $2\frac{8}{10}+3\frac{9}{10}$
=
=
=

6 일차

받아올림이 있는 (대분수)+(대분수)

계산해 보세요.

1 $1\frac{1}{3}+2\frac{2}{3}$

2 $2\frac{4}{7}+1\frac{6}{7}$

3 $1\frac{4}{5}+2\frac{4}{5}$

4 $5\frac{5}{6}+3\frac{2}{6}$

5 $3\frac{3}{8}+2\frac{6}{8}$

6 $3\frac{11}{15}+3\frac{6}{15}$

같은 색의 화살표를 따라가며 계산해 보세요.

7
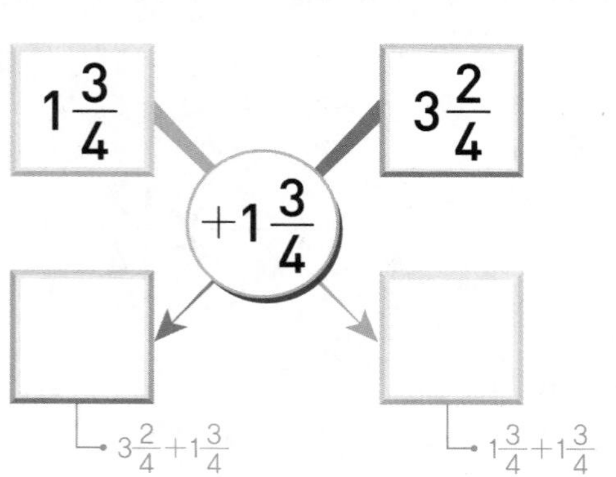

8
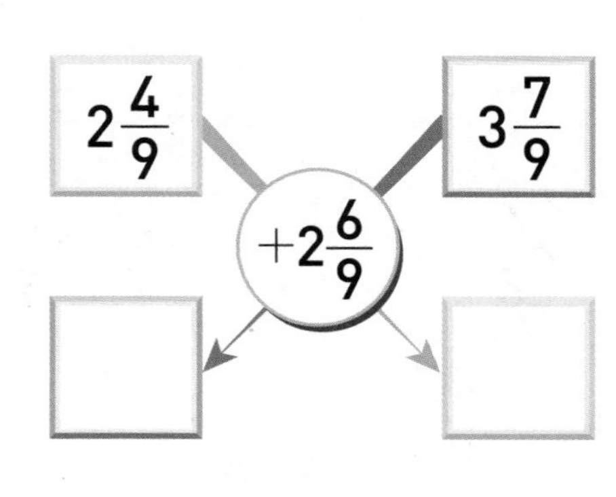

9
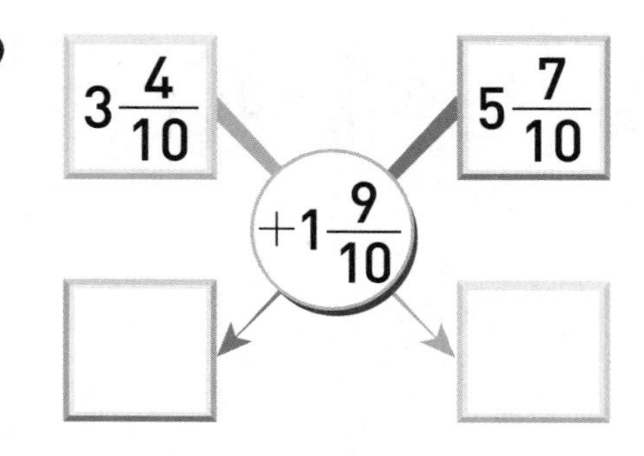

10
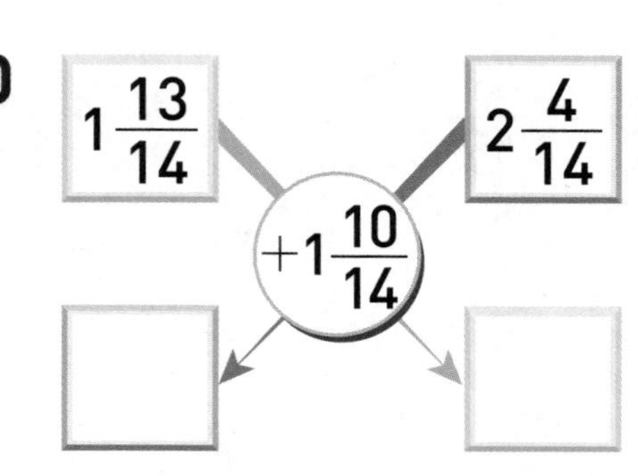

플러스 계산 연습

맞은 개수 / 18개

▶ 정답과 해설 5쪽

빈칸에 알맞은 분수를 써넣으세요.

11 $\oplus$ →

$1\frac{4}{8}$	$4\frac{5}{8}$	
$2\frac{6}{7}$	$2\frac{6}{7}$	

12 $\oplus$ →

$3\frac{8}{12}$	$1\frac{6}{12}$	
$6\frac{9}{16}$	$2\frac{10}{16}$	

생활 속 계산

두 곡식의 무게의 합을 구하세요.

13

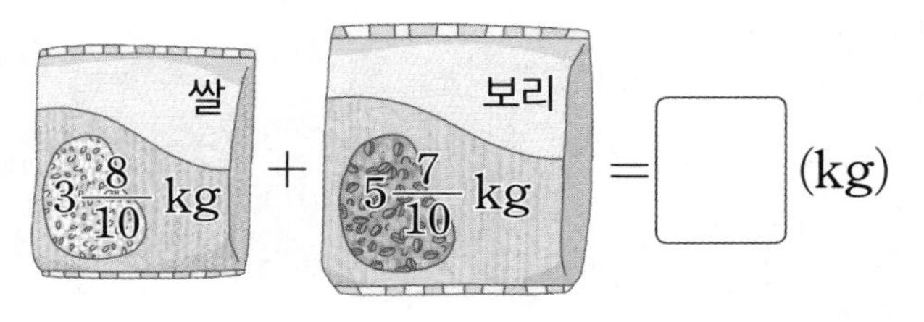

$=\square$ (kg)

14

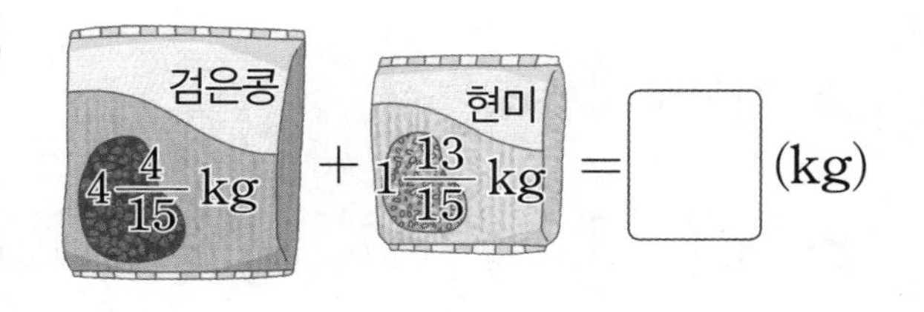

$=\square$ (kg)

문장 읽고 계산식 세우기

15 $2\frac{5}{6}$와 $1\frac{3}{6}$의 합은?

식 $2\frac{5}{6}+\square=\square$

16 $3\frac{7}{11}$과 $4\frac{9}{11}$의 합은?

식 $\square+4\frac{9}{11}=\square$

17 물 $5\frac{6}{8}$ L에 식초 $1\frac{7}{8}$ L를 섞으면 모두 몇 L?

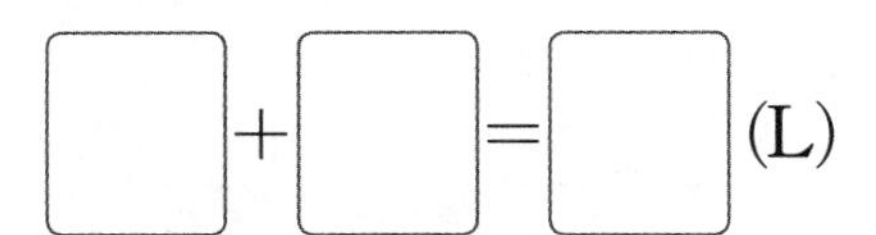

$\square+\square=\square$ (L)

18 물 $7\frac{14}{20}$ L에 간장 $2\frac{7}{20}$ L를 섞으면 모두 몇 L?

식 $\square+\square=\square$ (L)

7 일차

세 분수의 덧셈

이렇게 해결하자

• $1\frac{2}{6}+\frac{3}{6}+2\frac{4}{6}$의 계산

방법 1 $1\frac{2}{6}+\frac{3}{6}+2\frac{4}{6}=(1+2)+\left(\frac{2}{6}+\frac{3}{6}+\frac{4}{6}\right)$

$=3+\frac{9}{6}=3+1\frac{3}{6}=4\frac{3}{6}$

방법 2 $1\frac{2}{6}+\frac{3}{6}+2\frac{4}{6}=\frac{8}{6}+\frac{3}{6}+\frac{16}{6}=\frac{27}{6}=4\frac{3}{6}$

계산해 보세요.

❶ $1\frac{2}{4}+\frac{1}{4}+3\frac{3}{4}=(1+3)+\left(\frac{2}{4}+\frac{1}{4}+\frac{\square}{4}\right)$

$=4+\frac{\square}{4}=4+\square\frac{\square}{4}=\square\frac{\square}{4}$

❷ $\frac{3}{5}+1\frac{4}{5}+2\frac{2}{5}=\frac{3}{5}+\frac{\square}{5}+\frac{12}{5}=\frac{\square}{5}=\square\frac{\square}{5}$

❸ $2\frac{3}{7}+1\frac{5}{7}+1\frac{2}{7}=(2+1+\square)+\left(\frac{3}{7}+\frac{\square}{7}+\frac{2}{7}\right)$

$=4+\frac{\square}{7}=4+\square\frac{\square}{7}=\square\frac{\square}{7}$

❹ $\frac{9}{10}+1\frac{7}{10}+2\frac{1}{10}=\frac{9}{10}+\frac{\square}{10}+\frac{\square}{10}=\frac{\square}{10}=\square\frac{\square}{10}$

기초 계산 연습

맞은 개수 / 14개

▶ 정답과 해설 5쪽

❺ $\frac{3}{8}+\frac{2}{8}+3\frac{2}{8}$

=

=

=

❻ $\frac{2}{9}+2\frac{1}{9}+\frac{5}{9}$

=

=

=

❼ $2\frac{1}{4}+\frac{2}{4}+3\frac{2}{4}$

=

=

=

❽ $\frac{5}{6}+1\frac{3}{6}+4\frac{3}{6}$

=

=

=

❾ $3\frac{2}{7}+\frac{3}{7}+\frac{1}{7}$

=

=

=

❿ $\frac{5}{10}+1\frac{8}{10}+3\frac{3}{10}$

=

=

=

⓫ $1\frac{1}{5}+\frac{4}{5}+3\frac{3}{5}$

=

=

=

⓬ $2\frac{2}{8}+1\frac{3}{8}+2\frac{6}{8}$

=

=

=

⓭ $4\frac{6}{12}+1\frac{7}{12}+\frac{4}{12}$

=

=

=

⓮ $\frac{7}{15}+2\frac{6}{15}+3\frac{9}{15}$

=

=

=

7 일차

세 분수의 덧셈

계산해 보세요.

1 $\frac{1}{4}+\frac{3}{4}+\frac{3}{4}$

2 $\frac{3}{9}+\frac{2}{9}+\frac{5}{9}$

3 $\frac{2}{8}+3\frac{1}{8}+\frac{4}{8}$

4 $1\frac{4}{5}+2\frac{1}{5}+\frac{4}{5}$

5 $2\frac{3}{11}+\frac{7}{11}+3\frac{4}{11}$

6 $5\frac{5}{13}+4\frac{11}{13}+\frac{3}{13}$

빈칸에 알맞은 분수를 써넣으세요.

7

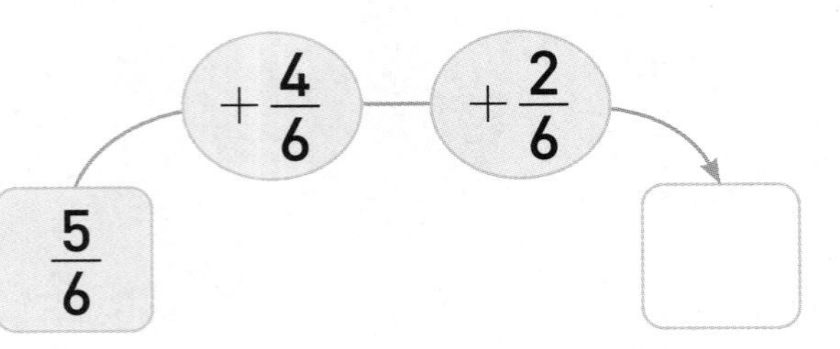

8

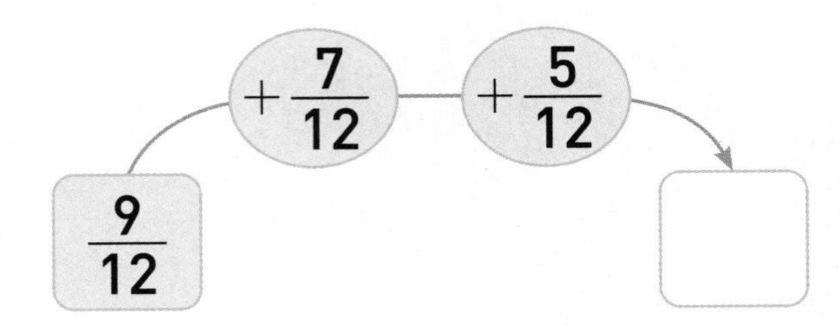

9

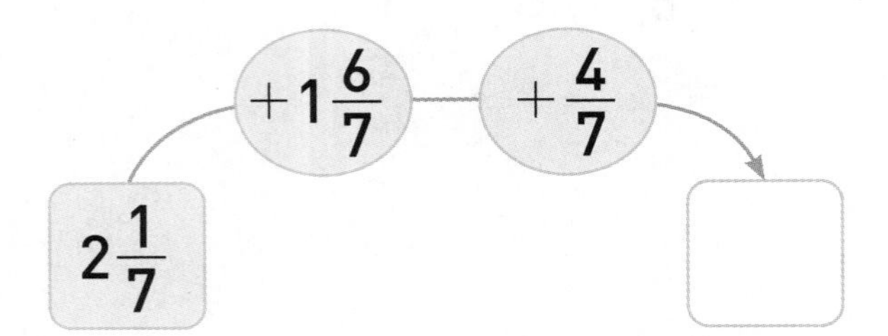

10

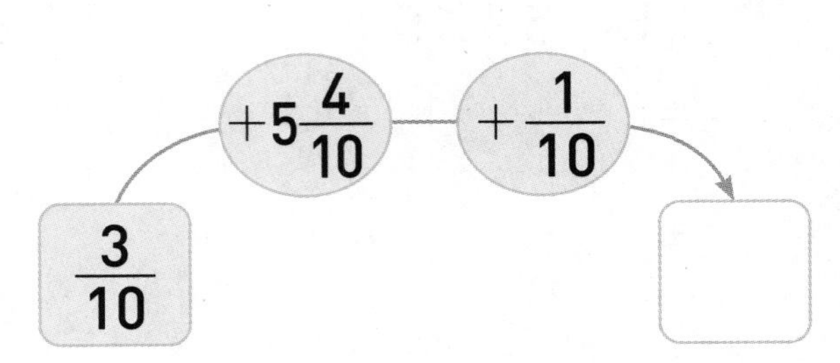

11

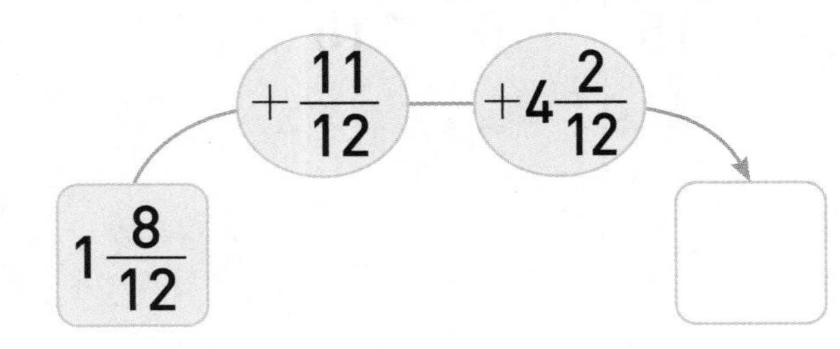

12

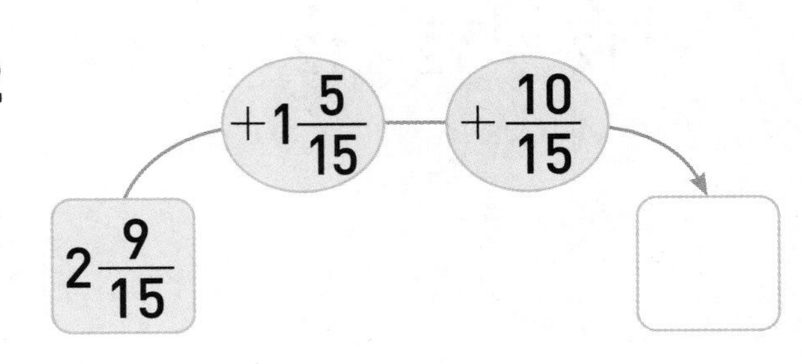

제한 시간 10분

플러스 계산 연습

맞은 개수 / 20개

▶ 정답과 해설 5쪽

세 수의 계산을 하세요.

13 ⊕ ⊕

$\frac{2}{7}$	$\frac{6}{7}$	$\frac{5}{7}$	
$\frac{4}{8}$	$\frac{1}{8}$	$\frac{6}{8}$	

14 ⊕ ⊕

$1\frac{2}{9}$	$\frac{3}{9}$	$\frac{1}{9}$	
$\frac{4}{10}$	$4\frac{2}{10}$	$\frac{3}{10}$	

15 ⊕ ⊕

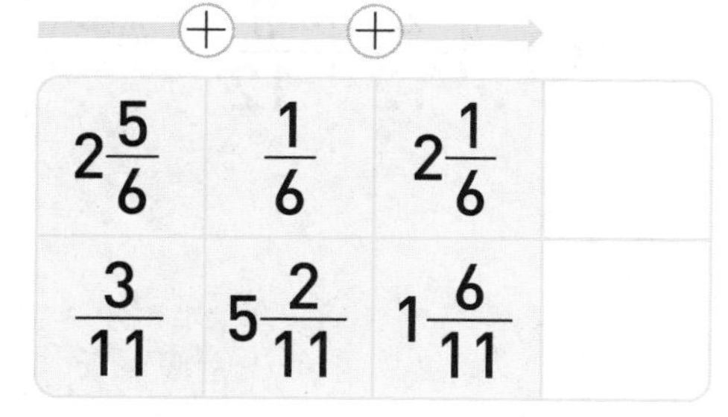

$2\frac{5}{6}$	$\frac{1}{6}$	$2\frac{1}{6}$	
$\frac{3}{11}$	$5\frac{2}{11}$	$1\frac{6}{11}$	

16 ⊕ ⊕

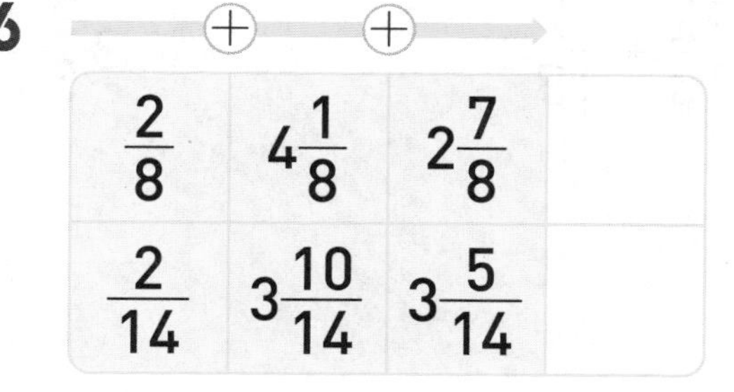

$\frac{2}{8}$	$4\frac{1}{8}$	$2\frac{7}{8}$	
$\frac{2}{14}$	$3\frac{10}{14}$	$3\frac{5}{14}$	

문장 읽고 계산식 세우기

17 우유를 매일 $\frac{2}{5}$ L씩 마실 때, 3일 동안 마신 우유의 양은 모두 몇 L?

식 $\frac{2}{5}+\frac{2}{5}+\square=\square$ (L)

18 줄넘기를 매일 $\frac{5}{6}$시간씩 할 때, 3일 동안 줄넘기를 한 시간은 모두 몇 시간?

식 $\frac{5}{6}+\frac{5}{6}+\square=\square$ (시간)

19 고구마를 재호는 $1\frac{1}{4}$ kg, 영선이는 $\frac{3}{4}$ kg, 승민이는 $1\frac{2}{4}$ kg 캤을 때, 세 사람이 캔 고구마는 모두 몇 kg?

식 $1\frac{1}{4}+\square+1\frac{2}{4}=\square$ (kg)

20 딸기를 소정이는 $1\frac{3}{10}$ kg, 선호는 $\frac{9}{10}$ kg, 지민이는 $2\frac{5}{10}$ kg 땄을 때, 세 사람이 딴 딸기는 모두 몇 kg?

식 $\square+\frac{9}{10}+2\frac{5}{10}=\square$ (kg)

평가 SPEED 연산력 TEST

계산해 보세요.

❶ $\frac{2}{4}+\frac{1}{4}$

❷ $\frac{3}{7}+\frac{2}{7}$

❸ $\frac{5}{8}+\frac{6}{8}$

❹ $\frac{12}{13}+\frac{8}{13}$

❺ $3\frac{2}{5}+\frac{2}{5}$

❻ $1\frac{4}{12}+\frac{3}{12}$

❼ $3\frac{5}{9}+\frac{6}{9}$

❽ $4\frac{8}{10}+\frac{5}{10}$

❾ $6\frac{15}{20}+\frac{8}{20}$

❿ $2\frac{3}{6}+1\frac{2}{6}$

⓫ $4\frac{7}{12}+2\frac{4}{12}$

⓬ $5\frac{7}{8}+2\frac{1}{8}$

⓭ $2\frac{5}{14}+2\frac{11}{14}$

⓮ $\frac{4}{5}+\frac{2}{5}+\frac{3}{5}$

⓯ $2\frac{1}{3}+1\frac{2}{3}+\frac{2}{3}$

▶정답과 해설 6쪽

빈칸에 알맞은 분수를 써넣으세요.

16

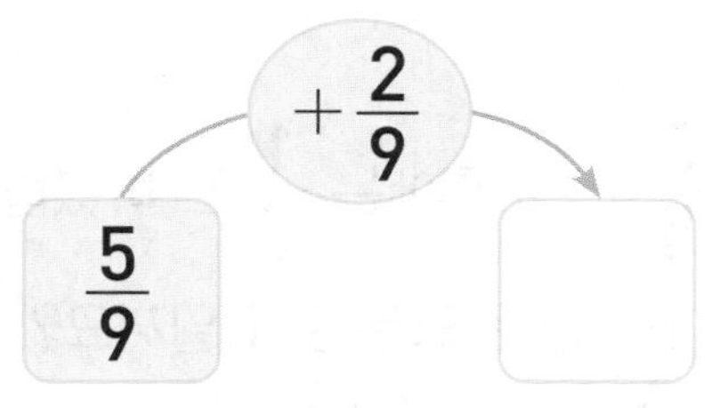

17

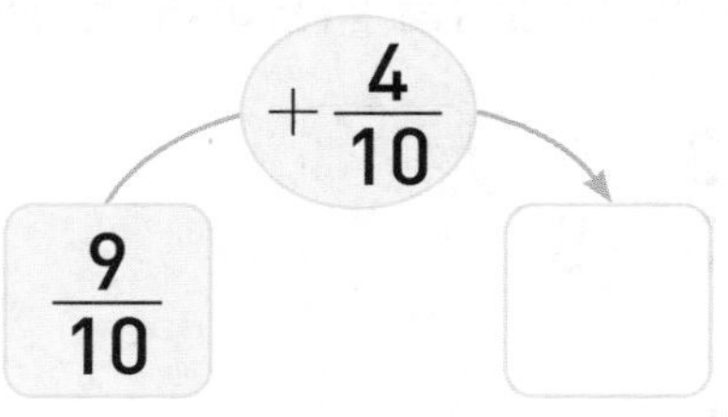

18

$+\frac{3}{6}$

$3\frac{2}{6}$

19

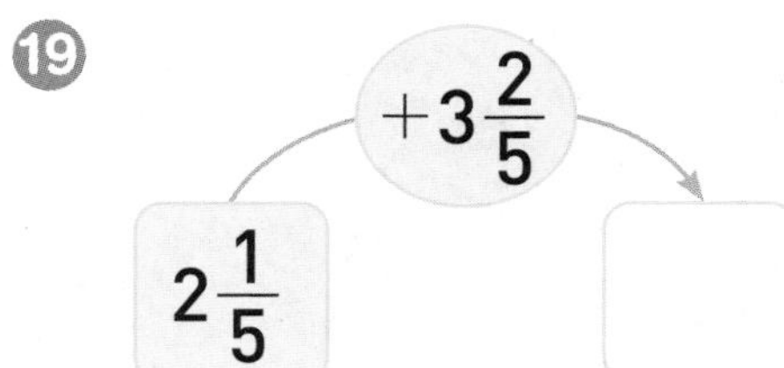

20

$+\frac{9}{12}$

$4\frac{6}{12}$

21

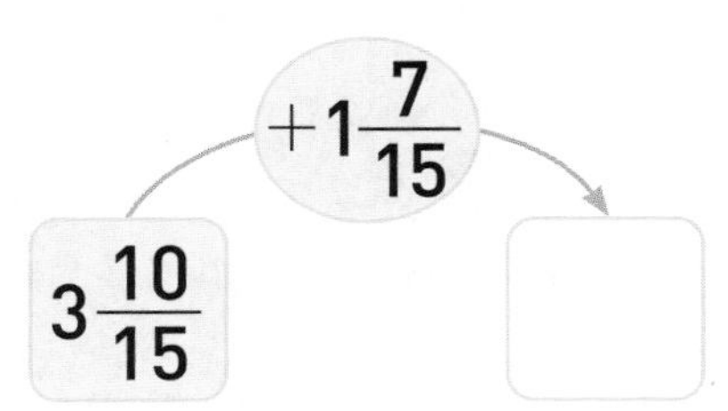

22

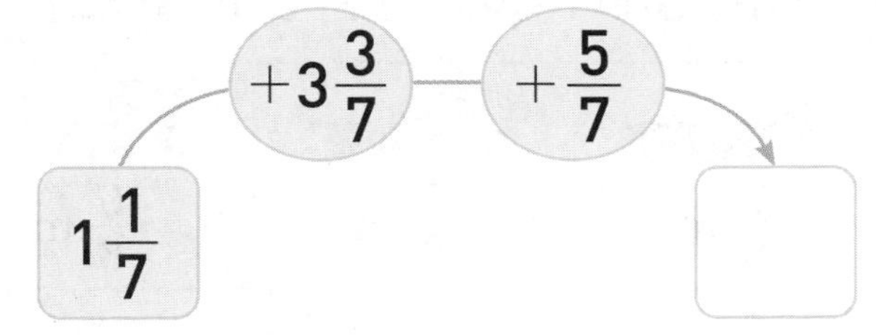

23

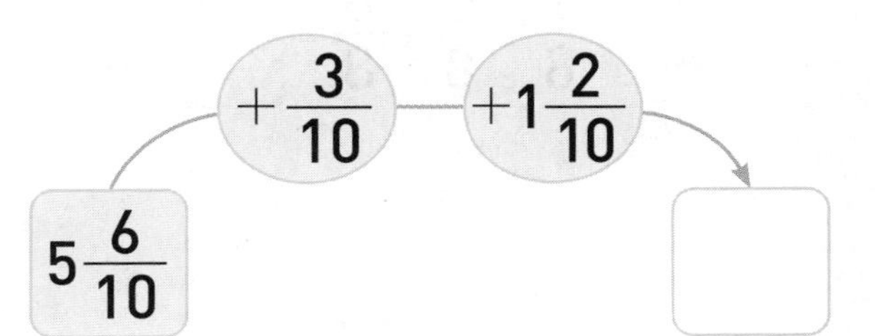

제한 시간 안에 정확하게
모두 풀었다면 여러분은 진정한 **계산왕!**

특강 문장제 문제 도전하기

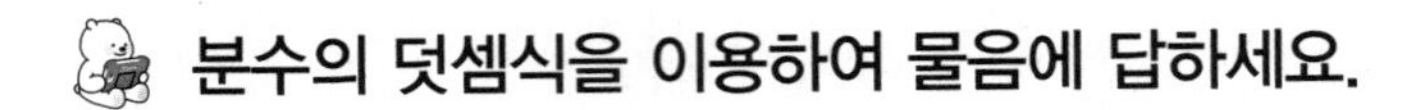

분수의 덧셈식을 이용하여 물음에 답하세요.

1 $\frac{3}{5}+\frac{1}{5}=\square$

➔ 물을 오전에는 $\frac{3}{5}$ L, 오후에는 $\frac{1}{5}$ L 마셨습니다. 오전과 오후에 마신 물은 모두 몇 L일까요?

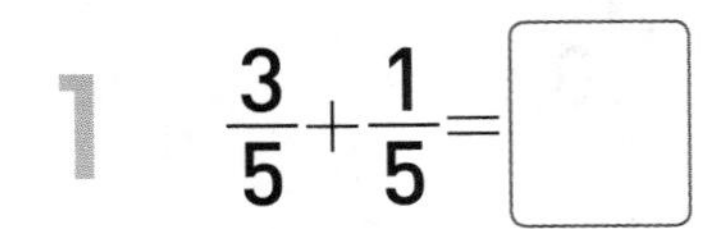

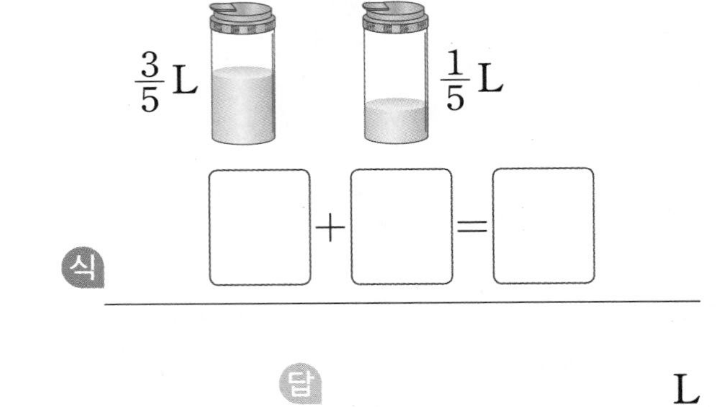

식 $\square+\square=\square$

답 ______ L

2 $7\frac{5}{10}+1\frac{9}{10}=\square$

➔ 수박과 파인애플의 무게의 합은 몇 kg일까요?

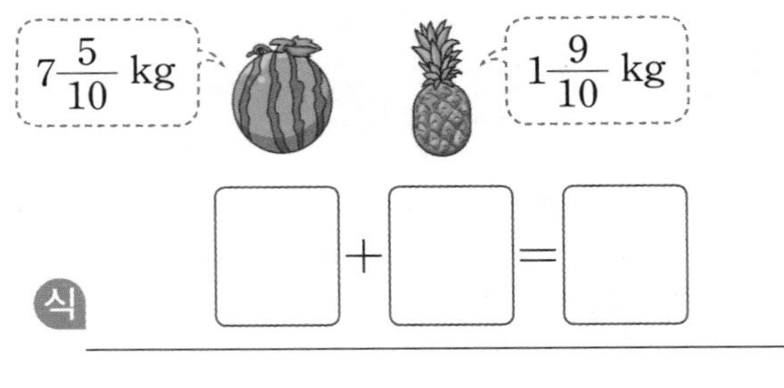

식 $\square+\square=\square$

답 ______ kg

3 $\frac{7}{8}+\frac{5}{8}+\frac{6}{8}=\square$

➔ 색 테이프 3개의 길이의 합은 몇 m일까요?

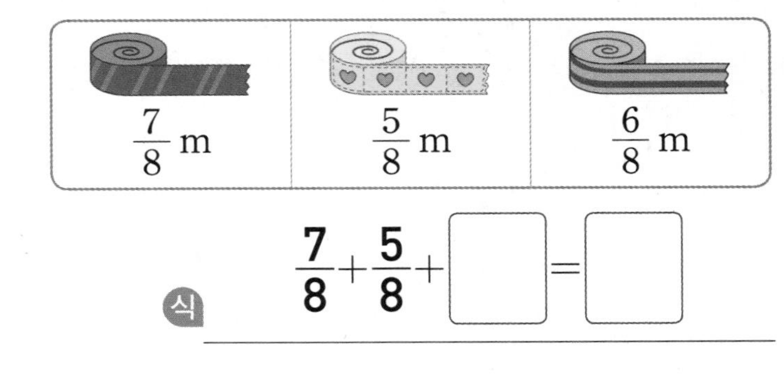

식 $\frac{7}{8}+\frac{5}{8}+\square=\square$

답 ______ m

▶정답과 해설 6쪽

문장을 읽고 알맞은 덧셈식을 세워 답을 구해 보자!

4 포도 주스 $\frac{3}{4}$ L와 딸기 주스 $\frac{2}{4}$ L가 있습니다.
포도 주스와 딸기 주스의 양은 모두 몇 L일까요?

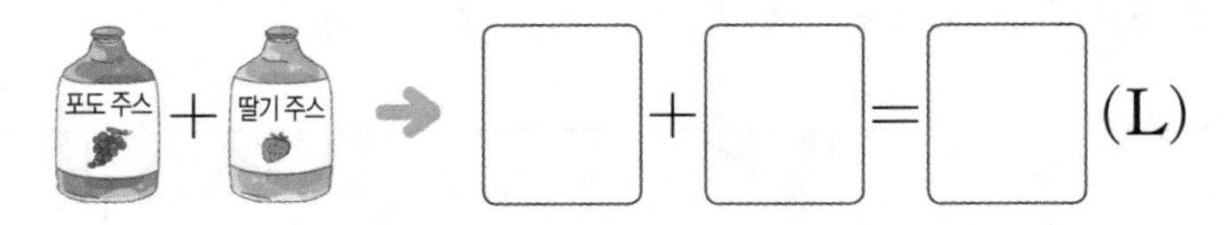

$\square + \square = \square$ (L)

5 분홍색 테이프 $1\frac{2}{9}$ m와 연두색 테이프 $\frac{8}{9}$ m를 겹치지 않게 이어 붙였습니다.
이어 붙인 색 테이프의 길이는 몇 m일까요?

$1\frac{2}{9}$ m　$\frac{8}{9}$ m ➜ $\square + \square = \square$ (m)

6 준영이는 동화책을 어제는 $1\frac{4}{5}$시간, 오늘은 $1\frac{3}{5}$시간 읽었습니다.
준영이가 어제와 오늘 동화책을 읽은 시간은 모두 몇 시간일까요?

$\square + \square = \square$ (시간)

특강 창의·융합·코딩·도전하기

분리배출을 하자!

융합 1 꼼꼼이와 엉뚱이가 재활용 쓰레기를 분리배출하고 있습니다.

지난주와 이번 주에 모은 재활용 쓰레기는 모두 몇 kg일까요?

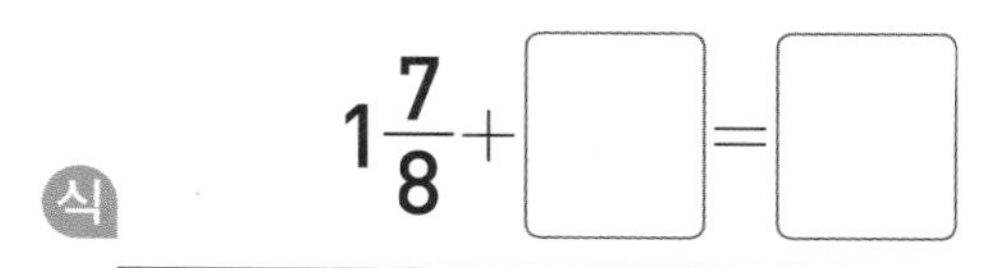

식 $1\frac{7}{8}+\square=\square$

답 ______ kg

보기 와 같이 왼쪽의 명령에 따라 로봇이 지나간 길을 그리고, 로봇이 주운 수 카드에 적힌 두 분수의 합을 구하세요.

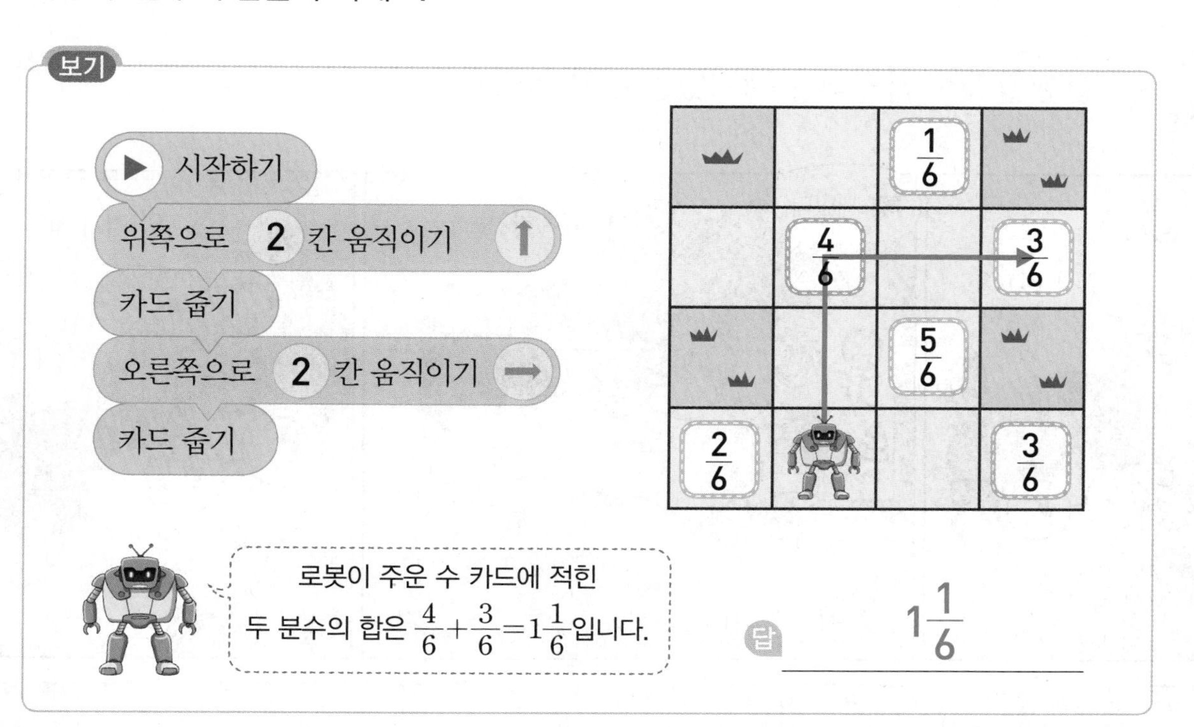

보기
시작하기
위쪽으로 2 칸 움직이기
카드 줍기
오른쪽으로 2 칸 움직이기
카드 줍기
$\frac{1}{6}$
$\frac{4}{6}$
$\frac{3}{6}$
$\frac{5}{6}$
$\frac{2}{6}$
$\frac{3}{6}$
로봇이 주운 수 카드에 적힌
두 분수의 합은 $\frac{4}{6}+\frac{3}{6}=1\frac{1}{6}$입니다.
답 $1\frac{1}{6}$

시작하기
위쪽으로 2 칸 움직이기
카드 줍기
왼쪽으로 2 칸 움직이기
카드 줍기

	$\frac{2}{9}$		$\frac{3}{9}$
$\frac{7}{9}$		$\frac{4}{9}$	
	$\frac{5}{9}$		
$\frac{6}{9}$			

답 ____________

분수의 뺄셈

실생활에서 알아보는 재미있는 수학 이야기

이번에 배울 내용을 알아볼까요?

- 1일차 ~ 2일차 (진분수)－(진분수), 1－(진분수)
- 3일차 ~ 4일차 받아내림이 없는 (대분수)－(진분수), (대분수)－(대분수)
- 5일차 ~ 6일차 (자연수)－(진분수), (자연수)－(대분수)
- 7일차 ~ 8일차 받아내림이 있는 (대분수)－(진분수), (대분수)－(대분수)
- 9일차 ~ 10일차 세 분수의 계산

1 일차

(진분수)−(진분수)

이렇게 해결하자

$$\frac{3}{6}-\frac{2}{6}=\frac{3-2}{6}=\frac{1}{6}$$

분모는 그대로 두고
분자끼리 빼요.

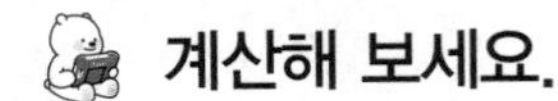

계산해 보세요.

❶ $\frac{3}{4}-\frac{2}{4}=\frac{3-\square}{4}=\frac{\square}{\square}$

❷ $\frac{6}{7}-\frac{3}{7}=\frac{6-\square}{7}=\frac{\square}{\square}$

❸ $\frac{7}{9}-\frac{5}{9}=\frac{7-\square}{9}=\frac{\square}{\square}$

❹ $\frac{4}{5}-\frac{3}{5}=\frac{4-\square}{5}=\frac{\square}{\square}$

❺ $\frac{5}{6}-\frac{1}{6}=\frac{\square-\square}{6}=\frac{\square}{\square}$

❻ $\frac{7}{8}-\frac{2}{8}=\frac{\square-\square}{8}=\frac{\square}{\square}$

❼ $\frac{9}{11}-\frac{7}{11}=\frac{\square-\square}{11}=\frac{\square}{\square}$

❽ $\frac{8}{10}-\frac{5}{10}=\frac{\square-\square}{10}=\frac{\square}{\square}$

❾ $\frac{7}{12}-\frac{3}{12}=\frac{\square-\square}{12}=\frac{\square}{\square}$

❿ $\frac{11}{16}-\frac{6}{16}=\frac{\square-\square}{16}=\frac{\square}{\square}$

기초 계산 연습

맞은 개수 / 25개

▶ 정답과 해설 7쪽

⑪ $\frac{2}{3}-\frac{1}{3}$

=

=

⑫ $\frac{3}{5}-\frac{2}{5}$

=

=

⑬ $\frac{7}{9}-\frac{1}{9}$

=

=

⑭ $\frac{4}{7}-\frac{2}{7}$

=

=

⑮ $\frac{5}{6}-\frac{3}{6}$

=

=

⑯ $\frac{6}{8}-\frac{1}{8}$

=

=

⑰ $\frac{3}{4}-\frac{1}{4}$

=

=

⑱ $\frac{9}{10}-\frac{5}{10}$

=

=

⑲ $\frac{10}{11}-\frac{8}{11}$

=

=

⑳ $\frac{6}{9}-\frac{5}{9}$

=

=

㉑ $\frac{6}{8}-\frac{3}{8}$

=

=

㉒ $\frac{11}{14}-\frac{3}{14}$

=

=

㉓ $\frac{13}{15}-\frac{6}{15}$

=

=

㉔ $\frac{5}{10}-\frac{2}{10}$

=

=

㉕ $\frac{11}{12}-\frac{7}{12}$

=

=

1 일차

(진분수)−(진분수)

계산해 보세요.

1 $\frac{4}{5}-\frac{2}{5}$

2 $\frac{2}{4}-\frac{1}{4}$

3 $\frac{7}{8}-\frac{5}{8}$

4 $\frac{5}{7}-\frac{3}{7}$

5 $\frac{8}{9}-\frac{5}{9}$

6 $\frac{13}{15}-\frac{2}{15}$

7 $\frac{9}{10}-\frac{2}{10}$

8 $\frac{9}{11}-\frac{3}{11}$

9 $\frac{12}{14}-\frac{3}{14}$

빈칸에 두 분수의 차를 써넣으세요.

10

$\frac{4}{6}$	$\frac{1}{6}$

11

$\frac{6}{9}$	$\frac{2}{9}$

12

$\frac{3}{8}$	$\frac{7}{8}$

13

$\frac{12}{13}$	$\frac{10}{13}$

14

$\frac{10}{11}$	$\frac{4}{11}$

15

$\frac{10}{15}$	$\frac{11}{15}$

플러스 계산 연습

맞은 개수 / 23개

▶ 정답과 해설 7쪽

빈칸에 알맞은 분수를 써넣으세요.

16 ⊖ →

$\frac{4}{7}$	$\frac{3}{7}$	
$\frac{7}{8}$	$\frac{4}{8}$	

17 ⊖ →

$\frac{5}{10}$	$\frac{1}{10}$	
$\frac{8}{13}$	$\frac{5}{13}$	

18 ⊖ →

$\frac{6}{11}$	$\frac{3}{11}$	
$\frac{9}{12}$	$\frac{5}{12}$	

19 ⊖ →

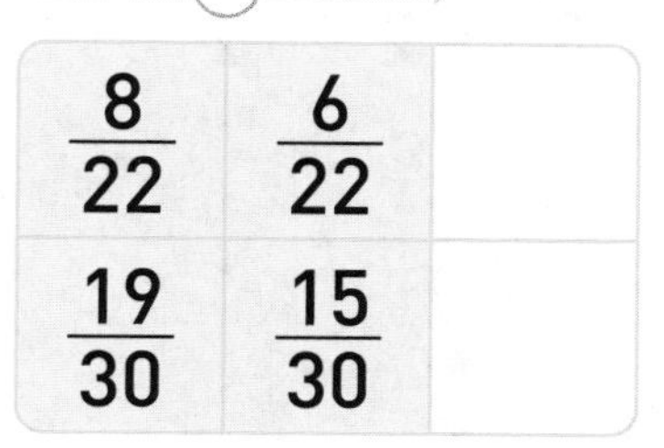

$\frac{8}{22}$	$\frac{6}{22}$	
$\frac{19}{30}$	$\frac{15}{30}$	

문장 읽고 계산식 세우기

20 $\frac{8}{9}$보다 $\frac{2}{9}$만큼 더 작은 수는?

식 $\frac{8}{9} - \square = \square$

21 $\frac{14}{15}$보다 $\frac{3}{15}$만큼 더 작은 수는?

식 $\square - \frac{3}{15} = \square$

22 우유 $\frac{7}{10}$ L 중에서 $\frac{4}{10}$ L를 마셨다면 남은 우유는 몇 L?

식 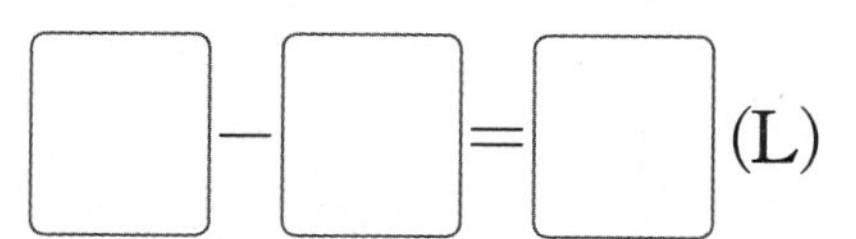

$\square - \square = \square$ (L)

23 주스 $\frac{15}{20}$ L 중에서 $\frac{8}{20}$ L를 마셨다면 남은 주스는 몇 L?

식 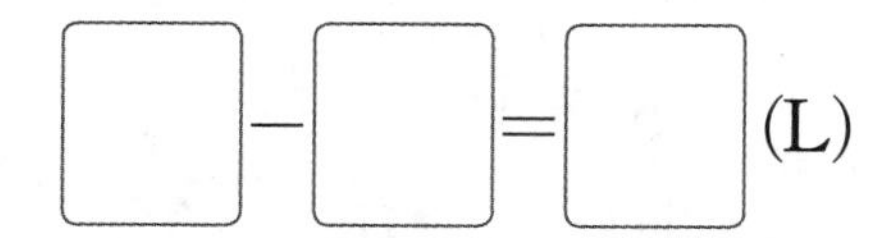

$\square - \square = \square$ (L)

2 분수의 뺄셈

2 일차

1−(진분수)

이렇게 해결하자

$$1-\frac{1}{3}=\frac{3}{3}-\frac{1}{3}=\frac{2}{3}$$

계산해 보세요.

❶ $1-\frac{1}{2}=\frac{\square}{2}-\frac{1}{2}=\frac{\square}{2}$

❷ $1-\frac{2}{5}=\frac{\square}{5}-\frac{2}{5}=\frac{\square}{5}$

❸ $1-\frac{1}{6}=\frac{\square}{6}-\frac{1}{6}=\frac{\square}{6}$

❹ $1-\frac{3}{4}=\frac{\square}{4}-\frac{3}{4}=\frac{\square}{4}$

❺ $1-\frac{5}{7}=\frac{\square}{7}-\frac{5}{7}=\frac{\square}{7}$

❻ $1-\frac{4}{9}=\frac{\square}{9}-\frac{4}{9}=\frac{\square}{9}$

❼ $1-\frac{3}{8}=\frac{\square}{8}-\frac{3}{8}=\frac{\square}{8}$

❽ $1-\frac{2}{11}=\frac{\square}{11}-\frac{2}{11}=\frac{\square}{11}$

❾ $1-\frac{9}{10}=\frac{\square}{10}-\frac{9}{10}=\frac{\square}{10}$

❿ $1-\frac{11}{15}=\frac{\square}{15}-\frac{11}{15}=\frac{\square}{15}$

제한 시간 5분

기초 계산 연습

맞은 개수 / 25개

▶ 정답과 해설 7쪽

⑪ $1-\frac{1}{4}$

$=$

$=$

⑫ $1-\frac{3}{6}$

$=$

$=$

⑬ $1-\frac{5}{8}$

$=$

$=$

⑭ $1-\frac{3}{5}$

$=$

$=$

⑮ $1-\frac{1}{7}$

$=$

$=$

⑯ $1-\frac{2}{9}$

$=$

$=$

⑰ $1-\frac{7}{8}$

$=$

$=$

⑱ $1-\frac{7}{10}$

$=$

$=$

⑲ $1-\frac{9}{11}$

$=$

$=$

⑳ $1-\frac{8}{9}$

$=$

$=$

㉑ $1-\frac{6}{8}$

$=$

$=$

㉒ $1-\frac{2}{7}$

$=$

$=$

㉓ $1-\frac{5}{11}$

$=$

$=$

㉔ $1-\frac{3}{12}$

$=$

$=$

㉕ $1-\frac{1}{10}$

$=$

$=$

1−(진분수)

계산해 보세요.

1 $1-\frac{2}{3}$

2 $1-\frac{1}{5}$

3 $1-\frac{3}{7}$

4 $1-\frac{2}{4}$

5 $1-\frac{3}{10}$

6 $1-\frac{2}{9}$

7 $1-\frac{7}{8}$

8 $1-\frac{8}{11}$

9 $1-\frac{13}{15}$

빈칸에 알맞은 분수를 써넣으세요.

10 $1 - \frac{4}{5} =$ ☐

11 $1 - \frac{1}{2} =$ ☐

12 $1 - \frac{2}{6} =$ ☐

13 $1 - \frac{5}{14} =$ ☐

14 $1 - \frac{5}{16} =$ ☐

15 $1 - \frac{13}{20} =$ ☐

플러스 계산 연습

맞은 개수 / 22개

▶ 정답과 해설 8쪽

빈칸에 알맞은 수를 써넣으세요.

16

−	$\frac{2}{12}$	$\frac{4}{12}$	$\frac{6}{12}$	$\frac{8}{12}$	$\frac{10}{12}$	$\frac{12}{12}$
1						

$1-\frac{2}{12}$

생활 속 계산

남은 피자를 보고 한 판의 몇 분의 몇을 먹었는지 구하세요.

17

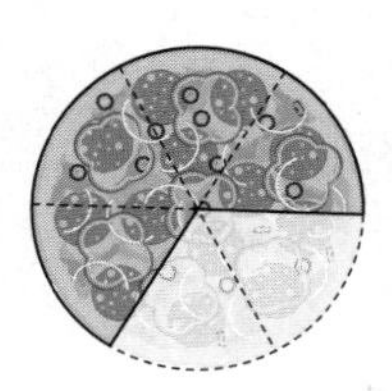

$1-\frac{4}{6}=\square$

18

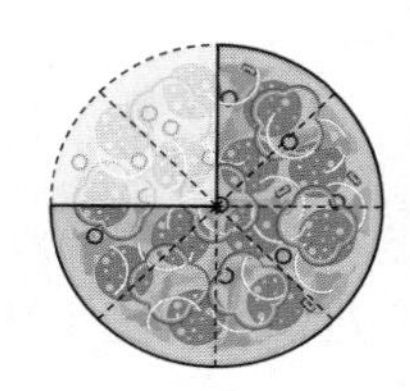

$1-\frac{6}{8}=\square$

문장 읽고 계산식 세우기

19 1과 $\frac{7}{11}$의 차는?

식 $1-\square=\square$

20 1과 $\frac{5}{13}$의 차는?

식 $1-\square=\square$

21 빨간색 끈 1 m와 파란색 끈 $\frac{3}{4}$ m의 길이의 차는 몇 m?

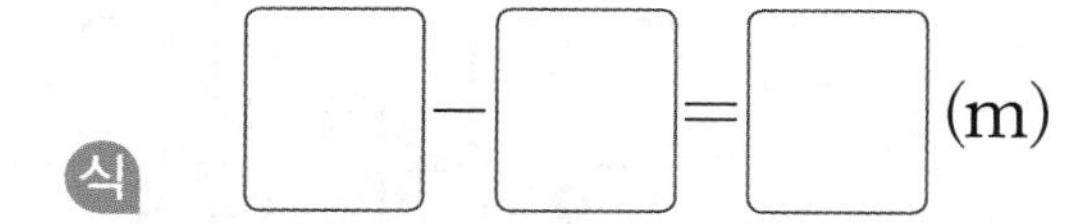

식 $\square-\square=\square$ (m)

22 노란색 끈 1 m와 초록색 끈 $\frac{8}{10}$ m의 길이의 차는 몇 m?

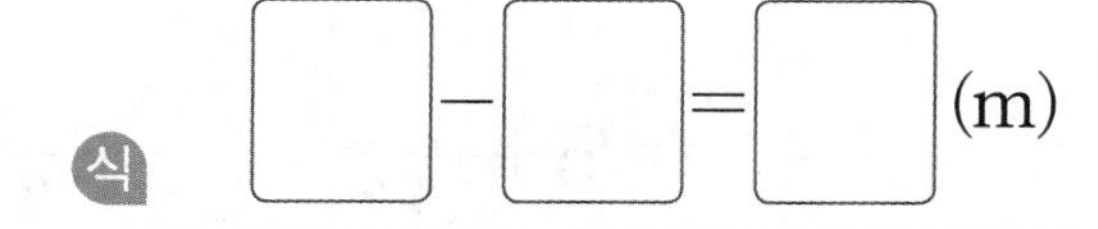

식 $\square-\square=\square$ (m)

3 일차 받아내림이 없는 (대분수)−(진분수)

이렇게 해결하자

• $2\frac{4}{5}-\frac{1}{5}$의 계산

자연수 부분과 진분수 부분으로 나누어 계산하거나
대분수를 가분수로 바꾸어 계산해요.

방법 1 $2\frac{4}{5}-\frac{1}{5}=2+\left(\frac{4}{5}-\frac{1}{5}\right)$
$=2+\frac{3}{5}$
$=2\frac{3}{5}$

방법 2 $2\frac{4}{5}-\frac{1}{5}=\frac{14}{5}-\frac{1}{5}$
$=\frac{13}{5}$
$=2\frac{3}{5}$

계산해 보세요.

❶ $1\frac{2}{3}-\frac{1}{3}=1+\left(\frac{2}{3}-\frac{\square}{3}\right)$
$=1+\frac{\square}{3}=\square\frac{\square}{3}$

❷ $1\frac{3}{4}-\frac{1}{4}=\frac{\square}{4}-\frac{1}{4}$
$=\frac{\square}{4}=\square\frac{\square}{4}$

❸ $3\frac{5}{7}-\frac{2}{7}=3+\left(\frac{5}{7}-\frac{\square}{7}\right)$
$=3+\frac{\square}{7}=\square\frac{\square}{7}$

❹ $2\frac{4}{6}-\frac{3}{6}=\frac{\square}{6}-\frac{3}{6}$
$=\frac{\square}{6}=\square\frac{\square}{6}$

❺ $5\frac{9}{11}-\frac{3}{11}=5+\left(\frac{9}{11}-\frac{\square}{11}\right)$
$=5+\frac{\square}{11}=\square\frac{\square}{11}$

❻ $3\frac{4}{9}-\frac{2}{9}=\frac{\square}{9}-\frac{2}{9}$
$=\frac{\square}{9}=\square\frac{\square}{9}$

제한 시간 6분

기초 계산 연습

맞은 개수 / 21개

▶ 정답과 해설 8쪽

⑦ $1\frac{3}{5}-\frac{2}{5}$

=

=

=

⑧ $3\frac{7}{8}-\frac{4}{8}$

=

=

=

⑨ $4\frac{5}{6}-\frac{4}{6}$

=

=

=

⑩ $6\frac{5}{7}-\frac{3}{7}$

=

=

=

⑪ $5\frac{2}{4}-\frac{1}{4}$

=

=

=

⑫ $5\frac{4}{9}-\frac{1}{9}$

=

=

=

⑬ $7\frac{5}{8}-\frac{3}{8}$

=

=

=

⑭ $2\frac{4}{5}-\frac{3}{5}$

=

=

=

⑮ $4\frac{7}{10}-\frac{6}{10}$

=

=

=

⑯ $2\frac{7}{9}-\frac{5}{9}$

=

=

=

⑰ $1\frac{3}{6}-\frac{1}{6}$

=

=

=

⑱ $3\frac{10}{11}-\frac{3}{11}$

=

=

=

⑲ $7\frac{8}{10}-\frac{1}{10}$

=

=

=

⑳ $2\frac{12}{13}-\frac{10}{13}$

=

=

=

㉑ $5\frac{8}{16}-\frac{1}{16}$

=

=

=

3 일차

받아내림이 없는 (대분수)−(진분수)

계산해 보세요.

1 $3\frac{2}{4}-\frac{1}{4}$

2 $1\frac{4}{7}-\frac{2}{7}$

3 $5\frac{6}{8}-\frac{3}{8}$

4 $2\frac{4}{9}-\frac{1}{9}$

5 $3\frac{7}{11}-\frac{3}{11}$

6 $4\frac{9}{10}-\frac{2}{10}$

7 $6\frac{9}{14}-\frac{4}{14}$

8 $2\frac{12}{16}-\frac{3}{16}$

9 $3\frac{13}{15}-\frac{9}{15}$

빈칸에 두 분수의 차를 써넣으세요.

10 $2\frac{4}{5}$, $\frac{2}{5}$

11 $\frac{1}{6}$, $5\frac{5}{6}$

12 $\frac{2}{9}$, $4\frac{5}{9}$

13 $3\frac{10}{12}$, $\frac{7}{12}$

14 $2\frac{8}{11}$, $\frac{4}{11}$

15 $\frac{6}{20}$, $5\frac{7}{20}$

플러스 계산 연습

맞은 개수 / 23개

▶ 정답과 해설 8쪽

 빈칸에 알맞은 분수를 써넣으세요.

16

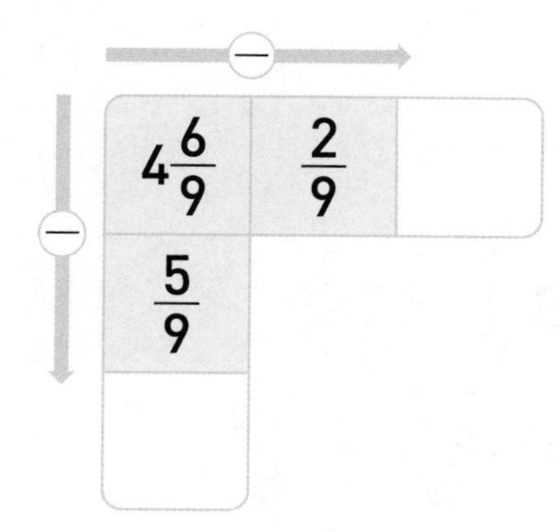

17

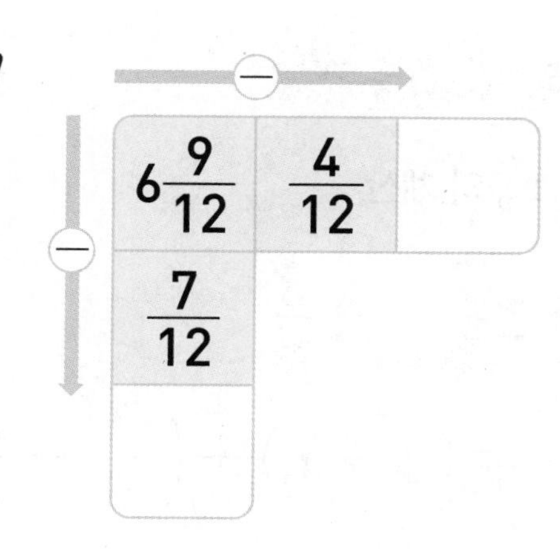

18

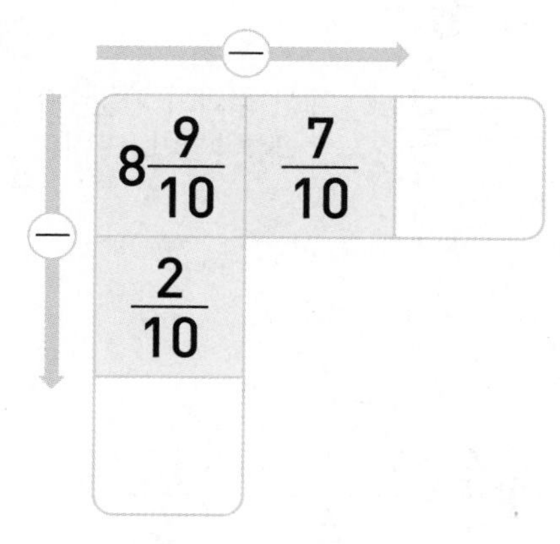

19

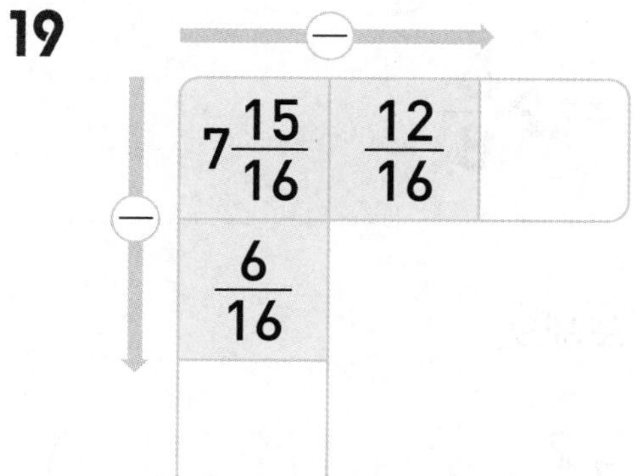

문장 읽고 계산식 세우기

20 $8\frac{3}{7}$보다 $\frac{1}{7}$만큼 더 작은 수는?

식 $8\frac{3}{7}-\square=\square$

21 $7\frac{9}{15}$보다 $\frac{2}{15}$만큼 더 작은 수는?

식 $\square-\frac{2}{15}=\square$

22 물 $5\frac{7}{8}$ L 중에서 $\frac{4}{8}$ L를 사용했다면 남은 물은 몇 L?

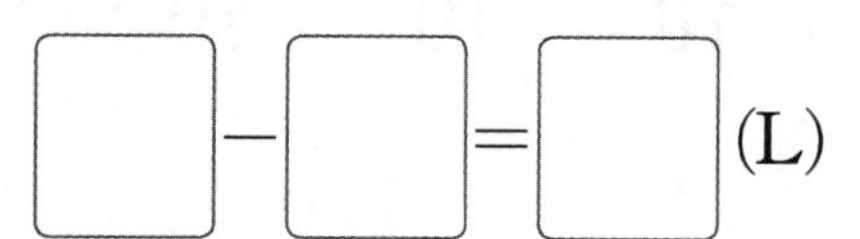

23 밀가루 $6\frac{18}{20}$ kg 중에서 $\frac{11}{20}$ kg을 사용했다면 남은 밀가루는 몇 kg?

식 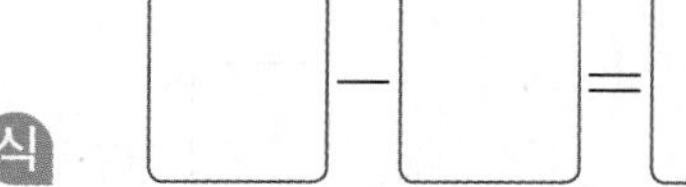

4 일차

받아내림이 없는 (대분수)－(대분수)

이렇게 해결하자

• $3\frac{7}{8}-1\frac{2}{8}$의 계산

방법 1 $3\frac{7}{8}-1\frac{2}{8}$

$=(3-1)+\left(\frac{7}{8}-\frac{2}{8}\right)$

$=2+\frac{5}{8}$

$=2\frac{5}{8}$

방법 2 $3\frac{7}{8}-1\frac{2}{8}$

$=\frac{31}{8}-\frac{10}{8}$

$=\frac{21}{8}$

$=2\frac{5}{8}$

계산 결과가 가분수이면 대분수로 나타내요.

계산해 보세요.

❶ $2\frac{3}{4}-1\frac{2}{4}=(2-1)+\left(\frac{3}{4}-\frac{\square}{4}\right)$

$=\square+\frac{\square}{4}=\square\frac{\square}{4}$

❷ $2\frac{5}{6}-1\frac{4}{6}=\frac{\square}{6}-\frac{10}{6}$

$=\frac{\square}{6}=\square\frac{\square}{6}$

❸ $3\frac{5}{7}-1\frac{2}{7}=(\square-1)+\left(\frac{\square}{7}-\frac{2}{7}\right)$

$=\square+\frac{\square}{7}=\square\frac{\square}{7}$

❹ $3\frac{4}{5}-2\frac{2}{5}=\frac{19}{5}-\frac{\square}{5}$

$=\frac{\square}{5}=\square\frac{\square}{5}$

❺ $6\frac{6}{9}-2\frac{4}{9}=(6-\square)+\left(\frac{\square}{9}-\frac{4}{9}\right)$

$=\square+\frac{\square}{9}=\square\frac{\square}{9}$

❻ $5\frac{7}{10}-2\frac{4}{10}=\frac{\square}{10}-\frac{\square}{10}$

$=\frac{\square}{10}=\square\frac{\square}{10}$

제한 시간 6분

기초 계산 연습

맞은 개수 / 21개

▶ 정답과 해설 8쪽

⑦ $5\frac{2}{3}-1\frac{1}{3}$

=

=

=

⑧ $6\frac{3}{7}-2\frac{1}{7}$

=

=

=

⑨ $7\frac{3}{5}-4\frac{2}{5}$

=

=

=

⑩ $2\frac{7}{8}-1\frac{4}{8}$

=

=

=

⑪ $4\frac{5}{6}-1\frac{2}{6}$

=

=

=

⑫ $5\frac{7}{9}-3\frac{2}{9}$

=

=

=

⑬ $5\frac{6}{7}-4\frac{4}{7}$

=

=

=

⑭ $6\frac{8}{10}-5\frac{7}{10}$

=

=

=

⑮ $7\frac{9}{11}-2\frac{1}{11}$

=

=

=

⑯ $3\frac{7}{12}-1\frac{6}{12}$

=

=

=

⑰ $6\frac{6}{8}-1\frac{3}{8}$

=

=

=

⑱ $5\frac{5}{9}-2\frac{3}{9}$

=

=

=

⑲ $5\frac{8}{10}-2\frac{5}{10}$

=

=

=

⑳ $7\frac{10}{11}-3\frac{2}{11}$

=

=

=

㉑ $5\frac{14}{20}-3\frac{11}{20}$

=

=

=

4 일차 받아내림이 없는 (대분수)−(대분수)

계산해 보세요.

1 $3\frac{4}{5}-1\frac{3}{5}$

2 $4\frac{7}{8}-2\frac{5}{8}$

3 $5\frac{3}{6}-1\frac{2}{6}$

4 $5\frac{6}{7}-2\frac{3}{7}$

5 $7\frac{8}{9}-1\frac{1}{9}$

6 $8\frac{9}{10}-3\frac{2}{10}$

빈칸에 알맞은 분수를 써넣으세요.

7 $4\frac{5}{6}$ − [$1\frac{1}{6}$, $2\frac{4}{6}$, $4\frac{2}{6}$] = [, ,]

8 $8\frac{7}{9}$ − [$3\frac{2}{9}$, $4\frac{5}{9}$, $6\frac{3}{9}$] = [, ,]

9 $6\frac{9}{11}$ − [$2\frac{4}{11}$, $3\frac{5}{11}$, $5\frac{8}{11}$] = [, ,]

10 $7\frac{11}{12}$ − [$3\frac{4}{12}$, $5\frac{6}{12}$, $6\frac{9}{12}$] = [, ,]

플러스 계산 연습

맞은 개수 / 18개

▶ 정답과 해설 9쪽

생활 속 계산

학교에서 공원까지의 거리는 학교에서 집까지의 거리보다 몇 km 더 먼지 구하세요.

11

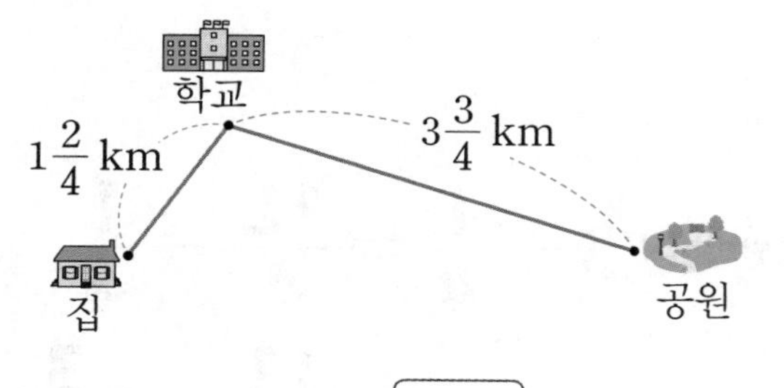

$3\frac{3}{4}-1\frac{2}{4}=\square$ (km)

12

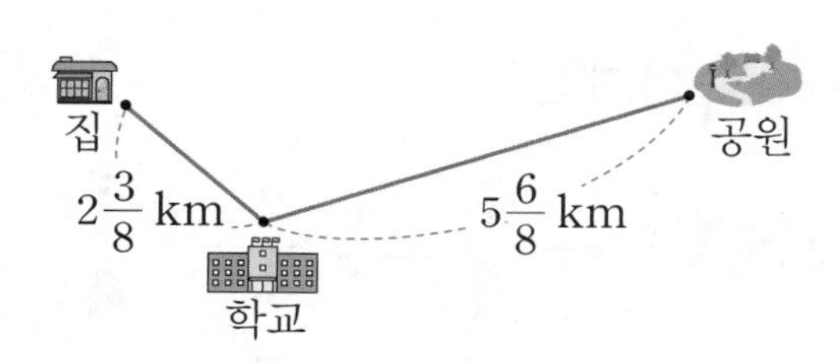

$5\frac{6}{8}-2\frac{3}{8}=\square$ (km)

13

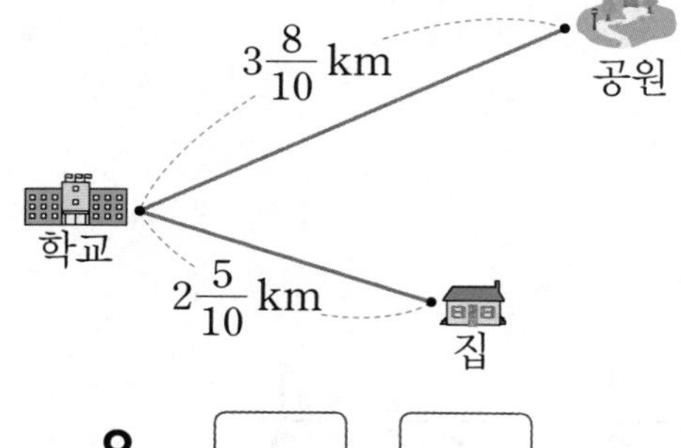

$3\frac{8}{10}-\square=\square$ (km)

14

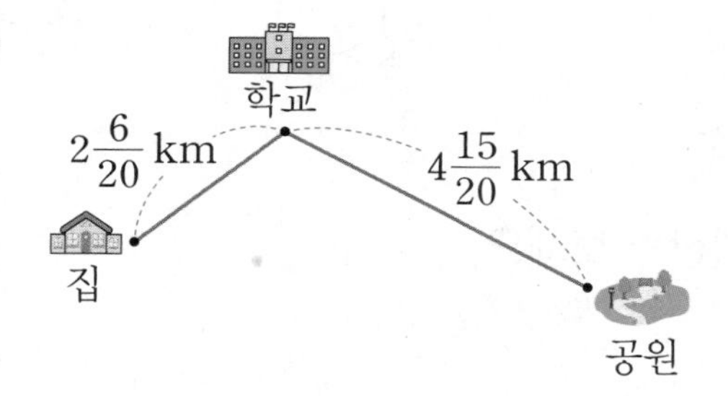

$4\frac{15}{20}-\square=\square$ (km)

문장 읽고 계산식 세우기

15 $3\frac{5}{7}$보다 $3\frac{2}{7}$만큼 더 작은 수는?

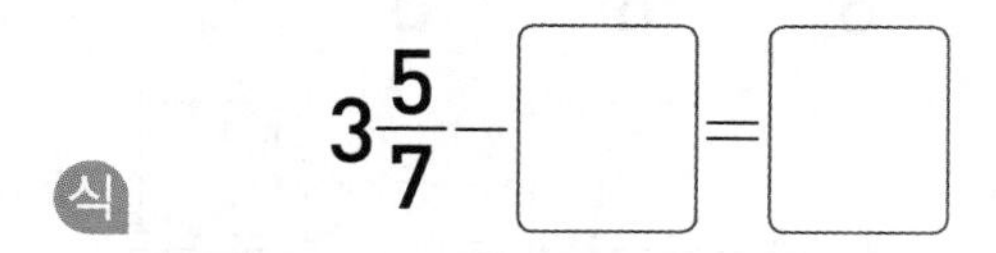

식 $3\frac{5}{7}-\square=\square$

16 $8\frac{11}{14}$보다 $6\frac{8}{14}$만큼 더 작은 수는?

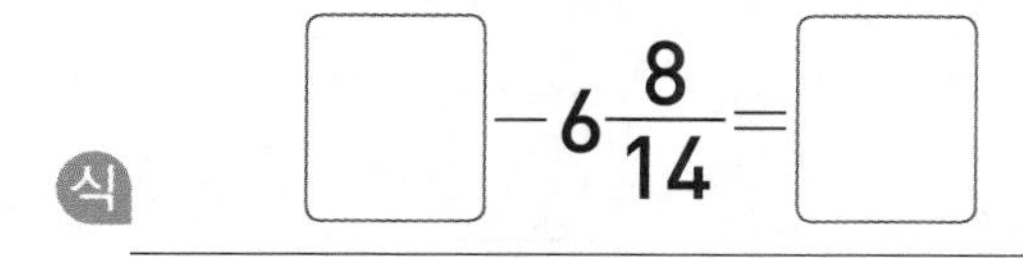

식 $\square-6\frac{8}{14}=\square$

17 귤 $5\frac{4}{5}$ kg 중에서 $2\frac{1}{5}$ kg을 이웃집에 주었다면 남은 귤은 몇 kg?

식 $\square-\square=\square$ (kg)

18 밤 $7\frac{9}{10}$ kg 중에서 $3\frac{3}{10}$ kg을 이웃집에 주었다면 남은 밤은 몇 kg?

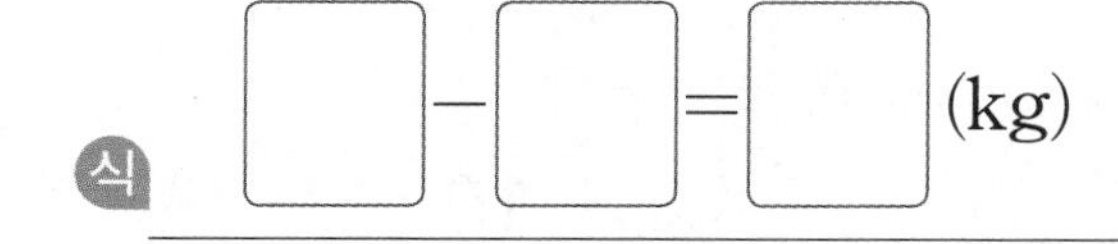

식 $\square-\square=\square$ (kg)

5 일차

(자연수)−(진분수)

이렇게 해결하자

• $3-\frac{1}{4}$의 계산

방법 1 $3-\frac{1}{4}=2\frac{4}{4}-\frac{1}{4}$

$=2\frac{3}{4}$

방법 2 $3-\frac{1}{4}=\frac{12}{4}-\frac{1}{4}$

$=\frac{11}{4}=2\frac{3}{4}$

자연수에서 1만큼을 가분수로 바꾸어 계산하거나
자연수를 가분수로 바꾸어 계산해요.

계산해 보세요.

❶ $2-\frac{1}{2}=1\frac{\square}{2}-\frac{1}{2}$

$=\square\frac{\square}{2}$

❷ $4-\frac{1}{3}=\frac{\square}{3}-\frac{1}{3}$

$=\frac{\square}{3}=\square\frac{\square}{3}$

❸ $5-\frac{3}{7}=4\frac{\square}{7}-\frac{3}{7}$

$=\square\frac{\square}{7}$

❹ $3-\frac{5}{6}=\frac{\square}{6}-\frac{5}{6}$

$=\frac{\square}{6}=\square\frac{\square}{6}$

❺ $4-\frac{7}{10}=3\frac{\square}{10}-\frac{7}{10}$

$=\square\frac{\square}{10}$

❻ $5-\frac{4}{9}=\frac{\square}{9}-\frac{4}{9}$

$=\frac{\square}{9}=\square\frac{\square}{9}$

제한 시간 6분

기초 계산 연습

맞은 개수 / 21개

▶ 정답과 해설 9쪽

⑦ $3-\frac{2}{3}$

=

=

⑧ $2-\frac{2}{5}$

=

=

⑨ $5-\frac{1}{8}$

=

=

⑩ $6-\frac{3}{4}$

=

=

⑪ $3-\frac{5}{7}$

=

=

⑫ $4-\frac{1}{6}$

=

=

⑬ $7-\frac{2}{9}$

=

=

⑭ $6-\frac{3}{8}$

=

=

⑮ $2-\frac{2}{11}$

=

=

⑯ $9-\frac{1}{10}$

=

=

⑰ $8-\frac{4}{7}$

=

=

⑱ $4-\frac{3}{5}$

=

=

⑲ $5-\frac{11}{12}$

=

=

⑳ $2-\frac{8}{9}$

=

=

㉑ $6-\frac{3}{14}$

=

=

5 일차

(자연수)−(진분수)

계산해 보세요.

1 $2-\frac{5}{6}$

2 $4-\frac{1}{7}$

3 $5-\frac{7}{8}$

4 $5-\frac{3}{4}$

5 $3-\frac{4}{5}$

6 $7-\frac{5}{11}$

7 $8-\frac{4}{9}$

8 $9-\frac{7}{10}$

9 $7-\frac{2}{15}$

빈칸에 알맞은 분수를 써넣으세요.

10 5 → $-\frac{1}{3}$ → □

11 4 → $-\frac{1}{2}$ → □

12 3 → $-\frac{6}{7}$ → □

13 7 → $-\frac{9}{14}$ → □

14 6 → $-\frac{1}{12}$ → □

15 5 → $-\frac{4}{17}$ → □

빈칸에 알맞은 분수를 써넣으세요.

16

−	$\frac{3}{6}$	$\frac{3}{7}$
6		

└ $6-\frac{3}{6}$

17

−	$\frac{5}{9}$	$\frac{7}{11}$
9		

생활 속 계산

선물을 포장하고 남은 리본의 길이를 구하세요.

18

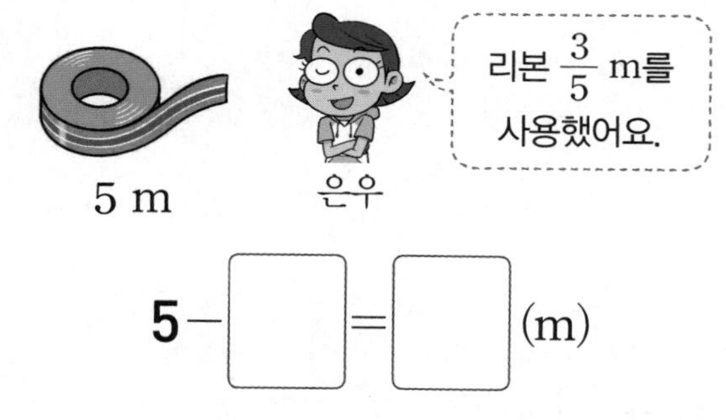
5 m
은우
리본 $\frac{3}{5}$ m를 사용했어요.

5 − □ = □ (m)

19

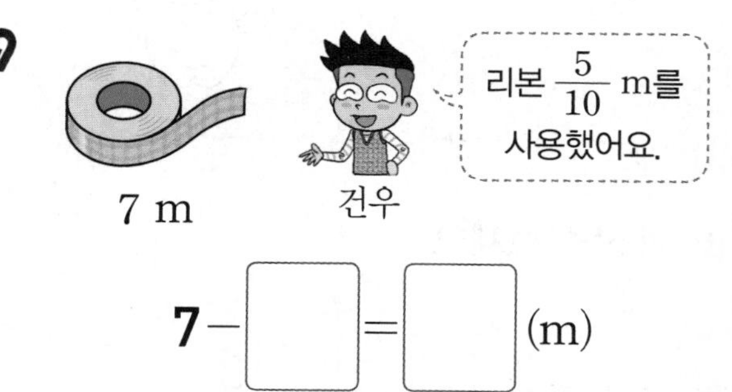
7 m
건우
리본 $\frac{5}{10}$ m를 사용했어요.

7 − □ = □ (m)

문장 읽고 계산식 세우기

20 5보다 $\frac{2}{3}$만큼 더 작은 수는?

식 5 − □ = □

21 4보다 $\frac{8}{9}$만큼 더 작은 수는?

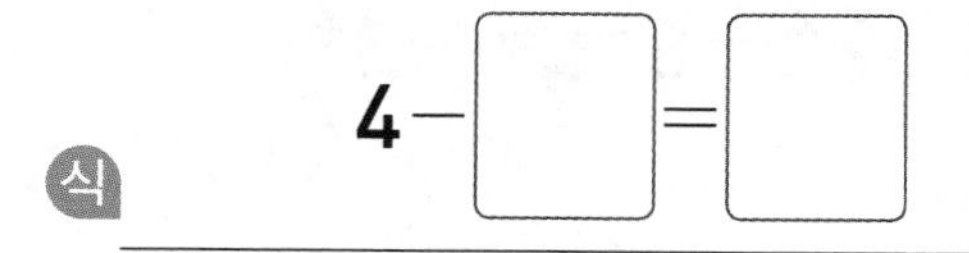

식 4 − □ = □

22 식용유 2 L 중에서 $\frac{3}{8}$ L를 사용했다면 남은 식용유는 몇 L?

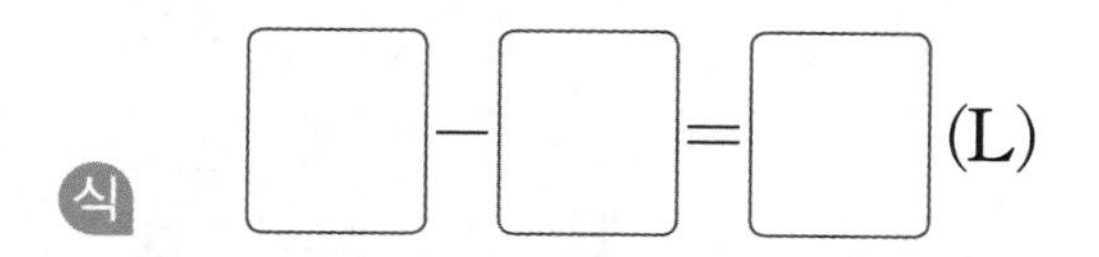

식 □ − □ = □ (L)

23 참기름 3 L 중에서 $\frac{9}{10}$ L를 사용했다면 남은 참기름은 몇 L?

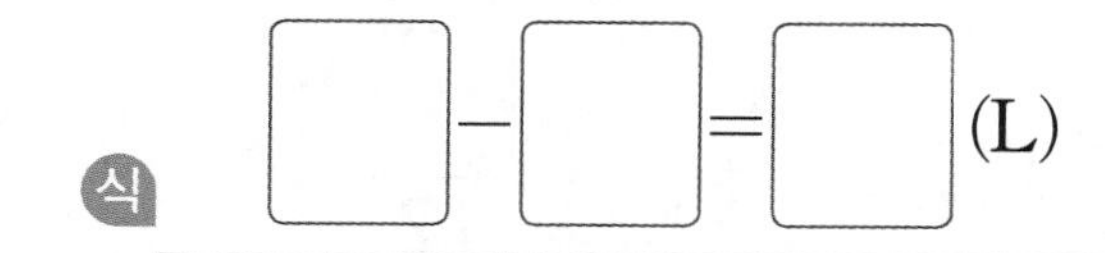

식 □ − □ = □ (L)

(자연수)−(대분수)

이렇게 해결하자

• $3-1\frac{1}{5}$의 계산

방법 1 $3-1\frac{1}{5}=2\frac{5}{5}-1\frac{1}{5}=1\frac{4}{5}$

방법 2 $3-1\frac{1}{5}=\frac{15}{5}-\frac{6}{5}=\frac{9}{5}=1\frac{4}{5}$

자연수를 분수로 바꾸어 계산해요.

계산해 보세요.

❶ $3-1\frac{3}{4}=2\frac{\square}{4}-1\frac{3}{4}=\square\frac{\square}{4}$

❷ $4-1\frac{1}{6}=\frac{\square}{6}-\frac{7}{6}=\frac{\square}{6}=\square\frac{\square}{6}$

❸ $6-2\frac{2}{7}=5\frac{\square}{7}-2\frac{2}{7}=\square\frac{\square}{7}$

❹ $5-1\frac{4}{5}=\frac{25}{5}-\frac{\square}{5}=\frac{\square}{5}=\square\frac{\square}{5}$

❺ $7-2\frac{5}{12}=6\frac{\square}{12}-2\frac{5}{12}=\square\frac{\square}{12}$

❻ $6-2\frac{5}{8}=\frac{\square}{8}-\frac{\square}{8}=\frac{\square}{8}=\square\frac{\square}{8}$

⑦ $2-1\frac{1}{2}$

=

=

⑧ $3-1\frac{2}{3}$

=

=

⑨ $5-2\frac{3}{8}$

=

=

⑩ $6-3\frac{1}{4}$

=

=

⑪ $4-1\frac{5}{6}$

=

=

⑫ $3-2\frac{4}{7}$

=

=

⑬ $3-1\frac{1}{9}$

=

=

⑭ $4-2\frac{2}{5}$

=

=

⑮ $5-2\frac{6}{11}$

=

=

⑯ $4-1\frac{7}{10}$

=

=

⑰ $8-2\frac{9}{12}$

=

=

⑱ $6-3\frac{5}{7}$

=

=

⑲ $7-5\frac{3}{11}$

=

=

⑳ $6-1\frac{1}{14}$

=

=

㉑ $3-1\frac{11}{20}$

=

=

6 일차

(자연수)−(대분수)

계산해 보세요.

1 $5-2\frac{4}{5}$

2 $6-4\frac{5}{6}$

3 $9-6\frac{5}{8}$

4 $4-1\frac{4}{11}$

5 $5-3\frac{2}{10}$

6 $3-1\frac{2}{9}$

7 $6-3\frac{17}{18}$

8 $9-5\frac{5}{14}$

9 $8-6\frac{7}{20}$

빈칸에 자연수에서 분수를 뺀 값을 써넣으세요.

10

3	$2\frac{2}{4}$

11

$6\frac{8}{11}$	9

12

$2\frac{9}{10}$	4

13

7	$3\frac{3}{9}$

14

8	$1\frac{7}{12}$

15

$2\frac{1}{13}$	10

플러스 계산 연습

▶ 정답과 해설 10쪽

빈칸에 알맞은 분수를 써넣으세요.

16

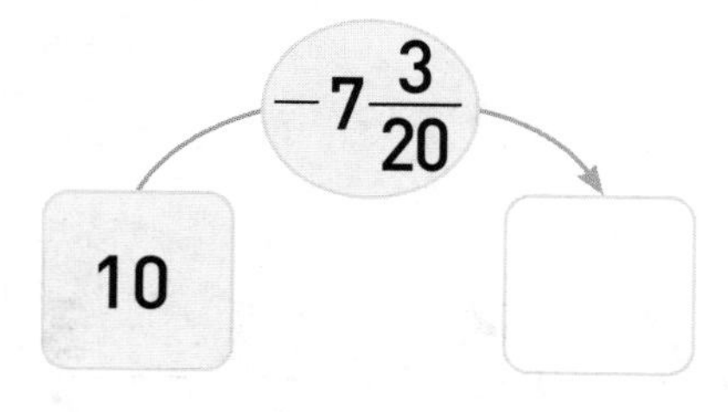

17

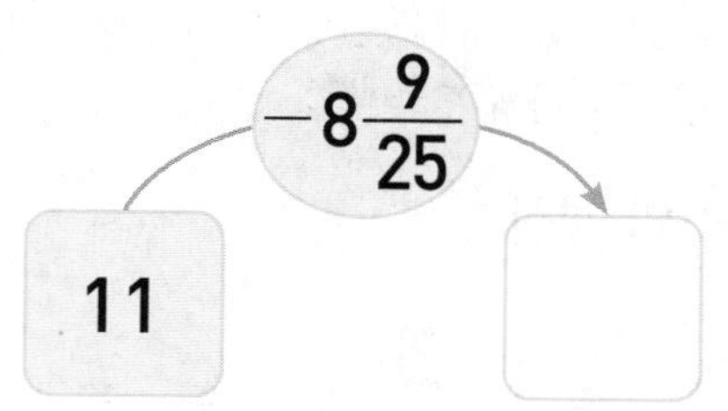

생활 속 계산

어느 날 낮의 길이가 다음과 같을 때, 밤의 길이는 몇 시간인지 구하세요.

18 (낮의 길이)$=10\frac{3}{6}$시간

➔ (밤의 길이)

$=24-\square=\square$(시간)

19 (낮의 길이)$=11\frac{1}{6}$시간

➔ (밤의 길이)

$=24-\square=\square$(시간)

문장 읽고 계산식 세우기

20 7과 $2\frac{7}{9}$의 차는?

식 $7-\square=\square$

21 9와 $5\frac{7}{12}$의 차는?

식 $9-\square=\square$

22 6 kg인 강아지와 $4\frac{1}{2}$ kg인 고양이의 무게의 차는 몇 kg?

$\square-\square=\square$(kg)

23 3 kg인 가방과 $1\frac{4}{10}$ kg인 책의 무게의 차는 몇 kg?

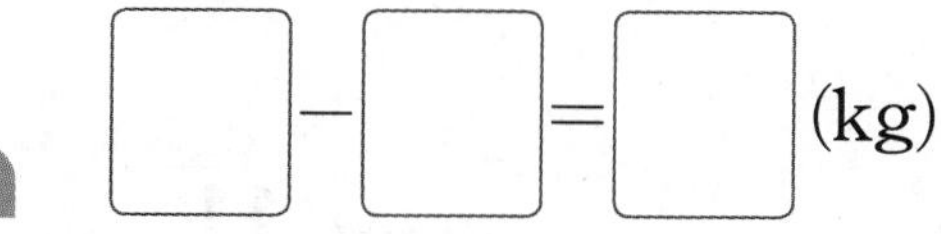

식 $\square-\square=\square$(kg)

7 일차 받아내림이 있는 (대분수)−(진분수)

이렇게 해결하자

• $2\frac{2}{6}-\frac{3}{6}$의 계산

방법 1 $2\frac{2}{6}-\frac{3}{6}=1\frac{8}{6}-\frac{3}{6}$
$=1\frac{5}{6}$

방법 2 $2\frac{2}{6}-\frac{3}{6}=\frac{14}{6}-\frac{3}{6}$
$=\frac{11}{6}=1\frac{5}{6}$

자연수에서 1만큼을 가분수로 바꾸어 계산하거나
대분수를 가분수로 바꾸어 계산해요.

계산해 보세요.

❶ $3\frac{1}{4}-\frac{2}{4}=2\frac{\square}{4}-\frac{2}{4}$
$=\square\frac{\square}{4}$

❷ $2\frac{4}{7}-\frac{5}{7}=\frac{\square}{7}-\frac{5}{7}$
$=\frac{\square}{7}=\square\frac{\square}{7}$

❸ $5\frac{3}{8}-\frac{5}{8}=4\frac{\square}{8}-\frac{5}{8}$
$=\square\frac{\square}{8}$

❹ $3\frac{1}{5}-\frac{3}{5}=\frac{\square}{5}-\frac{3}{5}$
$=\frac{\square}{5}=\square\frac{\square}{5}$

❺ $4\frac{2}{11}-\frac{8}{11}=3\frac{\square}{11}-\frac{8}{11}$
$=\square\frac{\square}{11}$

❻ $3\frac{2}{12}-\frac{9}{12}=\frac{\square}{12}-\frac{9}{12}$
$=\frac{\square}{12}=\square\frac{\square}{12}$

제한 시간 7분

기초 계산 연습

맞은 개수 / 21개

▶ 정답과 해설 10쪽

⑦ $2\frac{2}{5}-\frac{4}{5}$

=

=

⑧ $4\frac{3}{6}-\frac{4}{6}$

=

=

⑨ $5\frac{1}{4}-\frac{3}{4}$

=

=

⑩ $3\frac{1}{3}-\frac{2}{3}$

=

=

⑪ $2\frac{4}{9}-\frac{7}{9}$

=

=

⑫ $6\frac{5}{8}-\frac{7}{8}$

=

=

⑬ $4\frac{1}{7}-\frac{2}{7}$

=

=

⑭ $5\frac{3}{10}-\frac{8}{10}$

=

=

⑮ $2\frac{7}{11}-\frac{10}{11}$

=

=

⑯ $6\frac{3}{8}-\frac{4}{8}$

=

=

⑰ $3\frac{1}{6}-\frac{5}{6}$

=

=

⑱ $4\frac{5}{12}-\frac{8}{12}$

=

=

⑲ $6\frac{3}{9}-\frac{8}{9}$

=

=

⑳ $5\frac{2}{14}-\frac{9}{14}$

=

=

㉑ $3\frac{6}{10}-\frac{9}{10}$

=

=

7 일차 받아내림이 있는 (대분수)−(진분수)

계산해 보세요.

1 $1\frac{2}{7}-\frac{6}{7}$

2 $2\frac{1}{8}-\frac{3}{8}$

3 $4\frac{6}{9}-\frac{8}{9}$

4 $7\frac{2}{6}-\frac{5}{6}$

5 $5\frac{4}{11}-\frac{6}{11}$

6 $3\frac{3}{14}-\frac{9}{14}$

7 $3\frac{5}{13}-\frac{10}{13}$

8 $4\frac{3}{10}-\frac{5}{10}$

9 $5\frac{6}{12}-\frac{11}{12}$

빈칸에 알맞은 분수를 써넣으세요.

10

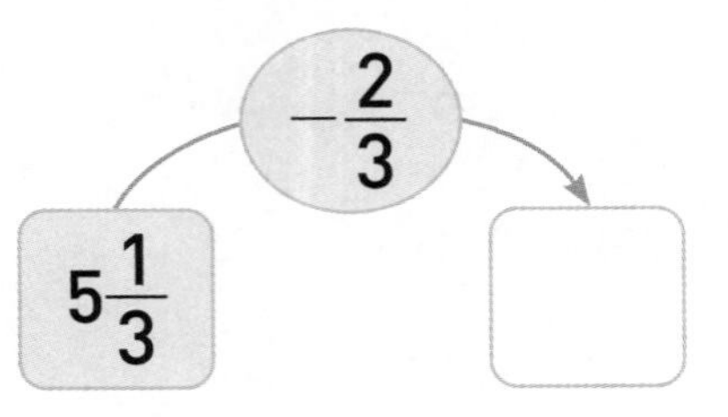

11

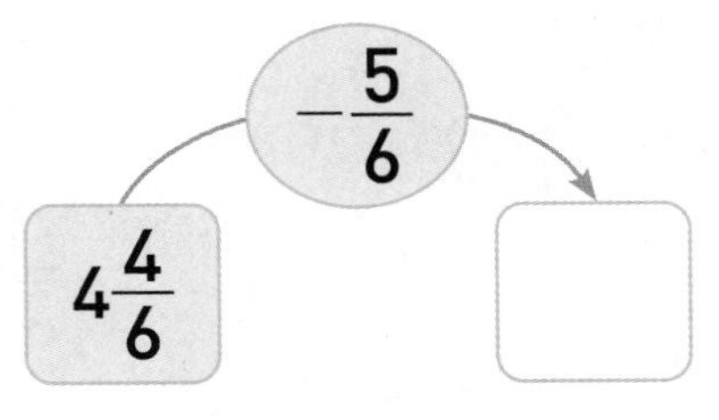

12

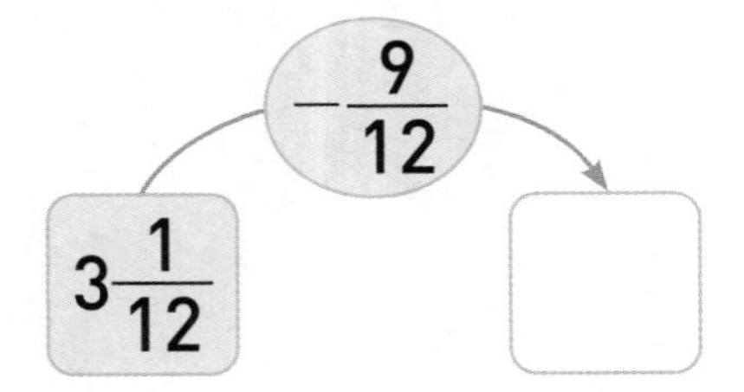

13

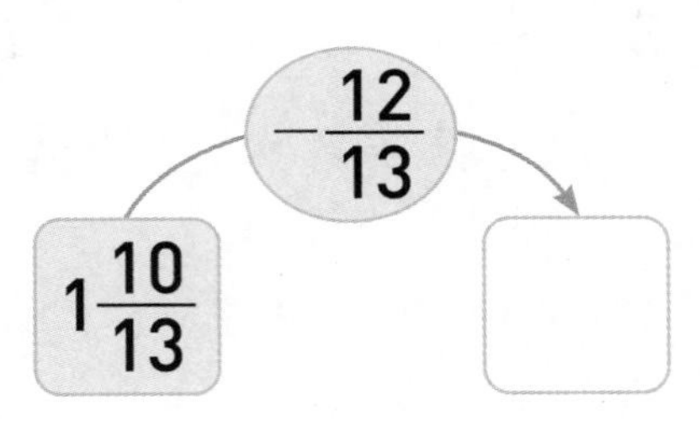

14

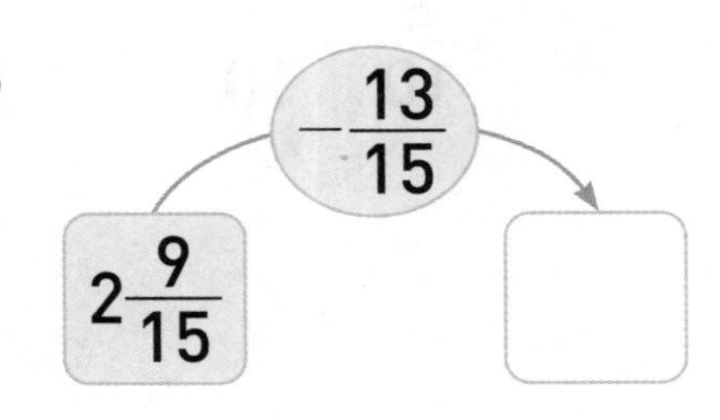

15

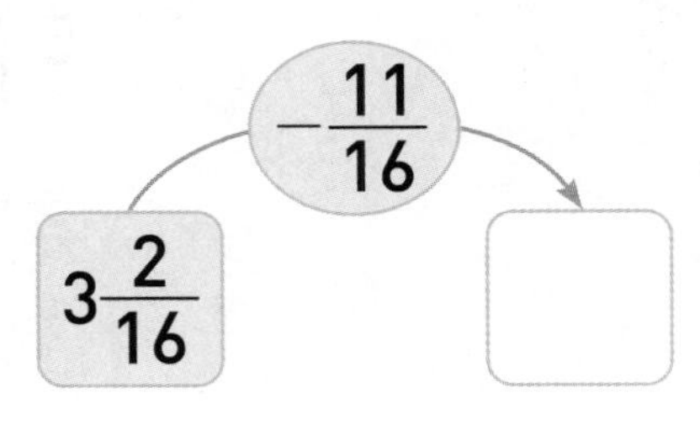

플러스 계산 연습

맞은 개수 / 23개

▶ 정답과 해설 10쪽

같은 색의 화살표를 따라가며 계산해 보세요.

16

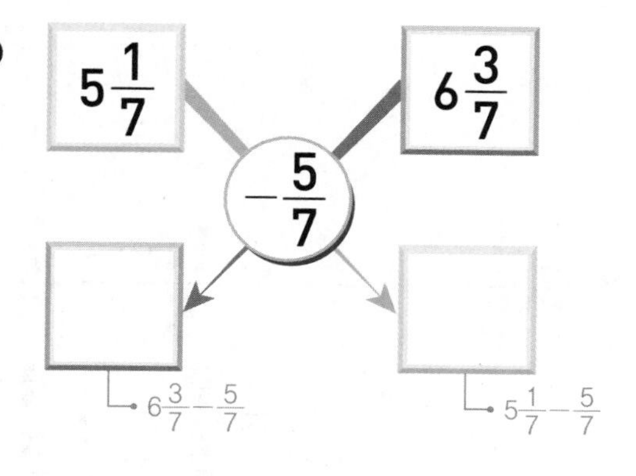

17

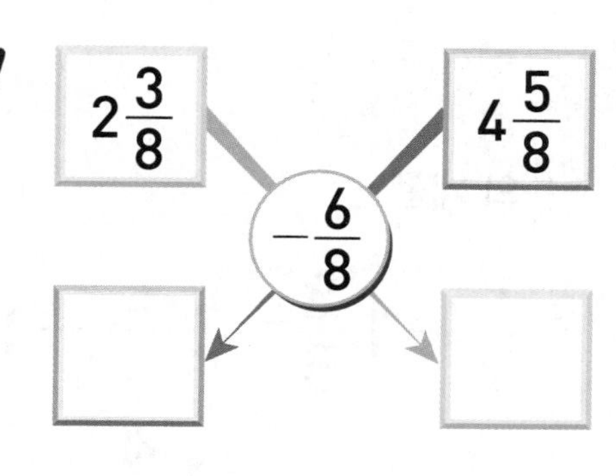

18

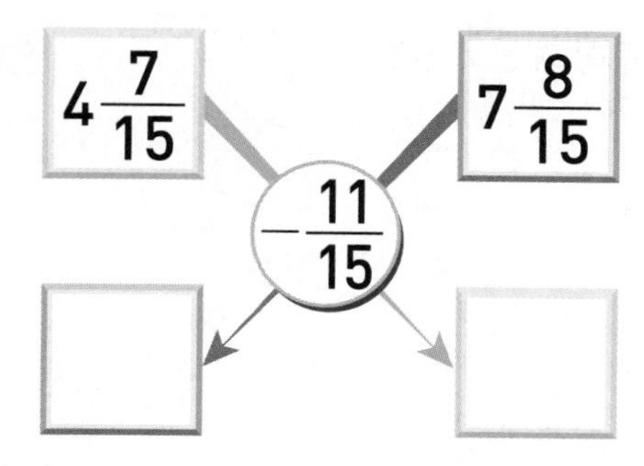

19

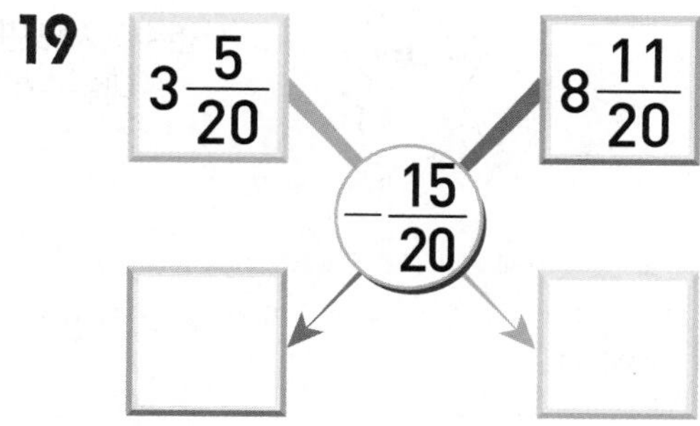

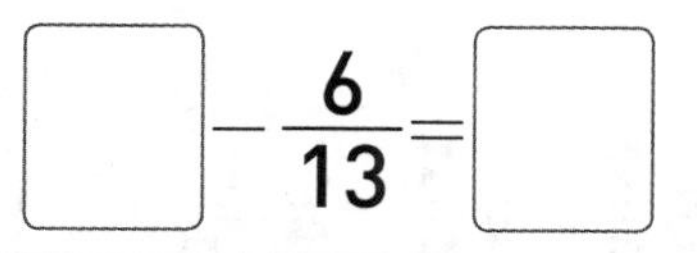

문장 읽고 계산식 세우기

20 $3\frac{2}{9}$보다 $\frac{4}{9}$만큼 더 작은 수는?

식 $3\frac{2}{9}-\square=\square$

21 $2\frac{1}{13}$보다 $\frac{6}{13}$만큼 더 작은 수는?

식 $\square-\frac{6}{13}=\square$

22 고구마를 $5\frac{1}{4}$ kg 캐고, 감자를 고구마보다 $\frac{2}{4}$ kg 더 적게 캤다면 캔 감자는 몇 kg?

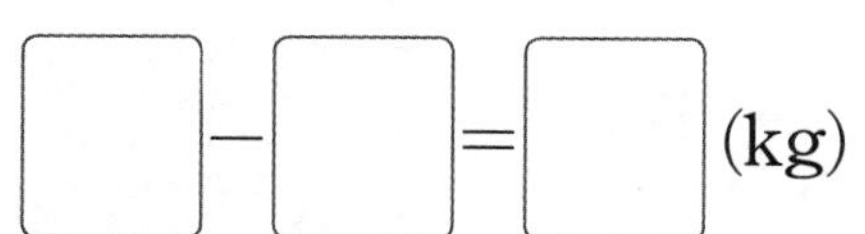

$\square-\square=\square$(kg)

23 토마토를 $6\frac{5}{10}$ kg 따고, 딸기를 토마토보다 $\frac{8}{10}$ kg 더 적게 땄다면 딴 딸기는 몇 kg?

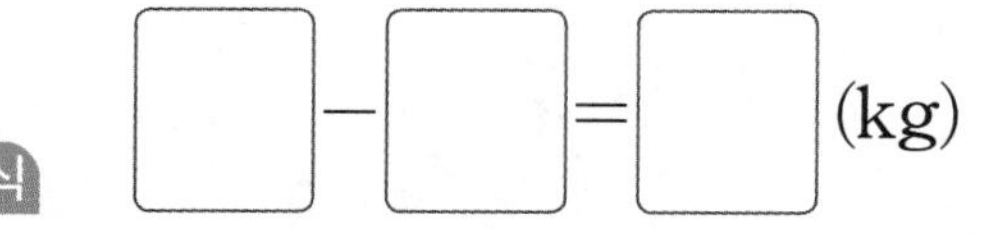

$\square-\square=\square$(kg)

8 일차

받아내림이 있는 (대분수)-(대분수)

이렇게 해결하자

• $3\frac{1}{5}-1\frac{2}{5}$의 계산

방법 1 $3\frac{1}{5}-1\frac{2}{5}=2\frac{6}{5}-1\frac{2}{5}$
$=1\frac{4}{5}$

방법 2 $3\frac{1}{5}-1\frac{2}{5}=\frac{16}{5}-\frac{7}{5}$
$=\frac{9}{5}=1\frac{4}{5}$

자연수에서 1만큼을 가분수로 바꾸어 계산하거나 대분수를 가분수로 바꾸어 계산해요.

계산해 보세요.

❶ $4\frac{1}{3}-1\frac{2}{3}=3\frac{\square}{3}-1\frac{2}{3}$
$=\square\frac{\square}{3}$

❷ $5\frac{2}{6}-2\frac{5}{6}=\frac{\square}{6}-\frac{17}{6}$
$=\frac{\square}{6}=\square\frac{\square}{6}$

❸ $5\frac{2}{7}-1\frac{3}{7}=4\frac{\square}{7}-1\frac{3}{7}$
$=\square\frac{\square}{7}$

❹ $3\frac{1}{4}-1\frac{3}{4}=\frac{13}{4}-\frac{\square}{4}$
$=\frac{\square}{4}=\square\frac{\square}{4}$

❺ $6\frac{2}{8}-3\frac{7}{8}=5\frac{\square}{8}-3\frac{7}{8}$
$=\square\frac{\square}{8}$

❻ $4\frac{3}{9}-1\frac{8}{9}=\frac{\square}{9}-\frac{\square}{9}$
$=\frac{\square}{9}=\square\frac{\square}{9}$

제한 시간 7분

기초 계산 연습

맞은 개수 / 21개

▶ 정답과 해설 11쪽

⑦ $3\frac{1}{8}-1\frac{7}{8}$

=

=

⑧ $4\frac{1}{4}-1\frac{2}{4}$

=

=

⑨ $5\frac{2}{5}-2\frac{4}{5}$

=

=

⑩ $5\frac{7}{9}-4\frac{8}{9}$

=

=

⑪ $6\frac{1}{6}-2\frac{3}{6}$

=

=

⑫ $8\frac{3}{7}-3\frac{5}{7}$

=

=

⑬ $4\frac{7}{10}-1\frac{9}{10}$

=

=

⑭ $3\frac{4}{8}-2\frac{5}{8}$

=

=

⑮ $6\frac{8}{11}-3\frac{10}{11}$

=

=

⑯ $7\frac{1}{5}-5\frac{3}{5}$

=

=

⑰ $5\frac{2}{9}-1\frac{7}{9}$

=

=

⑱ $2\frac{5}{12}-1\frac{11}{12}$

=

=

⑲ $7\frac{1}{7}-3\frac{2}{7}$

=

=

⑳ $4\frac{3}{14}-2\frac{8}{14}$

=

=

㉑ $3\frac{3}{15}-2\frac{5}{15}$

=

=

8 일차

받아내림이 있는 (대분수)−(대분수)

계산해 보세요.

1 $5\frac{1}{4}-3\frac{3}{4}$

2 $6\frac{2}{9}-4\frac{7}{9}$

3 $4\frac{2}{5}-2\frac{3}{5}$

4 $6\frac{3}{7}-1\frac{6}{7}$

5 $5\frac{3}{10}-1\frac{4}{10}$

6 $7\frac{1}{8}-2\frac{7}{8}$

빈칸에 두 분수의 차를 써넣으세요.

7 $5\frac{1}{3}$ $3\frac{2}{3}$

8 $2\frac{4}{6}$ $4\frac{1}{6}$

9 $1\frac{6}{9}$ $3\frac{3}{9}$

10 $6\frac{2}{11}$ $3\frac{7}{11}$

11 $4\frac{3}{13}$ $2\frac{9}{13}$

12 $5\frac{9}{20}$ $7\frac{4}{20}$

제한 시간 10분

플러스 계산 연습

맞은 개수 / 20개

▶ 정답과 해설 11쪽

빈칸에 알맞은 분수를 써넣으세요.

13 —

$3\frac{1}{7}$	$1\frac{5}{7}$	
$5\frac{8}{15}$	$1\frac{13}{15}$	

14 —

$6\frac{2}{9}$	$4\frac{8}{9}$	
$7\frac{5}{14}$	$3\frac{7}{14}$	

생활 속 계산

집에서 학교까지의 거리는 몇 km인지 구하세요.

15

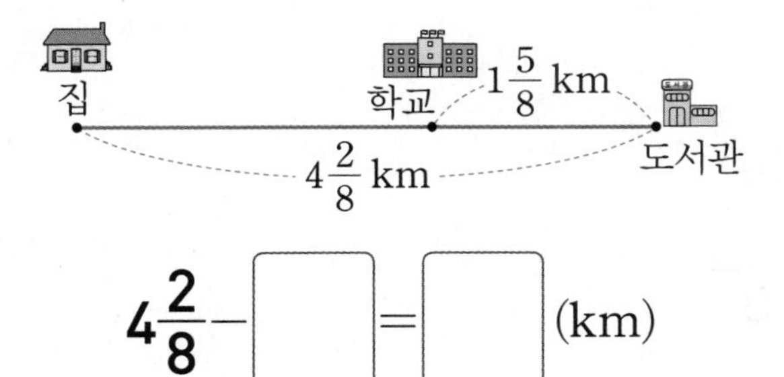

$4\frac{2}{8}-\square=\square$ (km)

16

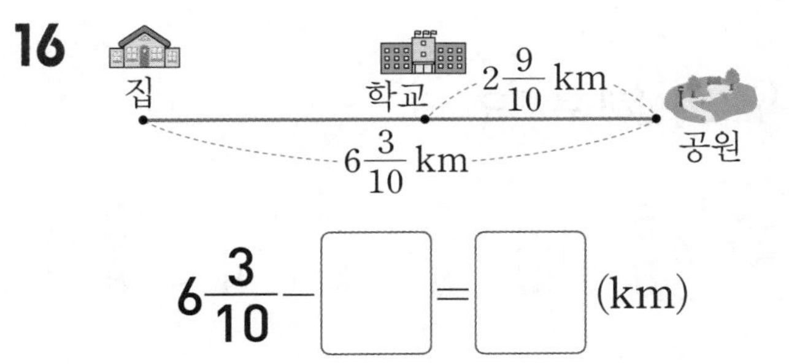

$6\frac{3}{10}-\square=\square$ (km)

문장 읽고 계산식 세우기

17 $8\frac{1}{11}$보다 $2\frac{9}{11}$만큼 더 작은 수는?

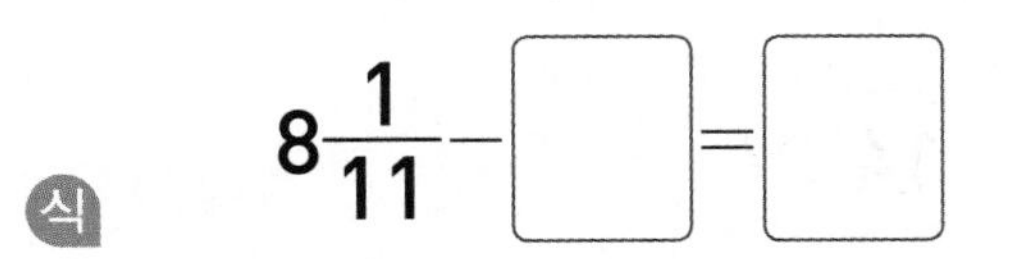

18 $9\frac{3}{12}$보다 $5\frac{5}{12}$만큼 더 작은 수는?

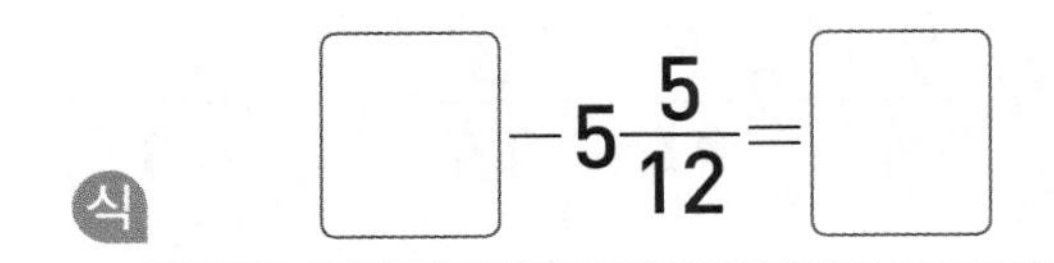

19 소금 $4\frac{1}{5}$컵에서 $1\frac{2}{5}$컵을 덜어 내면 남은 소금은 몇 컵?

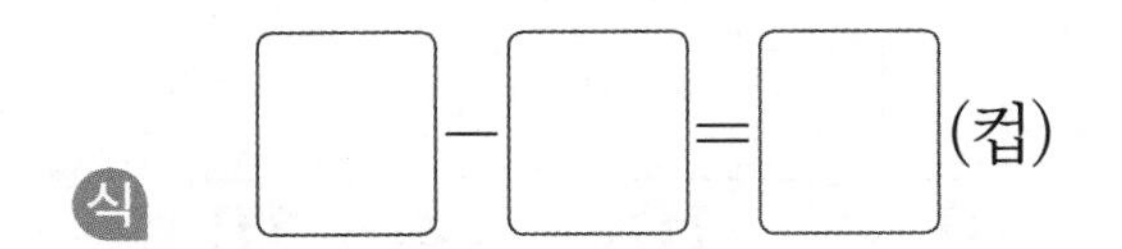

20 설탕 $3\frac{3}{8}$컵에서 $1\frac{6}{8}$컵을 덜어 내면 남은 설탕은 몇 컵?

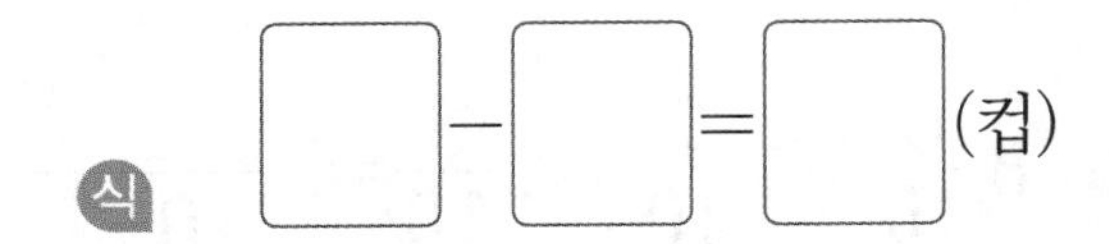

9 일차

세 분수의 뺄셈

이렇게 해결하자

• $5\frac{6}{7}-\frac{3}{7}-1\frac{1}{7}$의 계산

방법 1 $5\frac{6}{7}-\frac{3}{7}-1\frac{1}{7}=5\frac{3}{7}-1\frac{1}{7}=4\frac{2}{7}$

① ②

앞에서부터 두 수씩 차례로 계산하거나 대분수를 가분수로 바꾸어 계산해요.

방법 2 $5\frac{6}{7}-\frac{3}{7}-1\frac{1}{7}=\frac{41}{7}-\frac{3}{7}-\frac{8}{7}=\frac{30}{7}=4\frac{2}{7}$

계산해 보세요.

❶ $4\frac{6}{8}-1\frac{3}{8}-\frac{2}{8}=\square\frac{\square}{8}-\frac{2}{8}=\square\frac{\square}{8}$

❷ $5\frac{4}{6}-1\frac{1}{6}-2\frac{2}{6}=\square\frac{\square}{6}-2\frac{2}{6}=\square\frac{\square}{6}$

❸ $4\frac{9}{14}-2\frac{5}{14}-\frac{3}{14}=\square\frac{\square}{14}-\frac{3}{14}=\square\frac{\square}{14}$

❹ $6\frac{4}{5}-\frac{2}{5}-3\frac{1}{5}=\frac{\square}{5}-\frac{2}{5}-\frac{\square}{5}=\frac{\square}{5}=\square\frac{\square}{5}$

❺ $8\frac{6}{10}-1\frac{9}{10}-2\frac{3}{10}=\frac{\square}{10}-\frac{\square}{10}-\frac{\square}{10}=\frac{\square}{10}=\square\frac{\square}{10}$

맞은 개수 / 15개

▶ 정답과 해설 11쪽

❻ $3\frac{8}{9}-\frac{3}{9}-\frac{1}{9}$

=

=

❼ $5\frac{5}{6}-\frac{1}{6}-\frac{3}{6}$

=

=

❽ $6\frac{8}{10}-2\frac{2}{10}-\frac{5}{10}$

=

=

❾ $4\frac{5}{7}-\frac{2}{7}-1\frac{1}{7}$

=

=

❿ $5\frac{7}{8}-1\frac{2}{8}-2\frac{1}{8}$

=

=

⓫ $3\frac{10}{11}-\frac{5}{11}-1\frac{2}{11}$

=

=

⓬ $7\frac{4}{5}-\frac{2}{5}-3\frac{3}{5}$

=

=

⓭ $7\frac{3}{4}-2\frac{1}{4}-\frac{3}{4}$

=

=

⓮ $5\frac{3}{12}-1\frac{8}{12}-\frac{5}{12}$

=

=

⓯ $6\frac{4}{10}-3\frac{5}{10}-1\frac{2}{10}$

=

=

9 일차

세 분수의 뺄셈

계산해 보세요.

1 $6\frac{6}{8}-\frac{1}{8}-\frac{3}{8}$

2 $4\frac{6}{7}-1\frac{2}{7}-\frac{3}{7}$

3 $2\frac{3}{4}-\frac{1}{4}-1\frac{3}{4}$

4 $2\frac{8}{10}-\frac{5}{10}-\frac{7}{10}$

5 $4\frac{4}{15}-1\frac{4}{15}-\frac{2}{15}$

6 $5\frac{4}{12}-2\frac{9}{12}-\frac{5}{12}$

빈칸에 알맞은 분수를 써넣으세요.

7

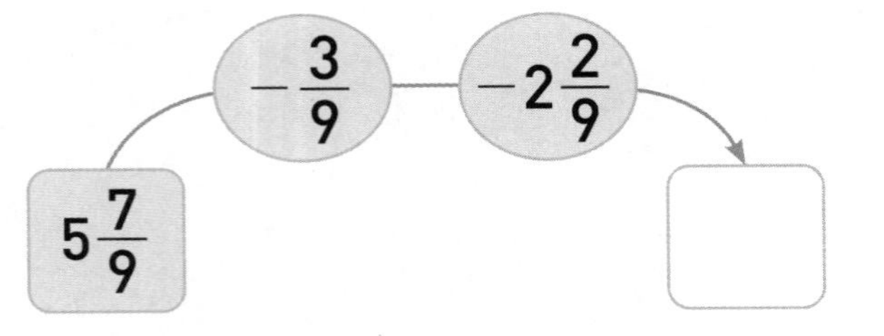

8

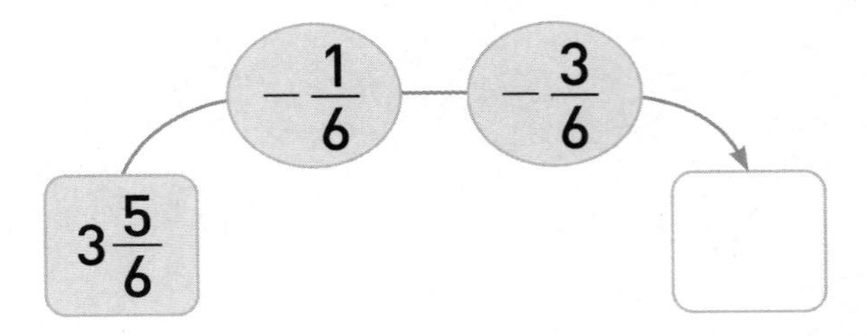

9

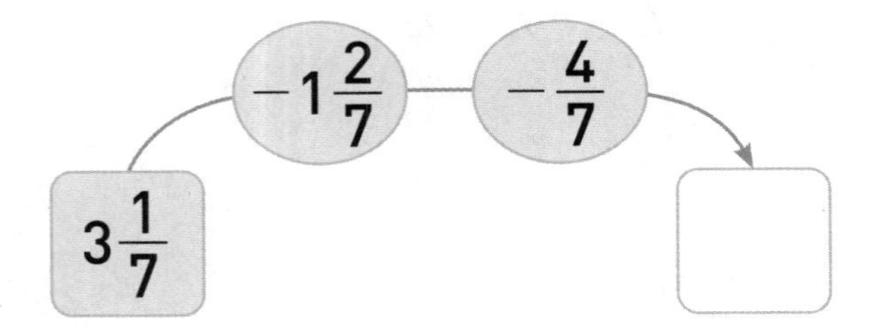

10

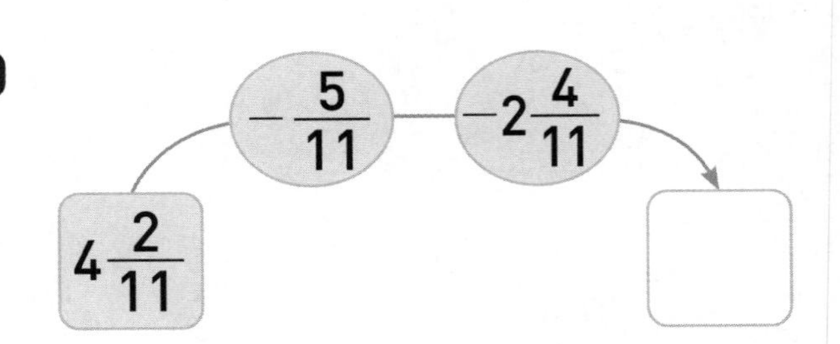

11

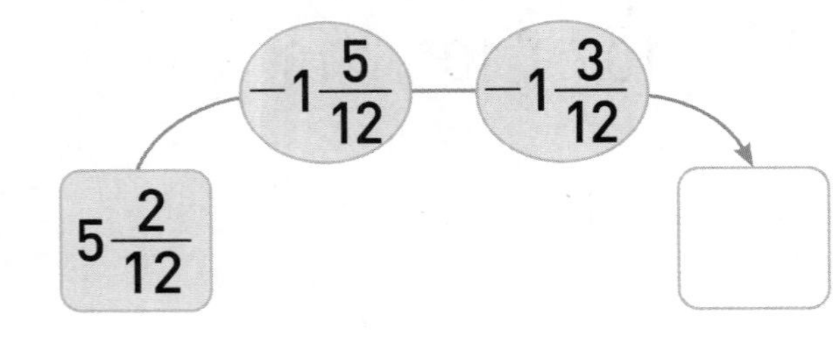

12

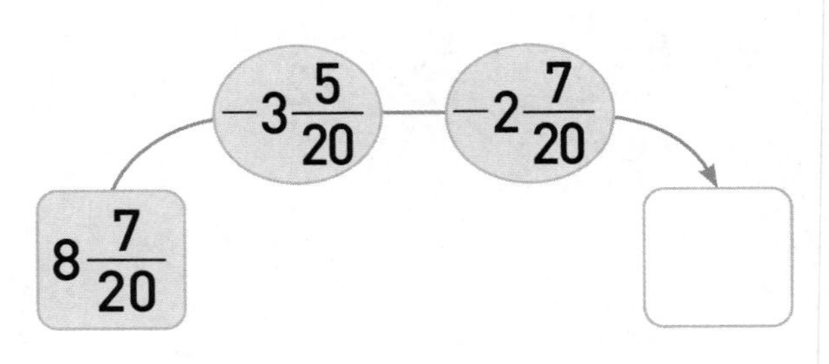

제한 시간 10분

플러스 계산 연습

맞은 개수 / 20개

▶ 정답과 해설 12쪽

빈칸에 알맞은 분수를 써넣으세요.

13

− −

$6\frac{3}{7}$	$\frac{5}{7}$	$3\frac{2}{7}$	

14

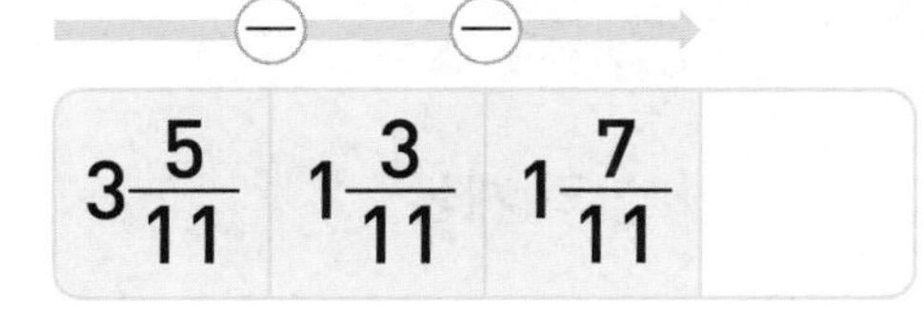

− −

$3\frac{5}{11}$	$1\frac{3}{11}$	$1\frac{7}{11}$	

생활 속 계산

수조에서 물을 덜어 내면 수조에 남는 물은 몇 L가 되는지 구하세요.

15

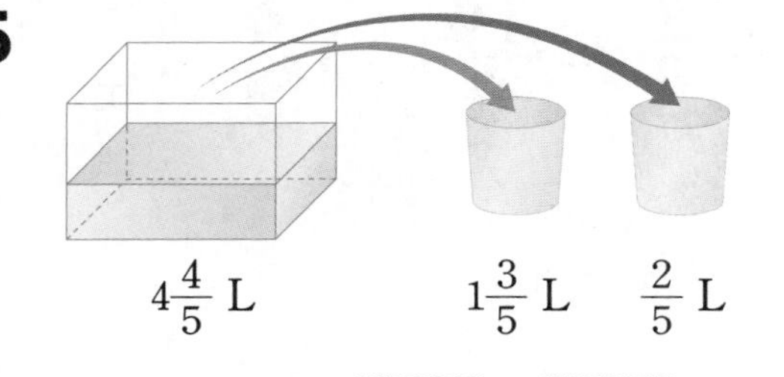

$4\frac{4}{5}-1\frac{3}{5}-\square=\square$ (L)

16

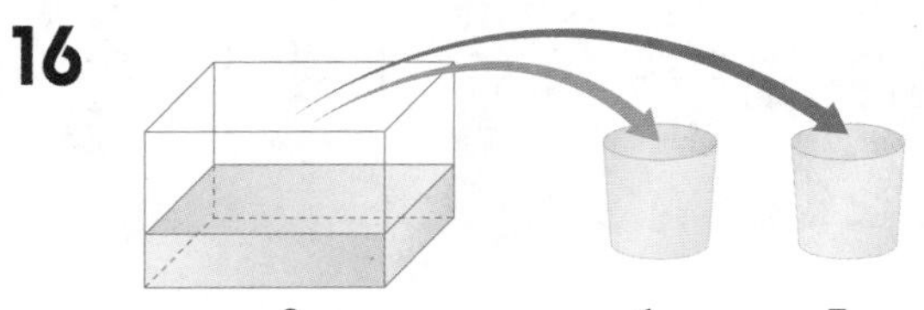

$3\frac{3}{8}-\square-1\frac{5}{8}=\square$ (L)

문장 읽고 계산식 세우기

17

$\frac{5}{9}$, $3\frac{2}{9}$, $\frac{3}{9}$ 중 가장 큰 수에서 나머지 두 수를 뺀 값은?

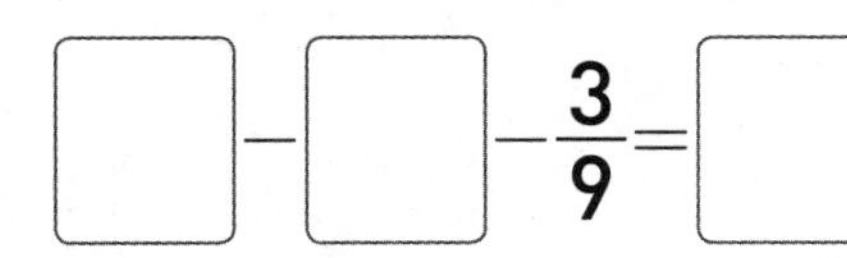

식 $\square-\square-\frac{3}{9}=\square$

18

$2\frac{2}{12}$, $\frac{6}{12}$, $4\frac{4}{12}$ 중 가장 큰 수에서 나머지 두 수를 뺀 값은?

식 $\square-2\frac{2}{12}-\square=\square$

19

물 $3\frac{1}{4}$ L 중 승우가 $\frac{3}{4}$ L, 지현이가 $\frac{2}{4}$ L를 마셨다면 남은 물은 몇 L?

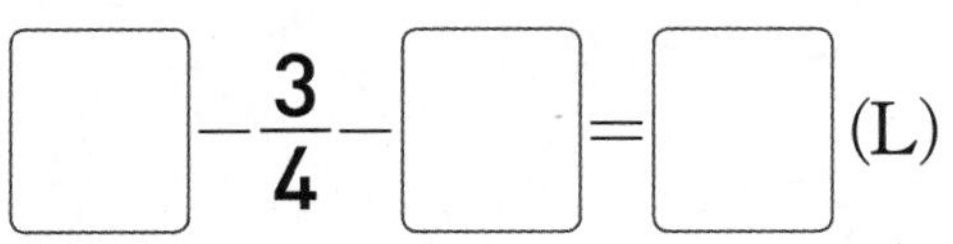

식 $\square-\frac{3}{4}-\square=\square$ (L)

20

우유 $5\frac{3}{10}$ L 중 민재가 $\frac{2}{10}$ L, 영아가 $\frac{3}{10}$ L를 마셨다면 남은 우유는 몇 L?

식 $\square-\square-\frac{3}{10}=\square$ (L)

10 일차

세 분수의 덧셈과 뺄셈

이렇게 해결하자

• $3\frac{3}{8}-1\frac{7}{8}+\frac{2}{8}$의 계산

방법 1 $3\frac{3}{8}-1\frac{7}{8}+\frac{2}{8}=1\frac{4}{8}+\frac{2}{8}=1\frac{6}{8}$

①

②

앞에서부터 두 수씩 차례로 계산하거나 대분수를 가분수로 바꾸어 계산해요.

방법 2 $3\frac{3}{8}-1\frac{7}{8}+\frac{2}{8}=\frac{27}{8}-\frac{15}{8}+\frac{2}{8}=\frac{14}{8}=1\frac{6}{8}$

계산해 보세요.

❶ $3\frac{5}{6}-1\frac{3}{6}+\frac{2}{6}=\square\frac{\square}{6}+\frac{2}{6}=\square\frac{\square}{6}$

❷ $5\frac{4}{10}+2\frac{3}{10}-3\frac{2}{10}=\square\frac{\square}{10}-3\frac{2}{10}=\square\frac{\square}{10}$

❸ $2\frac{1}{8}+1\frac{5}{8}-\frac{3}{8}=\square\frac{\square}{8}-\frac{3}{8}=\square\frac{\square}{8}$

❹ $4\frac{2}{9}-\frac{5}{9}+1\frac{4}{9}=\frac{\square}{9}-\frac{5}{9}+\frac{\square}{9}=\frac{\square}{9}=\square\frac{\square}{9}$

❺ $3\frac{2}{7}+\frac{5}{7}-2\frac{4}{7}=\frac{\square}{7}+\frac{5}{7}-\frac{\square}{7}=\frac{\square}{7}=\square\frac{\square}{7}$

제한 시간 7분

기초 계산 연습

맞은 개수 / 15개

▶ 정답과 해설 12쪽

❻ $2\frac{4}{5}-1\frac{2}{5}+\frac{1}{5}$

=

=

❼ $4\frac{3}{8}+\frac{3}{8}-1\frac{5}{8}$

=

=

❽ $3\frac{8}{9}-\frac{7}{9}+1\frac{4}{9}$

=

=

❾ $1\frac{7}{10}+4\frac{8}{10}-\frac{5}{10}$

=

=

❿ $5\frac{1}{4}-\frac{3}{4}+\frac{1}{4}$

=

=

⓫ $\frac{1}{3}+4\frac{1}{3}-1\frac{2}{3}$

=

=

⓬ $2\frac{2}{6}-1\frac{5}{6}+\frac{3}{6}$

=

=

⓭ $1\frac{2}{10}+5\frac{3}{10}-\frac{7}{10}$

=

=

⓮ $2\frac{4}{7}-1\frac{5}{7}+4\frac{3}{7}$

=

=

⓯ $6\frac{8}{9}+2\frac{5}{9}-4\frac{2}{9}$

=

=

10 일차

세 분수의 덧셈과 뺄셈

계산해 보세요.

1 $2\frac{2}{3}+1\frac{2}{3}-1\frac{1}{3}$

2 $4\frac{6}{7}-1\frac{3}{7}+\frac{2}{7}$

3 $8\frac{1}{5}-2\frac{2}{5}+\frac{3}{5}$

4 $6\frac{6}{8}+2\frac{2}{8}-4\frac{7}{8}$

5 $3\frac{7}{9}+\frac{4}{9}-2\frac{5}{9}$

6 $7\frac{3}{11}-4\frac{8}{11}+\frac{2}{11}$

빈칸에 알맞은 분수를 써넣으세요.

7

$3\frac{5}{6}$	$+2\frac{1}{6}$	$-\frac{3}{6}$	

8

$1\frac{3}{5}$	$-\frac{2}{5}$	$+1\frac{3}{5}$	

9

$3\frac{1}{4}$	$-\frac{2}{4}$	$+\frac{3}{4}$	

10

$2\frac{6}{7}$	$+\frac{5}{7}$	$-1\frac{2}{7}$	

11

$5\frac{8}{16}$	$+\frac{8}{16}$	$-2\frac{11}{16}$	

12

$4\frac{7}{15}$	$-2\frac{3}{15}$	$+\frac{9}{15}$	

플러스 계산 연습

맞은 개수 / 20개

▶ 정답과 해설 12쪽

같은 색의 화살표를 따라가며 계산해 보세요.

13

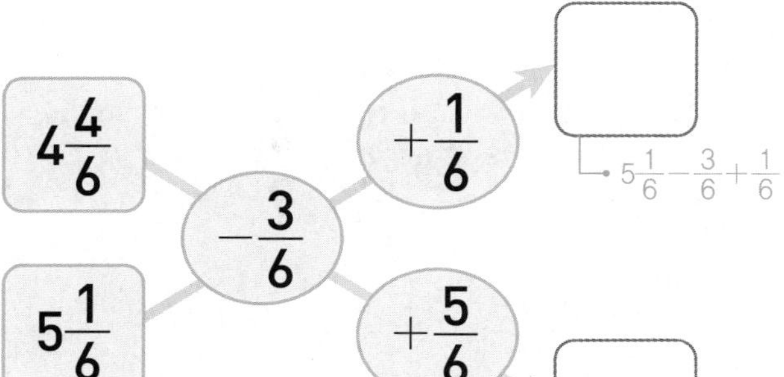

14

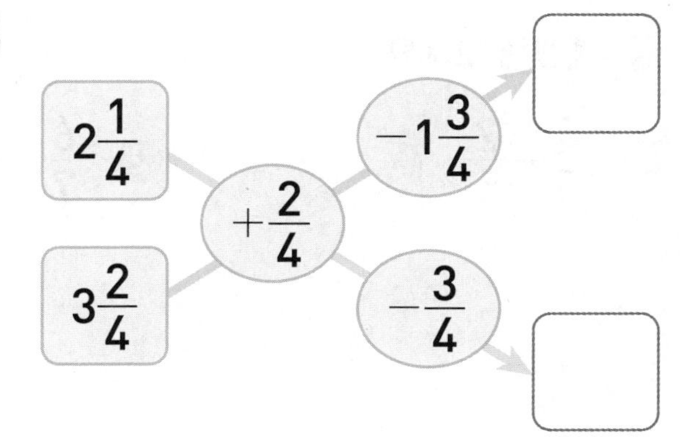

15

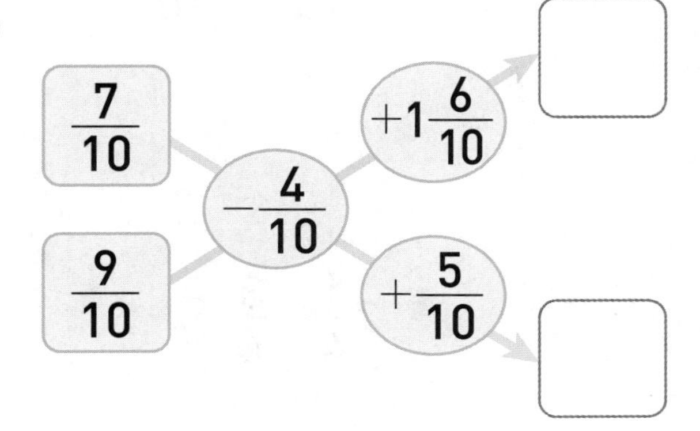

16

$\frac{8}{12}$, $1\frac{7}{12}$ → $+\frac{6}{12}$ → $-\frac{11}{12}$ → ☐, $-\frac{7}{12}$ → ☐

문장 읽고 계산식 세우기

17 $6\frac{8}{9}$과 $2\frac{2}{9}$의 합에서 $4\frac{3}{9}$을 뺀 값은?

식 $6\frac{8}{9}+2\frac{2}{9}-$ ☐ $=$ ☐

18 $5\frac{2}{7}$와 $2\frac{6}{7}$의 차에 $1\frac{2}{7}$를 더한 값은?

식 $5\frac{2}{7}-$ ☐ $+1\frac{2}{7}=$ ☐

19 페인트 $2\frac{2}{8}$ L와 $1\frac{4}{8}$ L를 섞은 후 그 중 $1\frac{7}{8}$ L를 사용했다면 남은 페인트는 몇 L?

식 $2\frac{2}{8}+$ ☐ $-$ ☐ $=$ ☐ (L)

20 포도 $2\frac{4}{5}$ kg 중에서 $\frac{3}{5}$ kg을 먹고 $1\frac{2}{5}$ kg을 더 사왔다면 지금 있는 포도는 몇 kg?

식 $2\frac{4}{5}-$ ☐ $+$ ☐ $=$ ☐ (kg)

평가 SPEED 연산력 TEST

계산해 보세요.

❶ $\frac{4}{5}-\frac{2}{5}$

❷ $\frac{6}{7}-\frac{2}{7}$

❸ $1-\frac{4}{9}$

❹ $6\frac{2}{3}-\frac{1}{3}$

❺ $3\frac{5}{6}-1\frac{4}{6}$

❻ $4\frac{8}{10}-2\frac{5}{10}$

❼ $3-\frac{3}{8}$

❽ $7-1\frac{3}{5}$

❾ $7\frac{1}{4}-\frac{3}{4}$

❿ $3\frac{7}{10}-\frac{9}{10}$

⓫ $4\frac{5}{9}-1\frac{6}{9}$

⓬ $5\frac{9}{15}-2\frac{11}{15}$

⓭ $4\frac{7}{8}-1\frac{3}{8}-\frac{2}{8}$

⓮ $7\frac{5}{12}-\frac{8}{12}-3\frac{4}{12}$

⓯ $2\frac{5}{6}+2\frac{3}{6}-1\frac{1}{6}$

⓰ $2\frac{3}{10}-1\frac{1}{10}+2\frac{7}{10}$

빈칸에 알맞은 분수를 써넣으세요.

17. $\frac{5}{6}$ | $-\frac{3}{6}$ | ☐

18. 1 | $-\frac{1}{4}$ | ☐

19. $3\frac{7}{8}$ | $-\frac{4}{8}$ | ☐

20. $2\frac{3}{5}$ | $-1\frac{2}{5}$ | ☐

21. 5 | $-\frac{2}{3}$ | ☐

22. 7 | $-1\frac{3}{10}$ | ☐

23. $3\frac{5}{12}$ | $-\frac{9}{12}$ | ☐

24. $5\frac{11}{20}$ | $-3\frac{15}{20}$ | ☐

25.

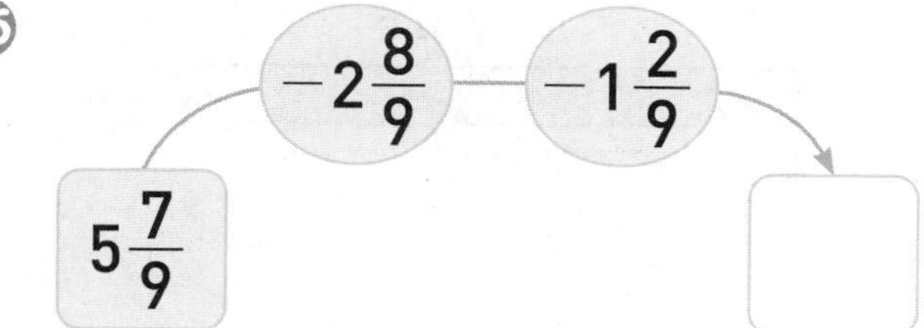

26.

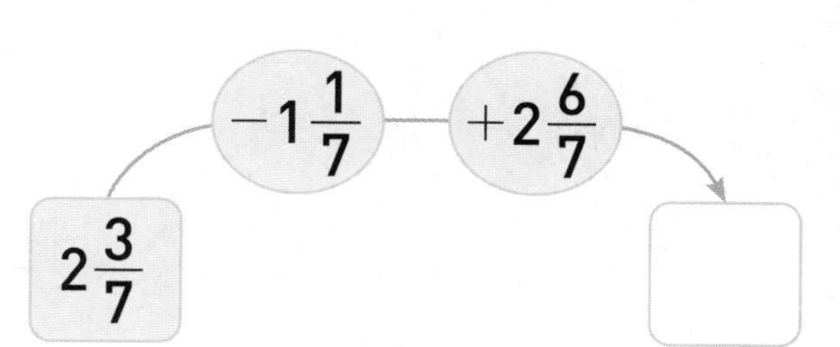

제한 시간 안에 정확하게
모두 풀었다면 여러분은 진정한 **계산왕!**

특강 문장제 문제 도전하기

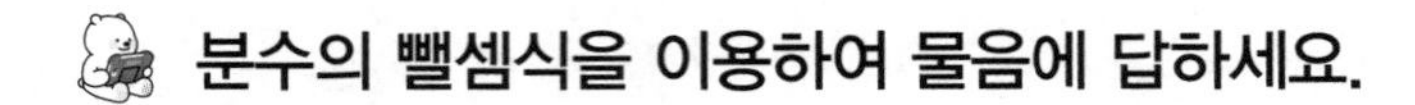

분수의 뺄셈식을 이용하여 물음에 답하세요.

1 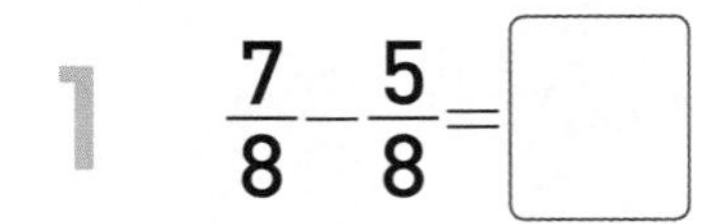

$\frac{7}{8}-\frac{5}{8}=\square$

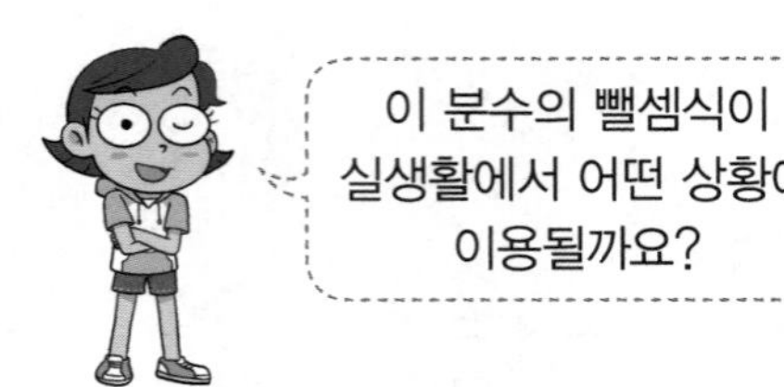

이 분수의 뺄셈식이
실생활에서 어떤 상황에
이용될까요?

➔ 밤을 재하는 $\frac{7}{8}$ kg, 지수는 $\frac{5}{8}$ kg 주웠습니다. 재하는 지수보다 밤을 몇 kg 더 많이 주웠을까요?

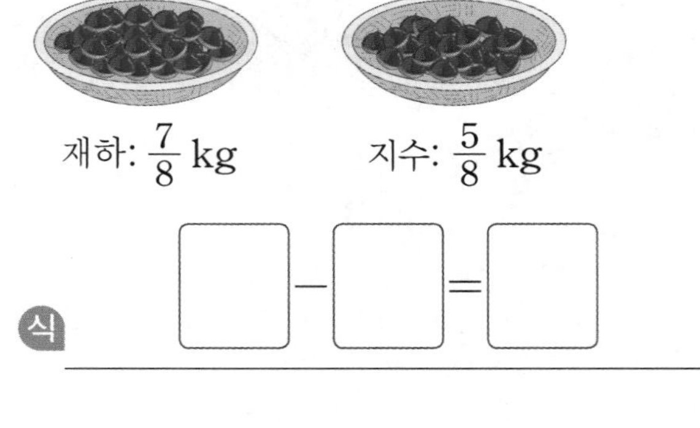

식 $\square-\square=\square$

답 ________ kg

2 $6\frac{3}{5}-3\frac{2}{5}=\square$

➔ 호박과 배추의 무게의 차는 몇 kg일까요?

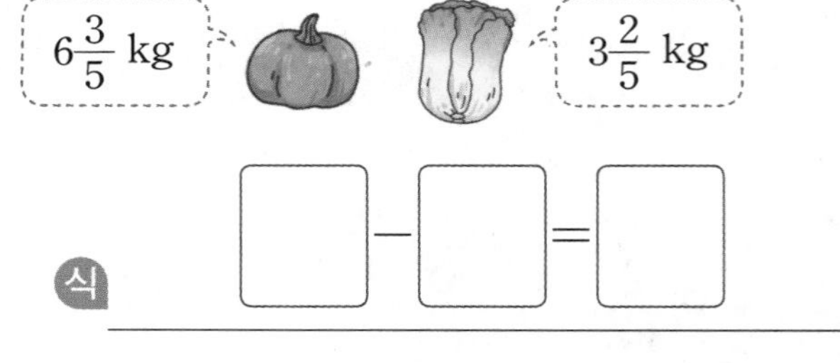

식 $\square-\square=\square$

답 ________ kg

3 $4-2\frac{1}{6}=\square$

➔ 두 색 테이프의 길이의 차는 몇 m일까요?

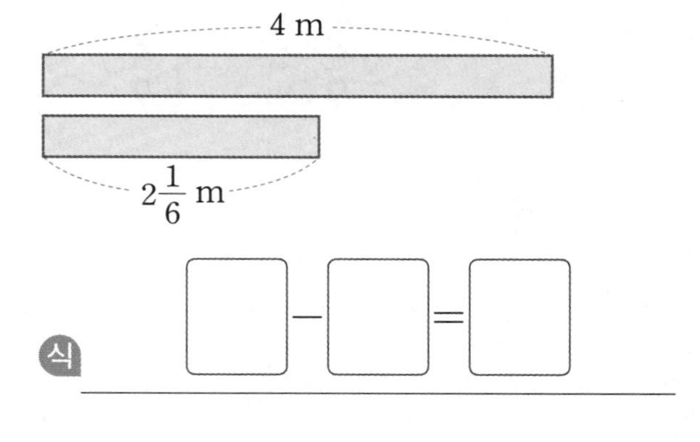

식 $\square-\square=\square$

답 ________ m

▶정답과 해설 13쪽

문장을 읽고 알맞은 뺄셈식을 세워 답을 구해 보자!

4 쌀이 $6\frac{1}{4}$ kg, 보리가 $5\frac{3}{4}$ kg 있습니다.
쌀은 보리보다 몇 kg 더 많이 있을까요?

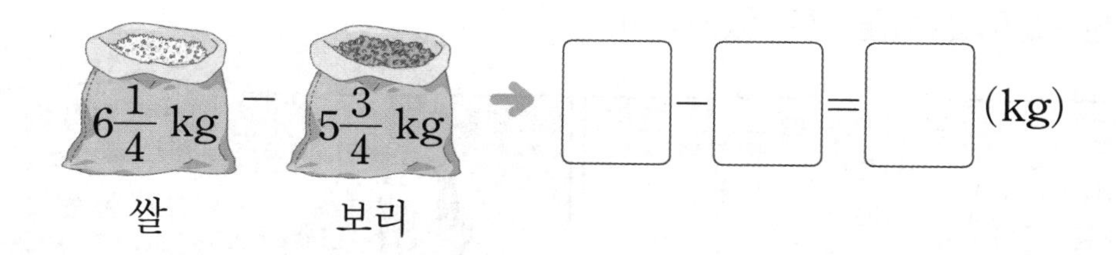

$\square - \square = \square$ (kg)

5 농장에서 감은 $2\frac{3}{20}$ kg 따고, 토마토는 $\frac{15}{20}$ kg 땄습니다.
감은 토마토보다 몇 kg 더 많이 땄을까요?

감 − 토마토 → $\square - \square = \square$ (kg)

6 밀가루가 $6\frac{7}{10}$ kg 있습니다.
케이크를 만드는 데 $1\frac{3}{10}$ kg을 사용하고, 빵을 만드는 데 $\frac{5}{10}$ kg을 사용했다면 남은 밀가루는 몇 kg일까요?

$\square - \square - \square = \square$ (kg)

특강 창의·융합·코딩·도전하기

발효 음식, 김치!

융합 1 친구들이 김치를 담고 있습니다.

소금 $8\frac{4}{5}$ kg 중 $2\frac{3}{5}$ kg을 사용하고, $4\frac{2}{5}$ kg을 더 사용했어요. 남은 소금은 몇 kg일까요?

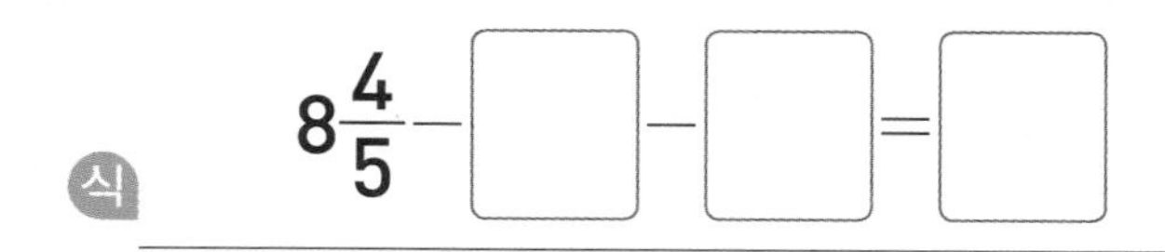

식 $8\frac{4}{5} - \square - \square = \square$

답 ______ kg

▶정답과 해설 13쪽

융합 2 경상북도 경주에는 신라 시대의 유적지가 많습니다. 다음을 보고 물음에 답하세요.

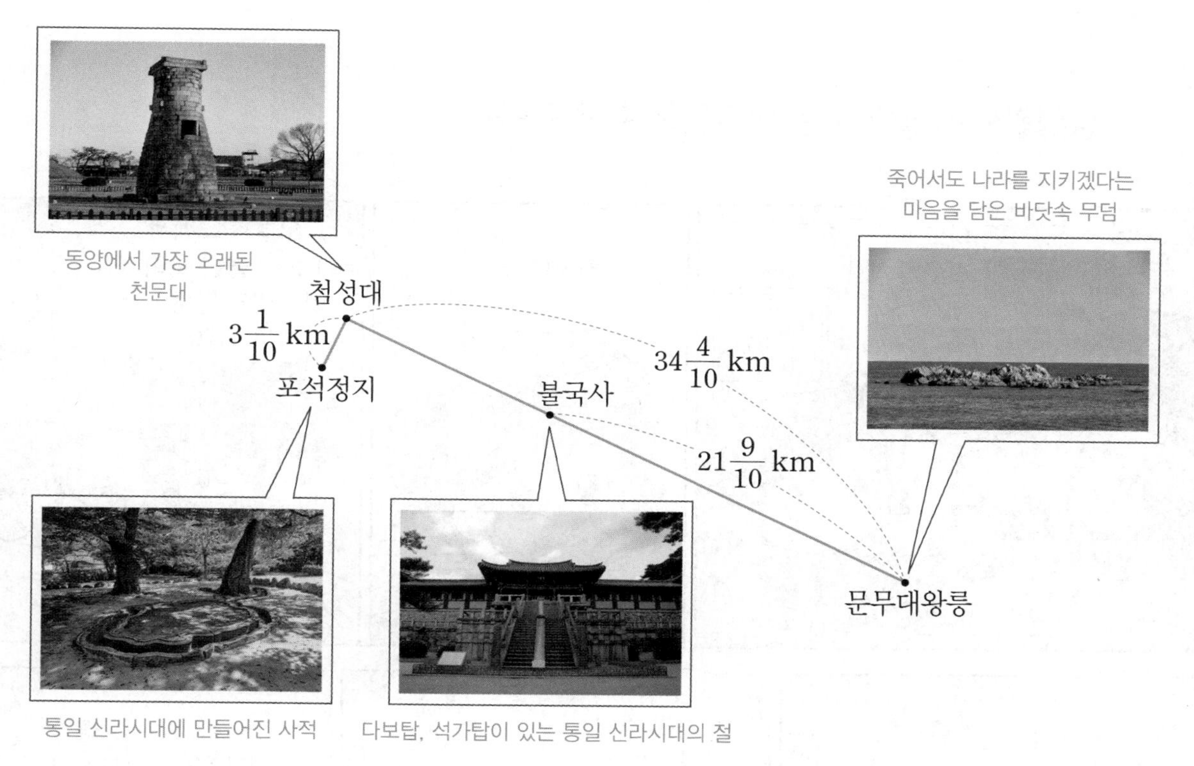

(1) 첨성대에서 불국사까지의 거리는 몇 km일까요?

답 ________________ km

(2) 첨성대에서 불국사까지의 거리는 첨성대에서 포석정지까지의 거리보다 몇 km 더 멀까요?

답 ________________ km

소수의 덧셈

실생활에서 알아보는 재미있는 수학 이야기

이번에 배울 내용을 알아볼까요?

- 1일차 ~ 2일차 소수 두 자리 수, 소수 세 자리 수
- 3일차 ~ 4일차 소수의 크기 비교, 소수 사이의 관계
- 5일차 ~ 6일차 소수 한 자리 수의 덧셈
- 7일차 ~ 8일차 소수 두 자리 수의 덧셈
- 9일차 ~ 10일차 자릿수가 다른 소수의 덧셈
- 11일차 세 소수의 덧셈

1 일차

소수 두 자리 수

이렇게 해결하자

$\frac{23}{100}$ → $\frac{1}{100}$이 23개인 수

→ 0.01이 23개인 수

→ 0.23

영점이삼

소수로 나타내 보세요.

① $\frac{5}{100}$ → ☐

② $\frac{9}{100}$ → ☐

③ $\frac{15}{100}$ → ☐

④ $\frac{61}{100}$ → ☐

⑤ $1\frac{4}{100}$ → ☐

⑥ $3\frac{28}{100}$ → ☐

⑦ 0.01이 3개인 수 → ☐

⑧ 0.01이 7개인 수 → ☐

⑨ 0.01이 48개인 수 → ☐

⑩ 0.01이 92개인 수 → ☐

⑪ 0.01이 582개인 수 → ☐

⑫ 0.01이 751개인 수 → ☐

제한 시간 5분

기초 계산 연습

맞은 개수 / 22개

▶ 정답과 해설 14쪽

 ▢ 안에 알맞은 소수를 써넣으세요.

⑬ 1이 1개, 0.1이 5개, 0.01이 7개 → ▢

⑭ 1이 3개, 0.1이 2개, 0.01이 6개 → ▢

⑮ 1이 5개, 0.1이 4개, 0.01이 3개 → ▢

⑯ 1이 4개, 0.1이 1개, 0.01이 9개 → ▢

⑰ 1이 8개, 0.1이 0개, 0.01이 6개 → ▢

⑱ 1이 2개, 0.1이 4개, 0.01이 8개 → ▢

⑲ 1이 3개, 0.1이 6개, 0.01이 7개 → ▢

⑳ 1이 7개, 0.1이 3개, 0.01이 1개 → ▢

㉑ 1이 6개, 0.1이 1개, 0.01이 5개 → ▢

㉒ 1이 9개, 0.1이 3개, 0.01이 4개 → ▢

1 일차

소수 두 자리 수

소수를 읽거나 소수로 나타내 보세요.

1 0.08

읽기 ______________________

2 영 점 영삼

쓰기 ______________________

3 0.27

읽기 ______________________

4 일 점 영구

쓰기 ______________________

5 1.76

읽기 ______________________

6 오 점 사일

쓰기 ______________________

밑줄 친 숫자가 나타내는 수를 쓰세요.

7 $0.\underline{8}3$

8 $0.\underline{5}7$

9 $0.3\underline{6}$

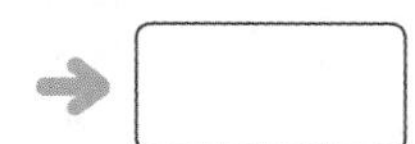

10 $3.0\underline{5}$

11 $\underline{1}.94$

12 $1.\underline{4}7$

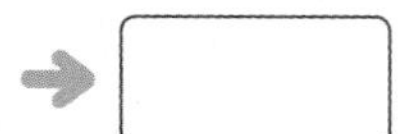

13 $\underline{7}.16$

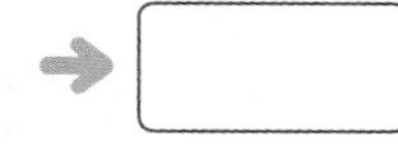

14 $8.\underline{1}7$

15 $5.9\underline{2}$

플러스 계산 연습

맞은 개수 / 23개

▶ 정답과 해설 14쪽

▢ 안에 알맞은 수를 써넣으세요.

16

5.39
- 5가 나타내는 수 → ▢
- 3이 나타내는 수 → ▢
- 9가 나타내는 수 → ▢

17

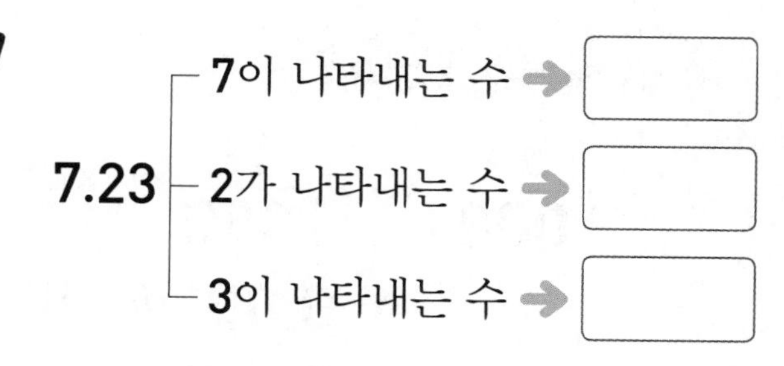

생활 속 문제

전자저울에 나타난 소수를 읽어 보세요.

18

읽기 ____________

19

읽기 ____________

문장 읽고 문제 해결하기

20 1이 2개, 0.1이 5개, 0.01이 4개인 수를 소수로 나타내면?

답 ____________

21 1이 8개, 0.1이 1개, 0.01이 6개인 수를 소수로 나타내면?

답 ____________

22 1.78보다 0.1만큼 더 큰 수는?

 ____________

23 4.26보다 0.01만큼 더 작은 수는?

 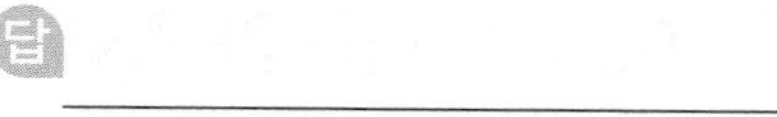

소수 세 자리 수

이렇게 해결하자

$\frac{157}{1000}$ → $\frac{1}{1000}$이 157개인 수

→ 0.001이 157개인 수

→ 0.157
영점일오칠

0.157은 0.1이 1개, 0.01이 5개, 0.001이 7개인 수예요.

소수로 나타내 보세요.

❶ $\frac{3}{1000}$ → ☐

❷ $\frac{8}{1000}$ → ☐

❸ $\frac{12}{1000}$ → ☐

❹ $\frac{107}{1000}$ → ☐

❺ $\frac{368}{1000}$ → ☐

❻ $2\frac{145}{1000}$ → ☐

❼ 0.001이 7개인 수 → ☐

❽ 0.001이 26개인 수 → ☐

❾ 0.001이 149개인 수 → ☐

❿ 0.001이 762개인 수 → ☐

⓫ 0.001이 5128개인 수 → ☐

⓬ 0.001이 8491개인 수 → ☐

제한 시간 5분

기초 계산 연습

맞은 개수 / 22개

▶ 정답과 해설 14쪽

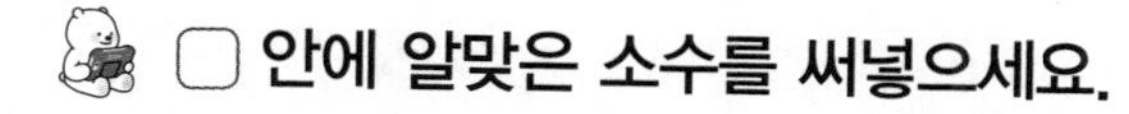

□ 안에 알맞은 소수를 써넣으세요.

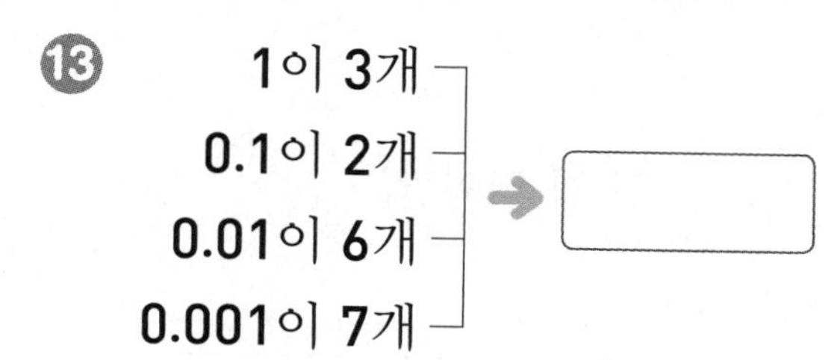

⑬ 1이 3개, 0.1이 2개, 0.01이 6개, 0.001이 7개 → □

⑭ 1이 1개, 0.1이 2개, 0.01이 9개, 0.001이 4개 → □

⑮ 1이 5개, 0.1이 8개, 0.01이 0개, 0.001이 1개 → □

⑯ 1이 4개, 0.1이 1개, 0.01이 7개, 0.001이 3개 → □

⑰ 1이 2개, 0.1이 7개, 0.01이 9개, 0.001이 4개 → □

⑱ 1이 3개, 0.1이 5개, 0.01이 3개, 0.001이 4개 → □

⑲ 1이 6개, 0.1이 7개, 0.01이 8개, 0.001이 1개 → □

⑳ 1이 7개, 0.1이 0개, 0.01이 7개, 0.001이 2개 → □

㉑ 1이 9개, 0.1이 1개, 0.01이 2개, 0.001이 5개 → □

㉒ 1이 8개, 0.1이 5개, 0.01이 5개, 0.001이 4개 → □

2 일차

소수 세 자리 수

소수를 읽거나 소수로 나타내 보세요.

1 0.006

읽기 ______

2 영 점 영이팔

쓰기 ______

3 0.307

읽기 ______

4 일 점 영오구

쓰기 ______

5 15.224

읽기 ______

6 육 점 일팔삼

쓰기 ______

밑줄 친 숫자가 나타내는 수를 쓰세요.

7 0.4̲17 → ☐

8 0.53̲2 → ☐

9 0.78̲3 → ☐

10 1̲.846 → ☐

11 5.26̲1 → ☐

12 3.402̲ → ☐

13 7.124̲ → ☐

14 8̲.359 → ☐

15 6.94̲1 → ☐

플러스 계산 연습

맞은 개수 / 23개

▶ 정답과 해설 14쪽

□ 안에 알맞은 수를 써넣으세요.

16 2.451에서

- 2가 나타내는 수 ➔ □
- 4가 나타내는 수 ➔ □
- 5가 나타내는 수 ➔ □
- 1이 나타내는 수 ➔ □

17 5.347에서

- 5가 나타내는 수 ➔ □
- 3이 나타내는 수 ➔ □
- 4가 나타내는 수 ➔ □
- 7이 나타내는 수 ➔ □

생활 속 문제

자동차가 달린 거리를 소수로 나타내 보세요.

18

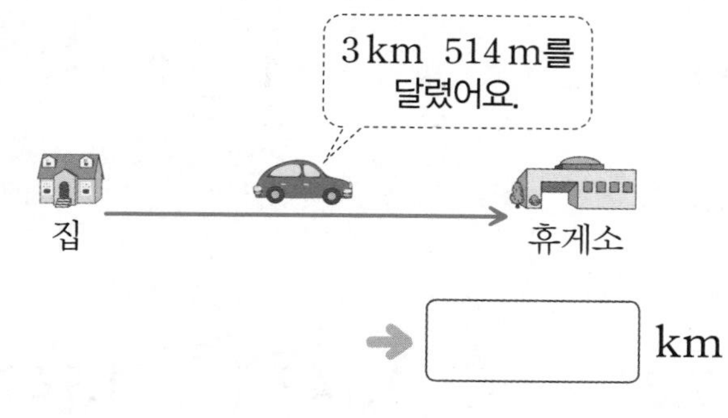

➔ □ km

19

➔ □ km

문장 읽고 문제 해결하기

20 1이 3개, 0.1이 7개, 0.01이 2개, 0.001이 8개인 수를 소수로 나타내면?

답 ______

21 1이 5개, 0.1이 6개, 0.01이 9개, 0.001이 3개인 수를 소수로 나타내면?

답 ______

22 4.236보다 0.1만큼 더 큰 수는?

23 8.714보다 0.001만큼 더 작은 수는?

3 일차 소수의 크기 비교

이렇게 해결하자

소수 첫째 자리 수 비교하기	소수 둘째 자리 수 비교하기	소수 셋째 자리 수 비교하기
0.37 ＞ 0.29	0.156 ＜ 0.18	0.657 ＞ 0.651

자연수 부분이 같으면 소수 첫째 자리부터 같은 자리 수끼리 비교해요.

두 소수의 크기를 비교하여 ○ 안에 ＞, ＝, ＜를 알맞게 써넣으세요.

❶ 0.32 ○ 0.41
3 ○ 4

❷ 0.84 ○ 0.81
4 ○ 1

❸ 0.173 ○ 0.25
1 ○ 2

❹ 6.34 ○ 2.56
6 ○ 2

❺ 7.53 ○ 7.8
5 ○ 8

❻ 1.942 ○ 1.947
2 ○ 7

❼ 1.68 ○ 1.7
6 ○ 7

❽ 5.19 ○ 4.86
5 ○ 4

❾ 0.273 ○ 0.274
3 ○ 4

❿ 3.017 ○ 3.015
7 ○ 5

⓫ 4.56 ○ 4.518
6 ○ 1

⓬ 6.175 ○ 6.179
5 ○ 9

제한 시간 5분

기초 계산 연습

맞은 개수 / 30개

▶ 정답과 해설 15쪽

⑬ 0.16 ◯ 0.61　　⑭ 0.95 ◯ 0.948　　⑮ 0.157 ◯ 0.158

⑯ 5.48 ◯ 5.51　　⑰ 12.3 ◯ 9.88　　⑱ 0.285 ◯ 0.37

⑲ 1.596 ◯ 1.426　　⑳ 1.78 ◯ 1.8　　㉑ 8.75 ◯ 8.73

㉒ 2.05 ◯ 2.005　　㉓ 4.07 ◯ 4.070　　㉔ 3.91 ◯ 2.58

㉕ 0.657 ◯ 0.508　　㉖ 3.89 ◯ 3.87　　㉗ 5.2 ◯ 5.126

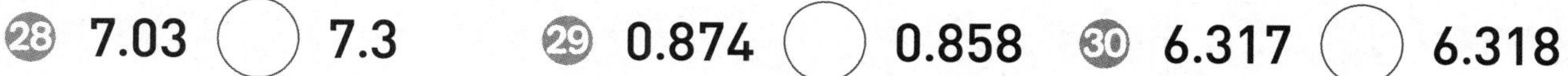

㉘ 7.03  7.3　　㉙ 0.874 ◯ 0.858　　㉚ 6.317  6.318

3 일차

소수의 크기 비교

두 소수의 크기를 비교하여 ○ 안에 >, =, <를 알맞게 써넣으세요.

1 0.3 ○ 0.30

2 1.04 ○ 0.104

3 0.93 ○ 0.97

4 1.21 ○ 1.22

5 2.65 ○ 2.644

6 0.017 ○ 0.17

7 4.65 ○ 4.56

8 10.23 ○ 9.89

9 8.354 ○ 8.352

두 소수의 크기를 비교하여 □ 안에 더 큰 수를 써넣으세요.

10 2.6 2.69 □

11 3.51 3.49 □

12 5.108 5.18 □

13 7.358 7.352 □

14 6.004 6.011 □

15 1.559 15.59 □

플러스 계산 연습

맞은 개수 / 25개

▶ 정답과 해설 15쪽

가장 큰 수에 ○표, 가장 작은 수에 △표 하세요.

16 0.172 0.158 0.163

17 4.701 4.007 4.71

18 0.029 0.28 0.265

19 6.18 6.08 6.059

생활 속 문제

집에서 더 가까운 곳을 찾아 ○표 하세요.

20

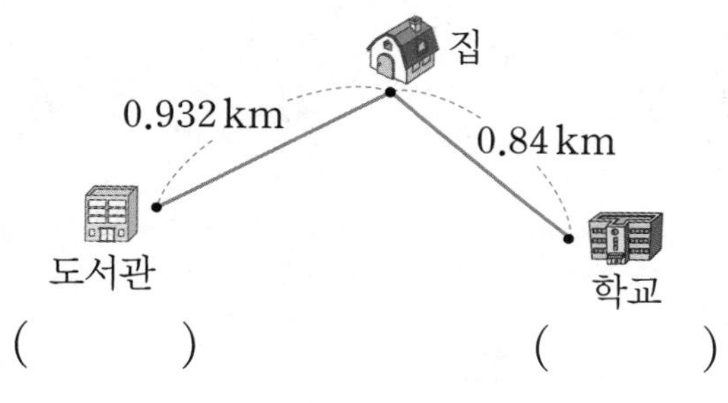

( ) ( )

21

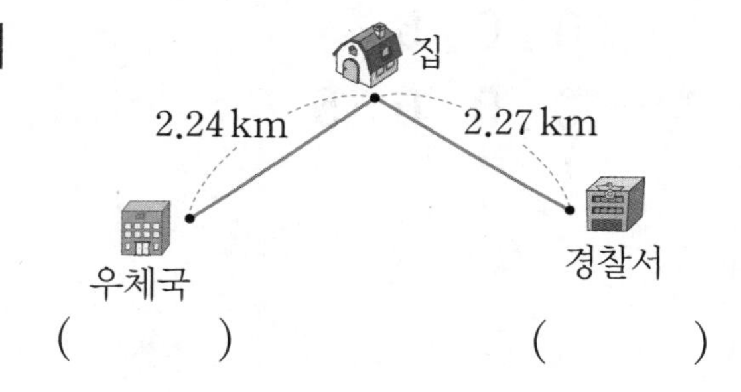

( ) ( )

문장 읽고 문제 해결하기

22 6.28과 6.269 중 더 큰 수는?

답 ____________

23 11.3과 8.574 중 더 작은 수는?

답 ____________

24 0.166 kg인 감과 0.172 kg인 바나나 중 더 무거운 과일은?

답 ____________

25 3.76 m인 빨간색 끈과 3.8 m인 노란색 끈 중 더 짧은 끈은?

답 ____________

4 일차

소수 사이의 관계

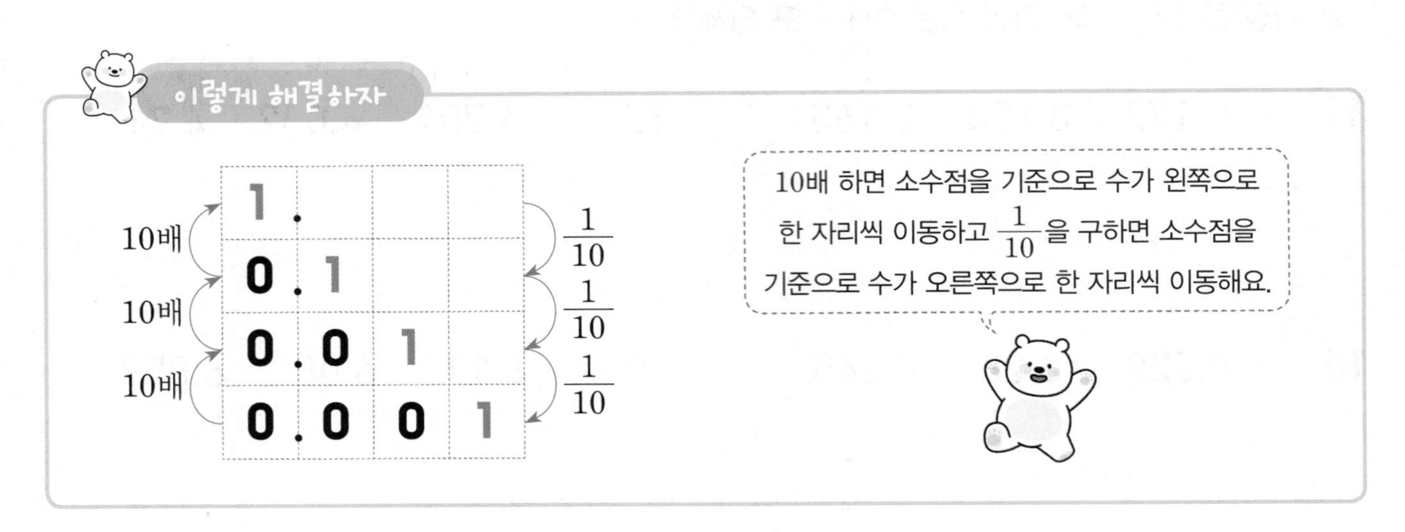

이렇게 해결하자
10배
10배
10배
1 .
0 . 1
0 . 0 1
0 . 0 0 1
1/10
1/10
1/10
10배 하면 소수점을 기준으로 수가 왼쪽으로 한 자리씩 이동하고 1/10 을 구하면 소수점을 기준으로 수가 오른쪽으로 한 자리씩 이동해요.

빈칸에 알맞은 수를 써넣으세요.

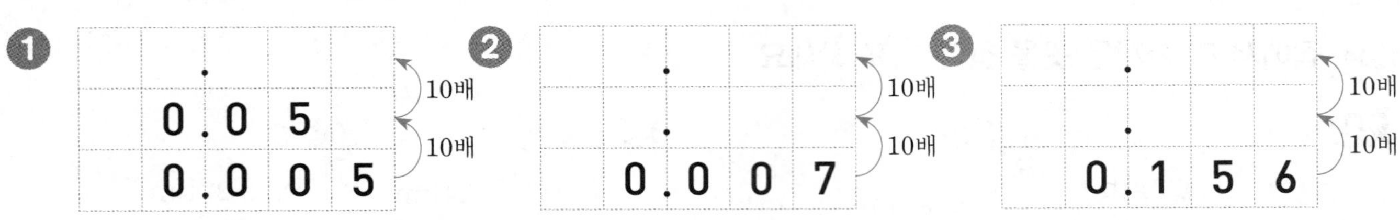

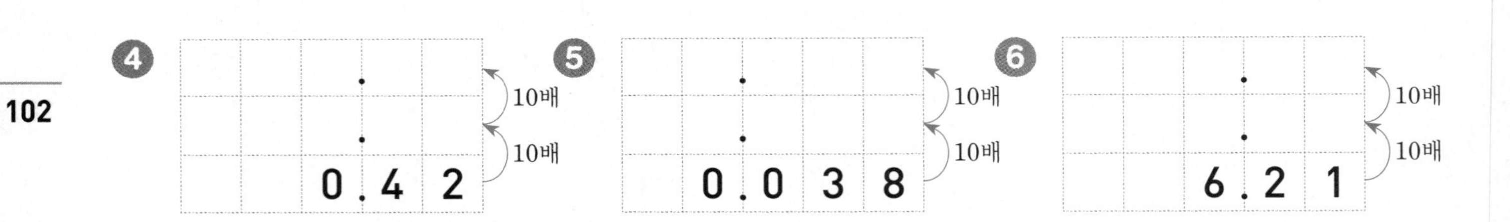

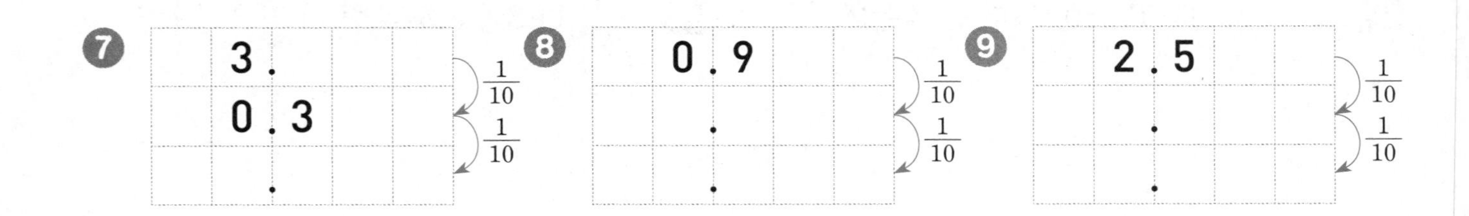

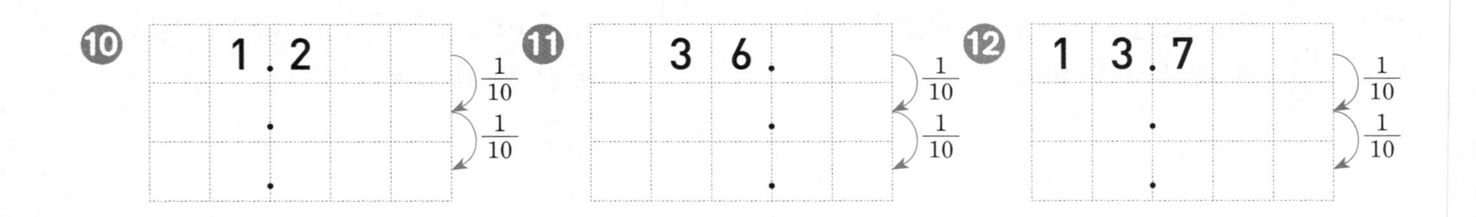

제한 시간 5분

기초 계산 연습

맞은 개수 / 19개

▶ 정답과 해설 15쪽

⑬ 0.006 —10배→ [ ] —10배→ [ ] —10배→ [ ]

⑭ 0.308 —10배→ [ ] —10배→ [ ] —10배→ [ ]

⑮ 4.57 —10배→ [ ] —10배→ [ ] —10배→ [ ]

⑯ 11 —$\frac{1}{10}$→ [ ] —$\frac{1}{10}$→ [ ] —$\frac{1}{10}$→ [ ]

⑰ 39 —$\frac{1}{10}$→ [ ] —$\frac{1}{10}$→ [ ] —$\frac{1}{10}$→ [ ]

⑱ 243 —$\frac{1}{10}$→ [ ] —$\frac{1}{10}$→ [ ] —$\frac{1}{10}$→ [ ]

⑲ 5762 —$\frac{1}{10}$→ [ ] —$\frac{1}{10}$→ [ ] —$\frac{1}{10}$→ [ ]

4 일차 소수 사이의 관계

▢ 안에 알맞은 수를 써넣으세요.

1 3.15의 10배 ➔ ▢

2 0.72의 100배 ➔ ▢

3 6.034의 100배 ➔ ▢

4 16의 $\frac{1}{10}$ ➔ ▢

5 2.49의 $\frac{1}{10}$ ➔ ▢

6 5.3의 $\frac{1}{100}$ ➔ ▢

빈칸에 알맞은 수를 써넣으세요.

7

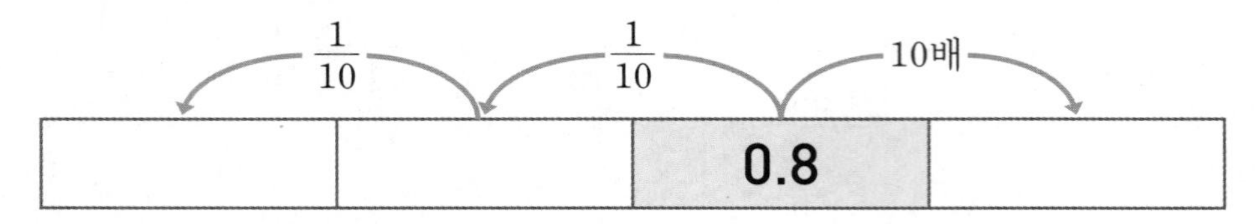

8

$\frac{1}{10}$ 10배 10배

	2.7		

9

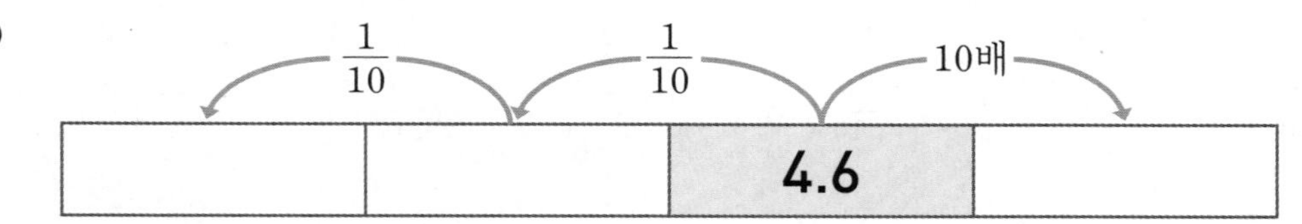

10

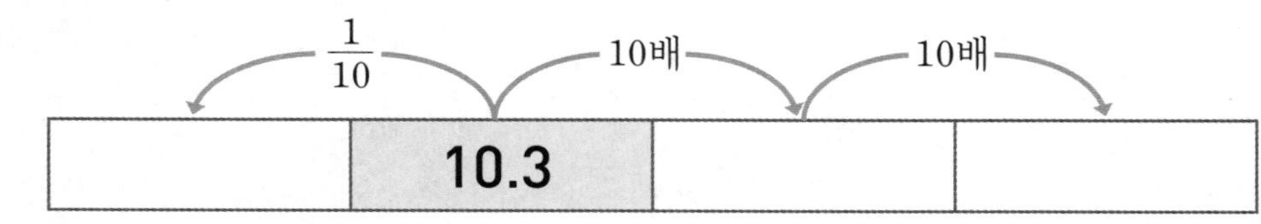

플러스 계산 연습

맞은 개수 / 20개

▶ 정답과 해설 15쪽

관계있는 것끼리 선으로 이어 보세요.

11

13의 $\frac{1}{10}$ •		• 0.13
		• 1.3
0.013의 10배 •		• 13

12

128의 $\frac{1}{100}$ •		• 1.28
		• 12.8
1.28의 100배 •		• 128

생활 속 문제

같은 주스 10병에 들어 있는 주스는 모두 몇 L인지 구하세요.

13

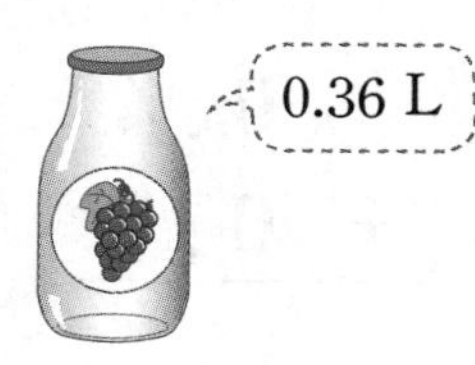

0.36의 10배 → ☐ L

14

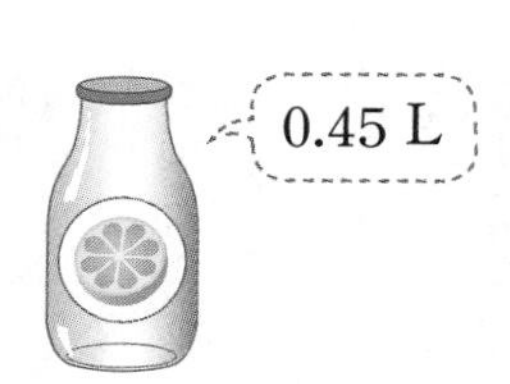

0.45의 10배 → ☐ L

문장 읽고 문제 해결하기

15 1.47의 10배는 얼마?

 ______

16 5.643의 100배는 얼마?

답 ______

17 8.3의 100배는 얼마?

 ______

18 0.026의 10배는 얼마?

답 ______

19 17.1의 $\frac{1}{10}$은 얼마?

 ______

20 258의 $\frac{1}{100}$은 얼마?

답 ______

5 일차

1보다 작은 소수 한 자리 수의 덧셈

이렇게 해결하자

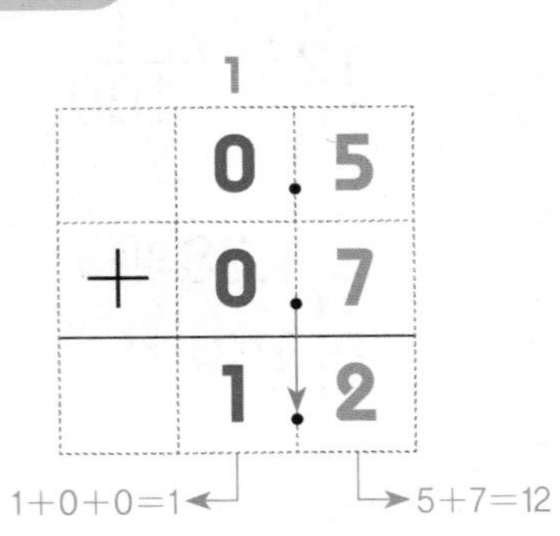

소수점의 자리를
맞추어 계산해요.

계산해 보세요.

❶

	0	.1
+	0	.2

❷

	0	.3
+	0	.3

❸

	0	.4
+	0	.5

❹

	0	.6
+	0	.5

❺

	0	.8
+	0	.4

❻

	0	.3
+	0	.5

❼

	0	.4
+	0	.2

❽

	0	.7
+	0	.6

❾

	0	.3
+	0	.8

❿

	0	.3
+	0	.6

⓫

	0	.9
+	0	.2

⓬

	0	.7
+	0	.7

제한 시간 5분

기초 계산 연습

맞은 개수 / 27개

▶ 정답과 해설 16쪽

⑬

	0	. 7
+	0	. 2

⑭

	0	. 1
+	0	. 6

⑮

	0	. 6
+	0	. 6

⑯

	0	. 5
+	0	. 1

⑰

	0	. 6
+	0	. 8

⑱

	0	. 9
+	0	. 3

⑲

	0	. 8
+	0	. 2

⑳

	0	. 7
+	0	. 5

㉑

	0	. 8
+	0	. 9

㉒ 0.2+0.6=□

+		

㉓ 0.4+0.4=□

+		

㉔ 0.9+0.4=□

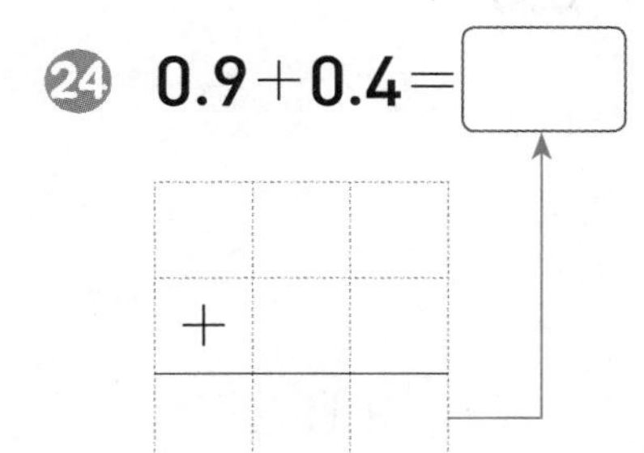

㉕ 0.7+0.8=□

+		

㉖ 0.8+0.8=□

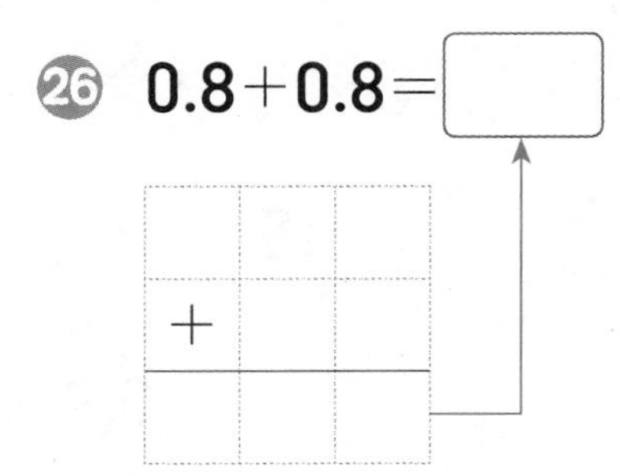

㉗ 0.9+0.6=□

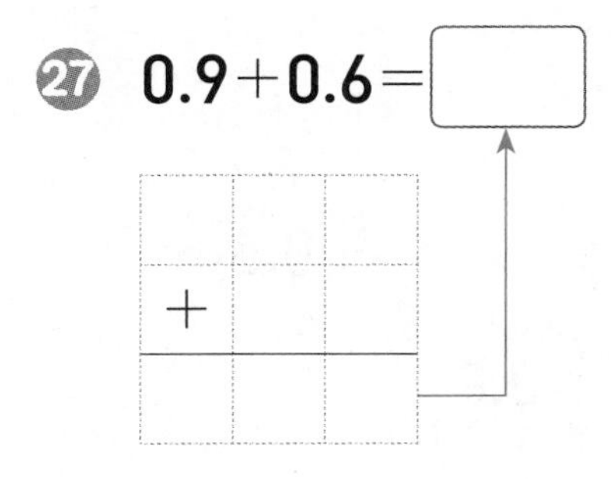

5 일차

1보다 작은 소수 한 자리 수의 덧셈

계산해 보세요.

1 $0.3+0.1$

2 $0.4+0.3$

3 $0.2+0.2$

4 $0.6+0.4$

5 $0.8+0.3$

6 $0.7+0.1$

7 $0.4+0.8$

8 $0.8+0.7$

9 $0.5+0.9$

빈칸에 알맞은 수를 써넣으세요.

10

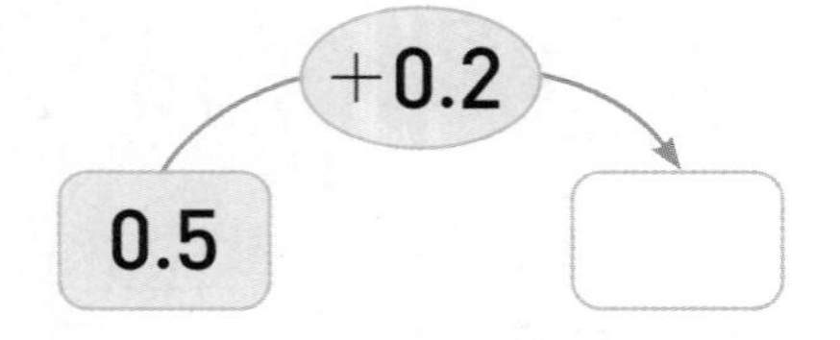

11

+0.5

0.5

12

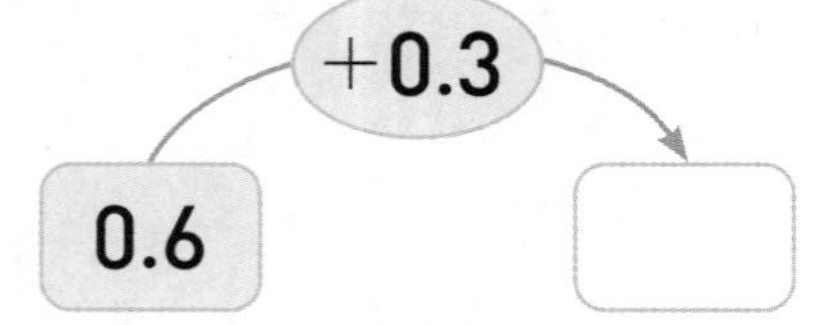

13

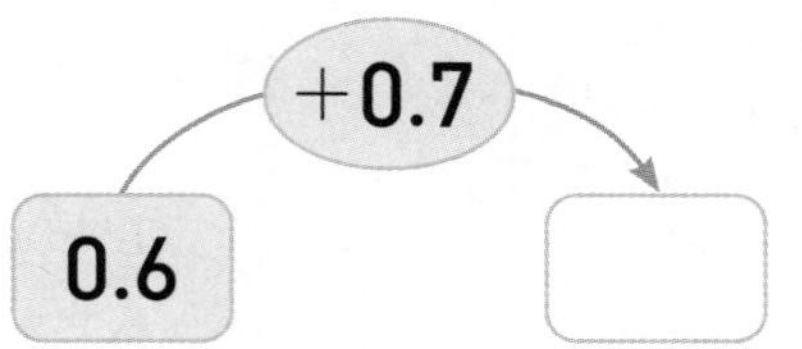

14

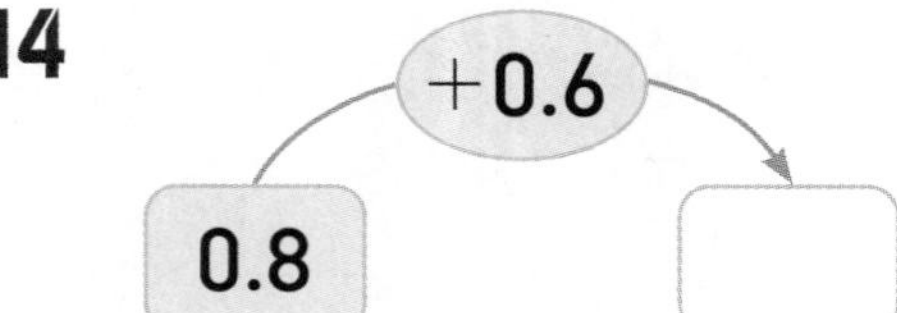

15

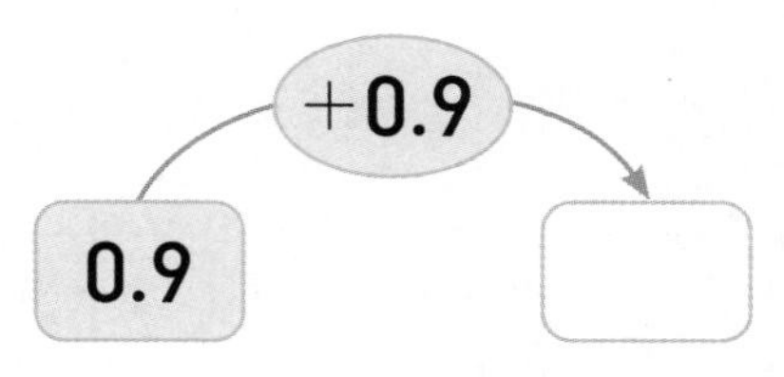

제한 시간 7분

플러스 계산 연습

맞은 개수 / 23개

▶ 정답과 해설 16쪽

빈칸에 알맞은 수를 써넣으세요.

16 ⊕ →

0.3	0.2	
0.1	0.4	

17 ⊕ →

0.5	0.7	
0.8	0.9	

생활 속 계산

가습기에 물을 더 부으면 물은 모두 몇 L가 되는지 구하세요.

18

0.7+□=□(L)

19

0.8+□=□(L)

문장 읽고 계산식 세우기

20 0.5와 0.4의 합은?

식 0.5+□=□

21 0.9와 0.6의 합은?

식 □+0.6=□

22 감자 0.6 kg과 당근 0.5 kg은 모두 몇 kg?

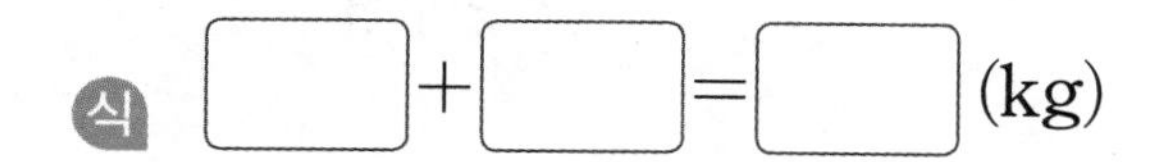

식 □+□=□(kg)

23 흰 우유 0.7 L와 초코 우유 0.9 L는 모두 몇 L?

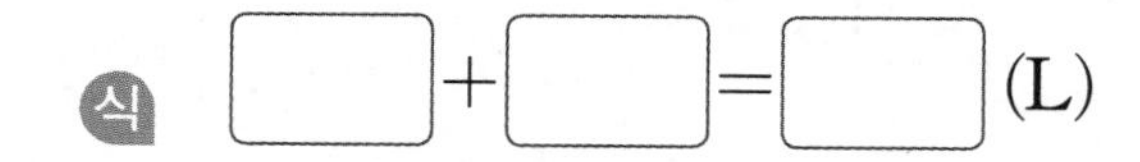

식 □+□=□(L)

1보다 큰 소수 한 자리 수의 덧셈

이렇게 해결하자

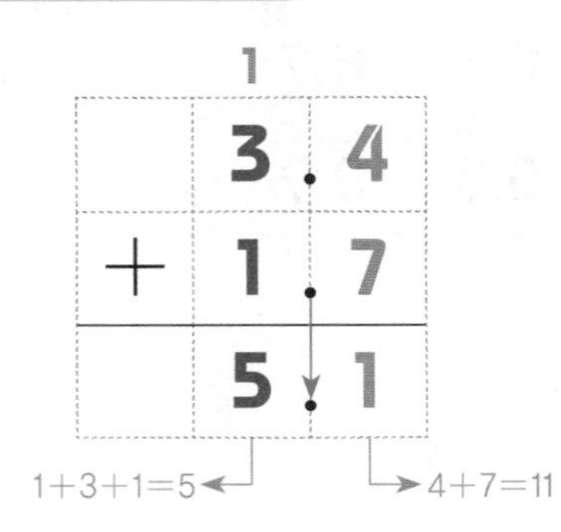

자연수의 덧셈과 같은 방법으로 계산하고
소수점을 그대로 내려 찍어요.

계산해 보세요.

❶

	1	.2
+	1	.5

❷

	4	.3
+	1	.4

❸

	5	.1
+	2	.3

❹

	1	.6
+	2	.2

❺

	2	.5
+	3	.6

❻

	4	.9
+	1	.3

❼

	6	.5
+	2	.3

❽

	4	.7
+	1	.6

❾

	3	.8
+	4	.7

❿

	7	.6
+	1	.8

⓫

	2	.5
+	4	.6

⓬

	1	.4
+	2	.8

제한 시간 5분

기초 계산 연습

맞은 개수 / 27개

▶ 정답과 해설 16쪽

⑬

	1.	9
+	1.	5

⑭

	3.	1
+	4.	6

⑮

	2.	3
+	2.	8

⑯

	1.	6
+	2.	7

⑰

	2.	2
+	1.	9

⑱

	4.	6
+	4.	6

⑲

	3.	5
+	2.	8

⑳

	6.	1
+	4.	2

㉑

	3.	7
+	5.	6

㉒ 1.4+2.5=□

+		

㉓ 5.3+1.2=□

+		

㉔ 6.5+2.7=□

+		

㉕ 6.7+9.1=□

+		

㉖ 3.5+4.6=□

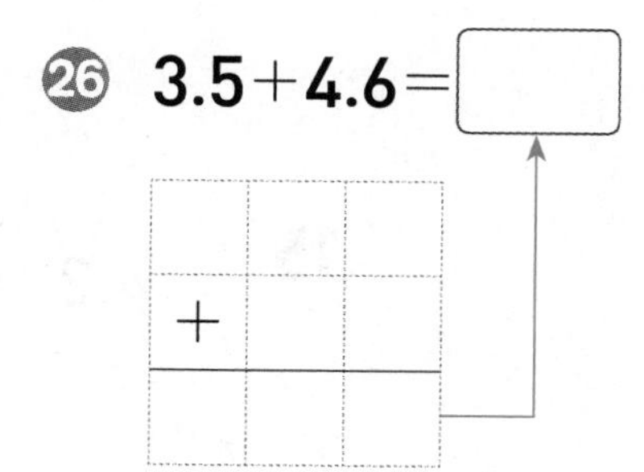

㉗ 7.8+1.5=□

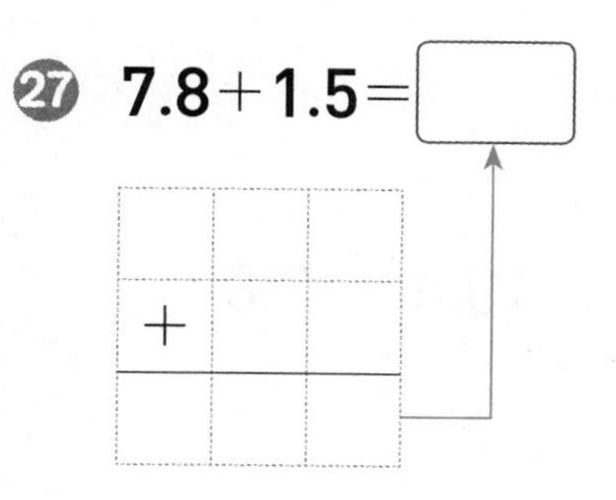

6 일차

1보다 큰 소수 한 자리 수의 덧셈

계산해 보세요.

1 $1.3+2.1$

2 $2.6+3.3$

3 $2.7+4.7$

4 $5.8+1.7$

5 $3.9+2.6$

6 $5.5+2.1$

7 $3.7+5.6$

8 $11.3+2.5$

9 $7.6+8.5$

빈칸에 두 수의 합을 써넣으세요.

10

3.2	1.2

11

4.3	2.8

12

2.5	2.9

13

7.6	2.6

14

10.4	7.8

15

4.2	5.9

플러스 계산 연습

맞은 개수 / 23개

▶ 정답과 해설 16쪽

빈칸에 알맞은 수를 써넣으세요.

16

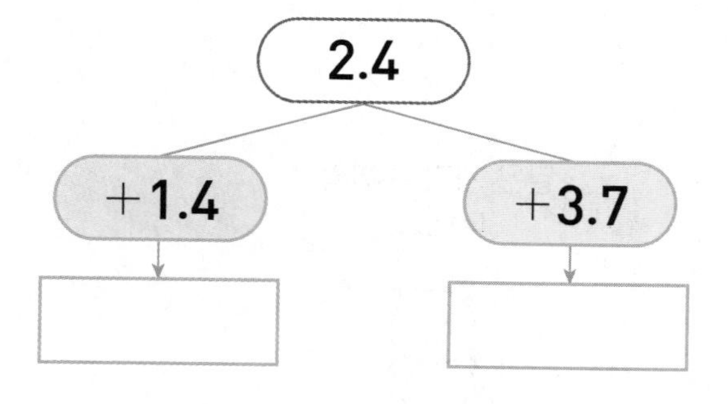

17

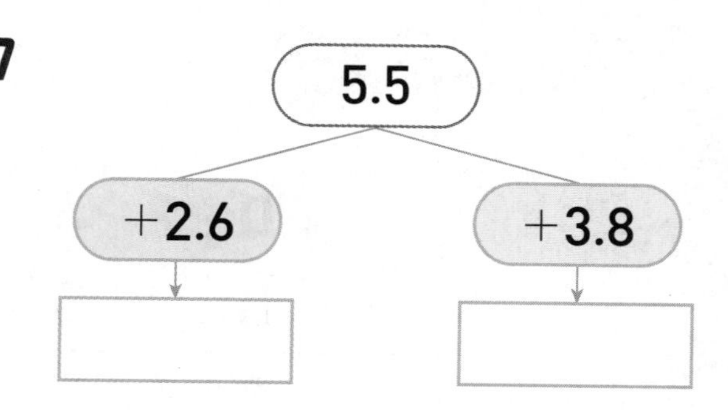

생활 속 계산

두 나무의 높이의 합을 구하세요.

18

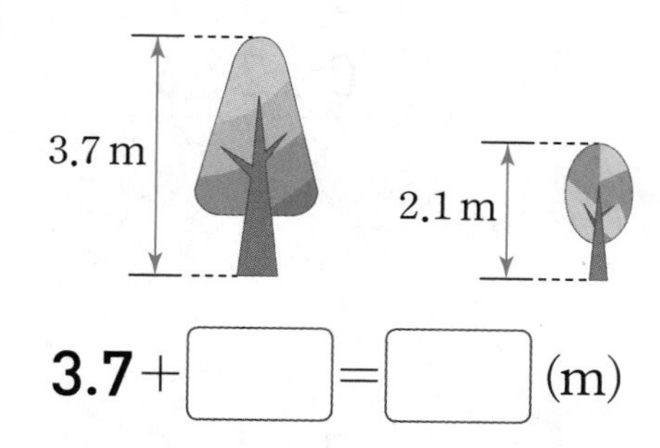

3.7+☐=☐ (m)

19

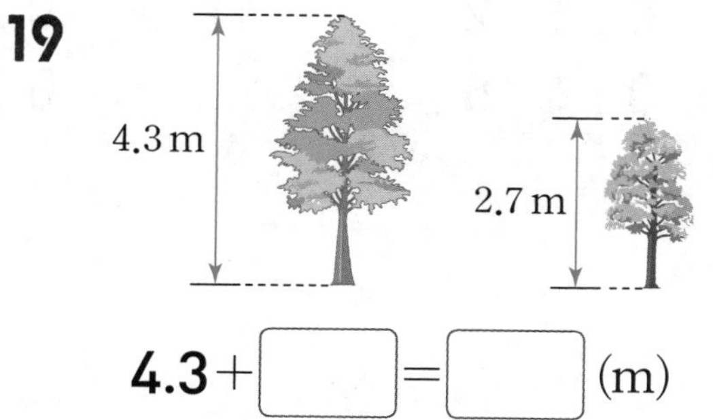

4.3+☐=☐ (m)

문장 읽고 계산식 세우기

20

2.3보다 1.6만큼 더 큰 수는?

2.3+☐=☐

21

6.5보다 2.9만큼 더 큰 수는?

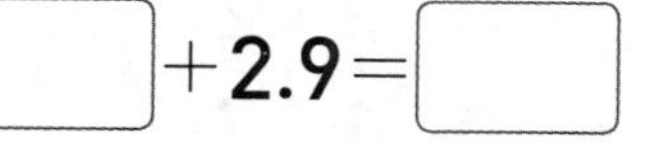

☐+2.9=☐

22

물이 1.7 L 들어 있는 주전자에 물을 1.1 L만큼 더 넣으면 모두 몇 L?

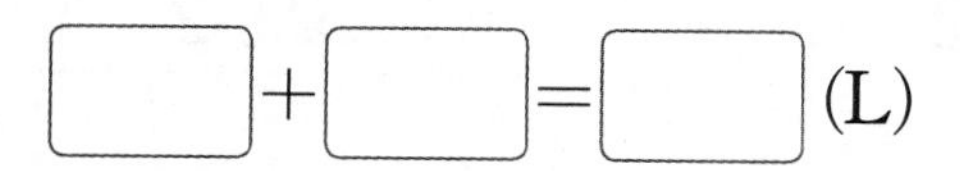

☐+☐=☐ (L)

23

물이 3.6 L 들어 있는 양동이에 물을 1.8 L만큼 더 넣으면 모두 몇 L?

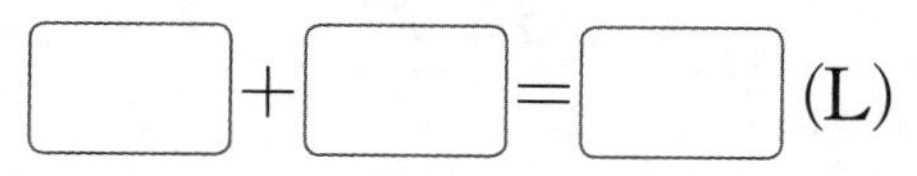

☐+☐=☐ (L)

7 일차

1보다 작은 소수 두 자리 수의 덧셈

이렇게 해결하자

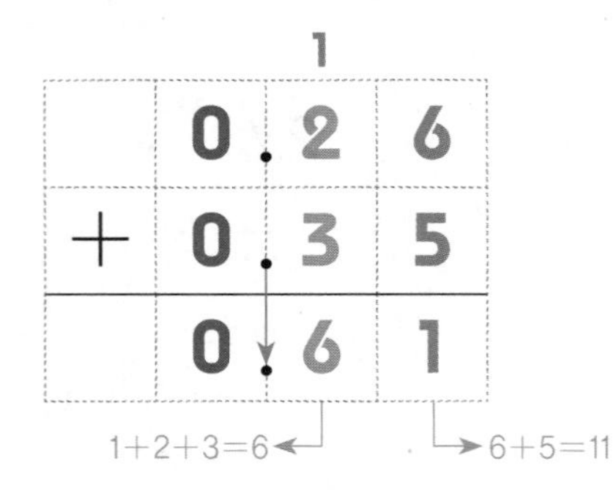

계산해 보세요.

❶

	0	. 1	2
+	0	. 4	5

❷

	0	. 3	1
+	0	. 0	8

❸

	0	. 5	3
+	0	. 2	6

❹

	0	. 4	1
+	0	. 1	1

❺

	0	. 6	4
+	0	. 2	5

❻

	0	. 7	6
+	0	. 1	5

❼

	0	. 2	2
+	0	. 1	7

❽

	0	. 4	9
+	0	. 3	6

❾

	0	. 7	4
+	0	. 1	8

❿

	0	. 3	8
+	0	. 3	7

⓫

	0	. 0	9
+	0	. 6	2

⓬

	0	. 8	5
+	0	. 2	1

제한 시간 7분

기초 계산 연습

맞은 개수 / 25개

▶ 정답과 해설 17쪽

⑬

	0.	5	1
+	0.	1	5

⑭

	0.	0	4
+	0.	9	1

⑮

	0.	3	6
+	0.	4	8

⑯

	0.	6	7
+	0.	4	7

⑰

	0.	8	1
+	0.	3	5

⑱

	0.	6	8
+	0.	5	5

⑲

	0.	7	7
+	0.	5	4

⑳

	0.	4	3
+	0.	8	8

㉑

	0.	5	2
+	0.	6	5

㉒ $0.94+0.07=$ ☐

+			

㉓ $0.46+0.29=$ ☐

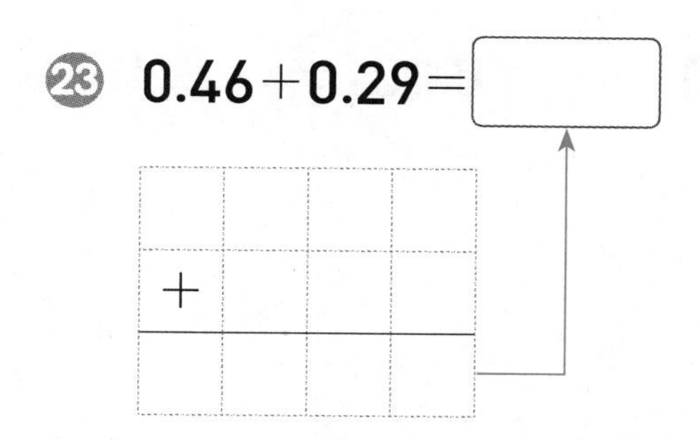

㉔ $0.25+0.56=$ ☐

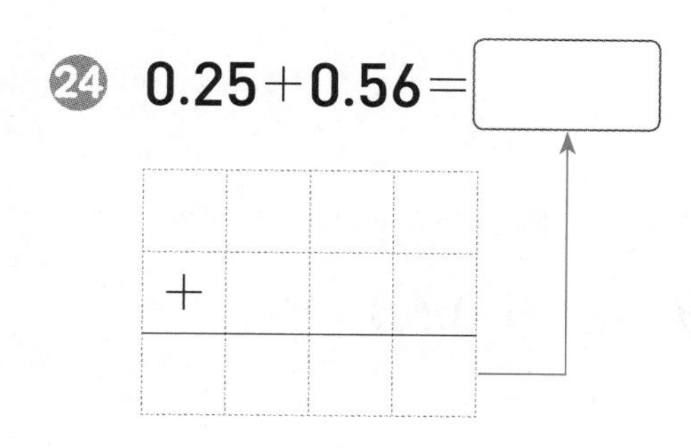

㉕ $0.72+0.88=$ ☐

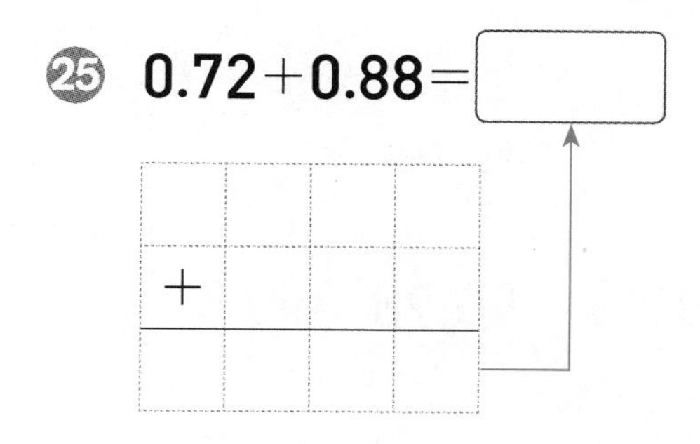

7 일차

1보다 작은 소수 두 자리 수의 덧셈

계산해 보세요.

1 0.13+0.24

2 0.32+0.52

3 0.61+0.27

4 0.92+0.14

5 0.78+0.43

6 0.82+0.44

7 0.72+0.32

8 0.91+0.37

빈칸에 알맞은 수를 써넣으세요.

9 0.81 → +0.13 → ☐

10 0.65 → +0.28 → ☐

11 0.77 → +0.29 → ☐

12 0.96 → +0.43 → ☐

13 0.38 → +0.98 → ☐

14 0.59 → +0.68 → ☐

플러스 계산 연습

맞은 개수 / 22개

▶ 정답과 해설 17쪽

빈칸에 알맞은 수를 써넣으세요.

15

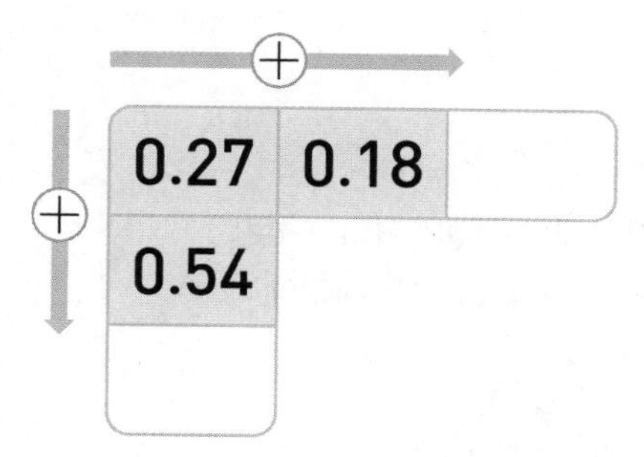

16

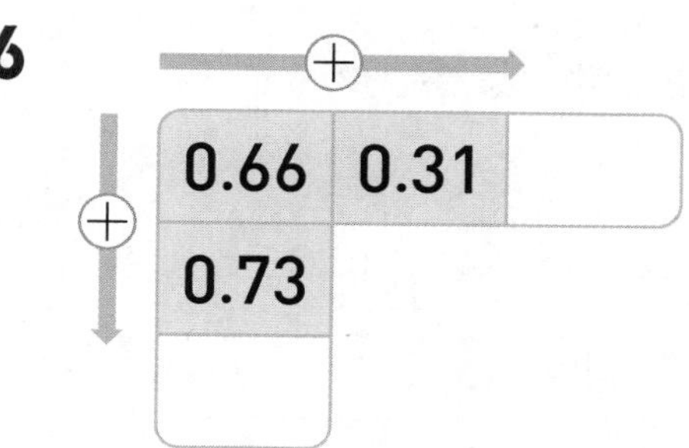

17

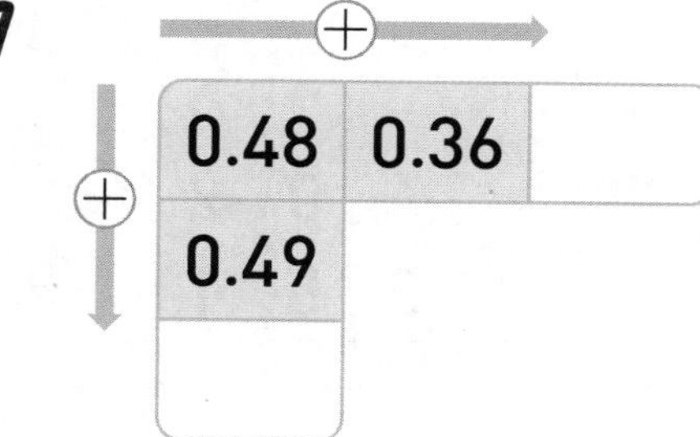

18

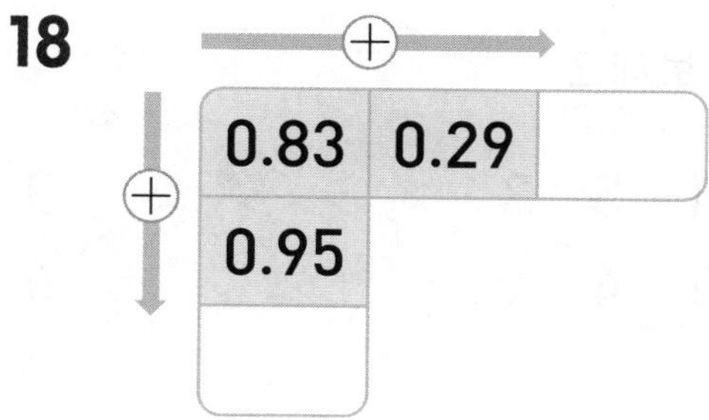

문장 읽고 계산식 세우기

19 0.25와 0.73의 합은?

식 0.25+☐=☐

20 0.84와 0.69의 합은?

식 ☐+0.69=☐

21 빨간색 끈 0.64 m와 파란색 끈 0.38 m의 길이의 합은 몇 m?

식 ☐+☐=☐(m)

22 밤 0.95 kg과 호두 0.56 kg의 무게의 합은 몇 kg?

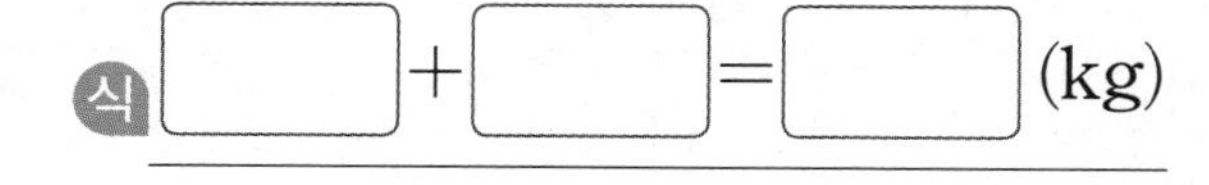

식 ☐+☐=☐(kg)

8 일차

1보다 큰 소수 두 자리 수의 덧셈

이렇게 해결하자

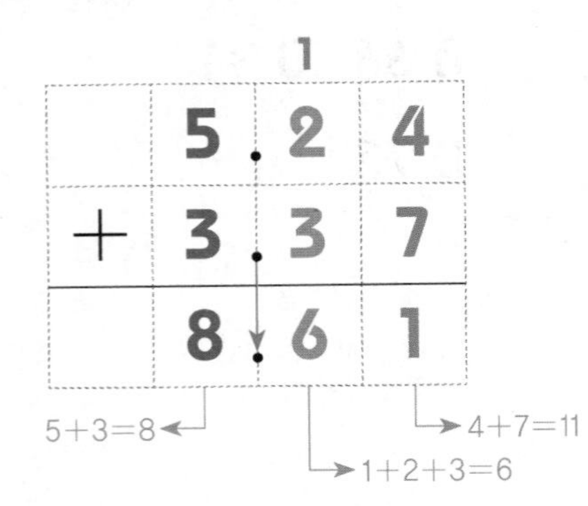

같은 자리 수끼리의 합이 10이거나 10보다 크면 위의 자리로 받아올림하여 계산해요.

계산해 보세요.

❶
```
   1.53
+  2.44
```

❷
```
   3.21
+  6.35
```

❸
```
   4.02
+  3.51
```

❹
```
   7.22
+  1.19
```

❺
```
   5.48
+  2.79
```

❻
```
   1.51
+  1.82
```

❼
```
   2.97
+  4.16
```

❽
```
   6.57
+  2.04
```

❾
```
   2.66
+  5.97
```

❿
```
   4.51
+  1.67
```

⓫
```
   3.84
+  5.65
```

⓬
```
   2.35
+  8.16
```

기초 계산 연습

맞은 개수 / 25개

▶ 정답과 해설 17쪽

⑬

	2.	0	3
+	3.	5	4

⑭

	1.	9	5
+	6.	6	1

⑮

	3.	8	5
+	5.	1	6

⑯

	4.	4	8
+	1.	7	5

⑰

	8.	0	1
+	4.	2	4

⑱

	6.	5	1
+	2.	5	7

⑲

	2.	8	2
+	5.	6	1

⑳

	3.	3	1
+	3.	7	2

㉑

	2.	7	3
+	9.	5	8

㉒ $4.48+3.68=$ ☐

+			

㉓ $1.07+8.69=$ ☐

+			

㉔ $2.81+5.73=$ ☐

+			

㉕ $7.08+3.93=$ ☐

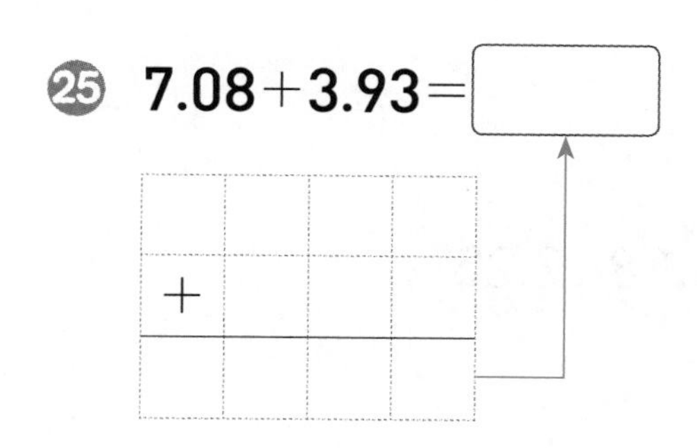

1보다 큰 소수 두 자리 수의 덧셈

계산해 보세요.

1 $1.22+5.34$

2 $3.82+2.87$

3 $5.35+1.62$

4 $4.62+3.45$

5 $5.09+4.24$

6 $7.43+1.91$

7 $6.78+5.23$

8 $10.07+2.49$

빈칸에 두 수의 합을 써넣으세요.

9

2.62	3.22

10

4.05	5.86

11

7.11	1.95

12

5.63	1.29

13

6.18	2.25

14

7.72	3.41

제한 시간 10분

플러스 계산 연습

맞은 개수 / 22개

▶ 정답과 해설 17쪽

계산 결과를 찾아 선으로 이어 보세요.

15

2.35+3.74 •	• 5.99
4.87+1.06 •	• 6.09
	• 5.93

16

5.61+1.39 •	• 7.28
4.67+2.61 •	• 7.1
	• 7

생활 속 계산

피겨 스케이팅 선수들이 쇼트 프로그램과 프리 스케이팅에서 얻은 점수의 합을 구하세요.

17

김가은

쇼트 프로그램: 66.14점
프리 스케이팅: 125.25점

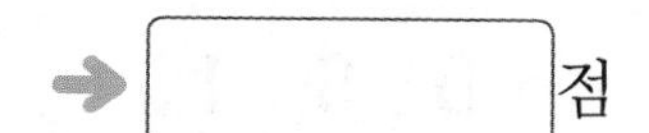
➜ □점

18

서지혜

쇼트 프로그램: 63.68점
프리 스케이팅: 120.35점

➜ □점

문장 읽고 계산식 세우기

19 3.26과 4.55의 합은?

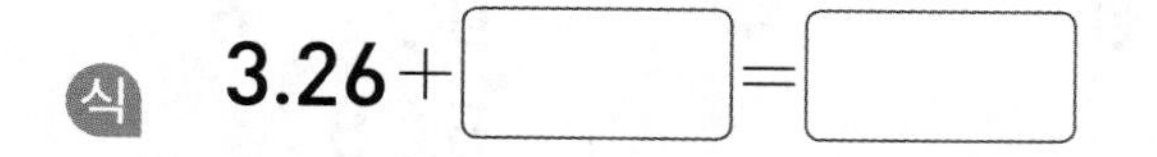
식 3.26+□=□

20 3.74와 5.61의 합은?

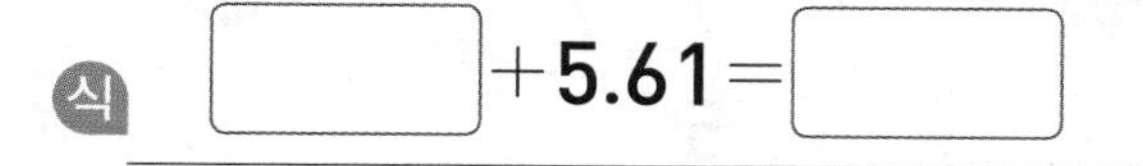
식 □+5.61=□

21 사과를 승연이는 2.26 kg, 세희는 4.05 kg 땄을 때, 두 사람이 딴 사과는 모두 몇 kg?

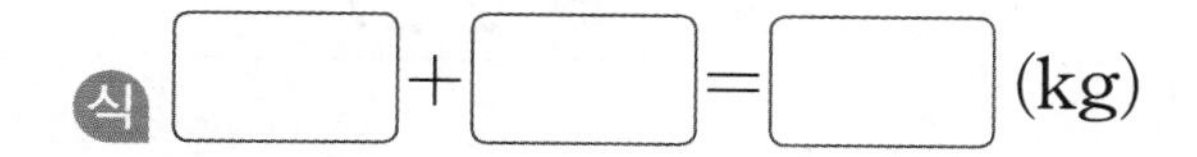
식 □+□=□(kg)

22 감자를 재민이는 1.39 kg, 수아는 3.14 kg 캤을 때, 두 사람이 캔 감자는 모두 몇 kg?

식 □+□=□(kg)

9 일차 (소수 두 자리 수)+(소수 한 자리 수)

이렇게 해결하자

	1		
	0	.5	4
+	2	.7	
	3	.2	4

1+0+2=3 / 5+7=12

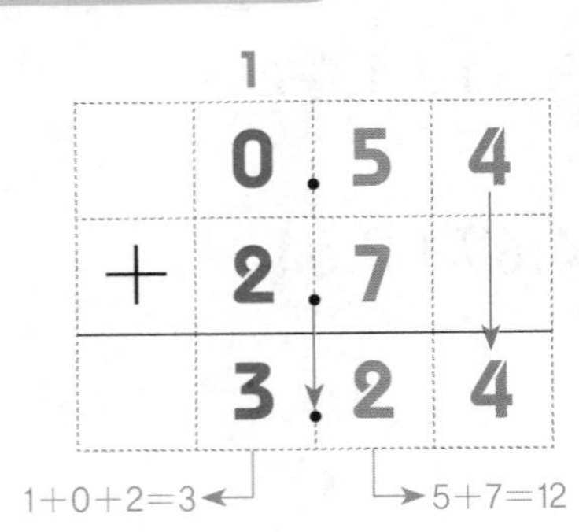

소수점의 자리를 맞추어 쓰지 않으면
계산 결과가 달라지므로 주의해요.

계산해 보세요.

❶

	0	.1	3
+	0	.5	

❷

	0	.2	4
+	1	.7	

❸

	0	.6	5
+	1	.3	

❹

	0	.4	9
+	0	.6	

❺

	0	.3	6
+	0	.8	

❻

	0	.8	1
+	0	.9	

❼

	0	.7	7
+	1	.5	

❽

	0	.3	8
+	2	.9	

❾

	0	.2	6
+	5	.8	

❿

	2	.9	7
+	1	.4	

⓫

	1	.3	4
+	4	.8	

⓬

	5	.4	8
+	2	.7	

기초 계산 연습

맞은 개수 　　/ 25개

▶ 정답과 해설 18쪽

⑬
	3	.2	5
+	4	.7	

⑭
	2	.9	4
+	5	.6	

⑮
	6	.9	4
+	2	.3	

⑯
	4	.5	8
+	4	.5	

⑰
	1	.6	7
+	6	.4	

⑱
	8	.2	5
+	1	.9	

⑲
	3	.5	1
+	4	.7	

⑳
	5	.4	5
+	8	.2	

㉑
	7	.9	8
+	6	.5	

㉒ $1.12+0.7=$ □

+			

㉓ $3.47+2.1=$ □

+			

㉔ $4.23+3.9=$ □

+			

㉕ $5.64+2.6=$ □

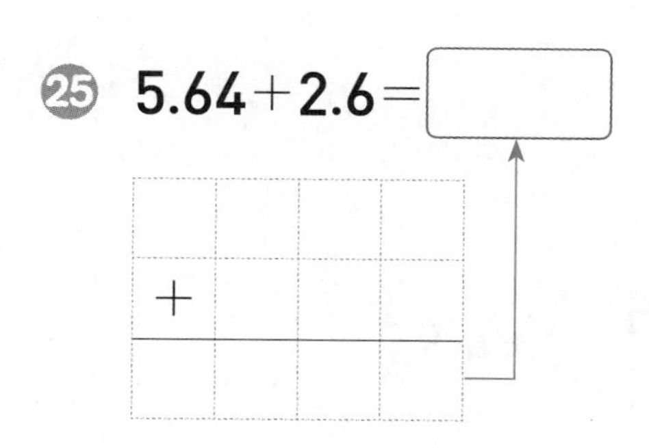

(소수 두 자리 수)+(소수 한 자리 수)

계산해 보세요.

1 $0.41+0.3$

2 $1.72+5.2$

3 $3.18+4.4$

4 $6.59+0.5$

5 $7.38+1.7$

6 $2.96+3.6$

7 $6.81+5.6$

8 $9.52+4.7$

빈칸에 알맞은 수를 써넣으세요.

9

4.05	+2.1	

10

1.46	+2.6	

11

7.39	+2.4	

12

8.76	+2.7	

13

3.25	+4.9	

14

6.83	+5.4	

제한 시간 10분

플러스 계산 연습

맞은 개수 / 22개

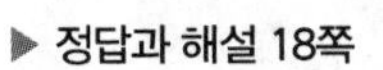
▶ 정답과 해설 18쪽

 빈칸에 알맞은 수를 써넣으세요.

15 ⊕ →

1.05	3.1	
2.31	1.7	

16 ⊕ →

2.63	3.7	
3.98	5.6	

생활 속 계산

 제자리멀리뛰기 기록을 구하세요.

17

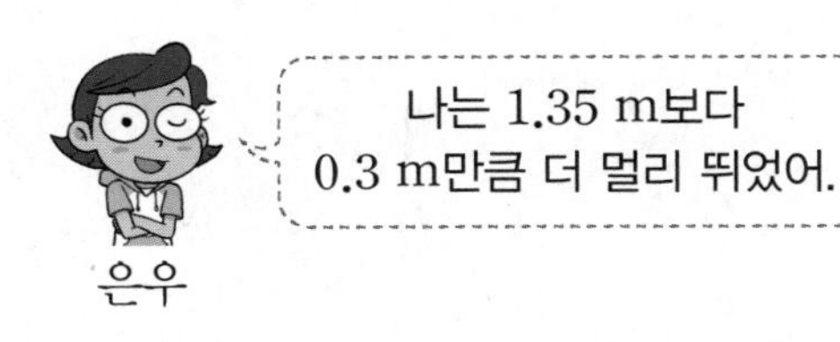

나는 1.35 m보다
0.3 m만큼 더 멀리 뛰었어.
은우

1.35 + □ = □ (m)

18

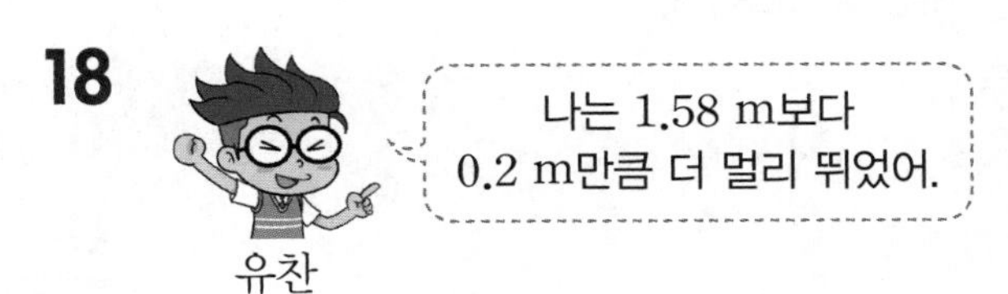

나는 1.58 m보다
0.2 m만큼 더 멀리 뛰었어.
유찬

1.58 + □ = □ (m)

문장 읽고 계산식 세우기

19 1.87보다 2.5만큼 더 큰 수는?

 식 1.87 + □ = □

20 4.74보다 1.3만큼 더 큰 수는?

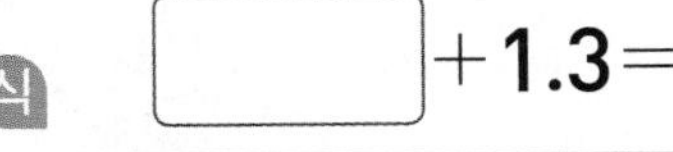

식 □ + 1.3 = □

21 승아의 키는 1.54 m이고, 아버지는 승아보다 0.3 m만큼 더 클 때 아버지의 키는 몇 m?

식 1.54 + □ = □ (m)

22 정우의 몸무게는 34.55 kg이고, 형은 정우보다 0.7 kg만큼 더 무거울 때 형의 몸무게는 몇 kg?

식 34.55 + □ = □ (kg)

(소수 한 자리 수)+(소수 두 자리 수)

이렇게 해결하자

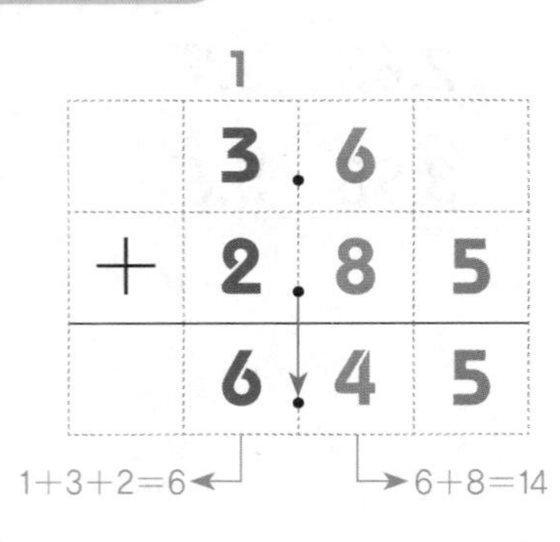

계산해 보세요.

❶ 0.2 + 0.47

❷ 0.8 + 0.15

❸ 1.3 + 0.59

❹ 2.6 + 1.04

❺ 4.2 + 3.71

❻ 3.8 + 5.23

❼ 0.5 + 1.52

❽ 0.7 + 5.96

❾ 1.9 + 0.48

❿ 5.4 + 0.81

⓫ 4.3 + 1.77

⓬ 6.3 + 2.95

기초 계산 연습

맞은 개수 / 25개

▶ 정답과 해설 18쪽

⑬

	1	.5	
+	8	.0	3

⑭

	5	.9	
+	2	.2	4

⑮

	3	.8	
+	3	.5	9

⑯

	2	.7	
+	4	.4	8

⑰

	7	.5	
+	1	.6	1

⑱

	6	.9	
+	2	.1	2

⑲

	5	.6	
+	2	.5	9

⑳

	7	.9	
+	4	.6	8

㉑

	8	.6	
+	6	.9	7

㉒ 1.9+0.08=□

+			

㉓ 5.5+0.73=□

+			

㉔ 7.2+1.82=□

+			

㉕ 2.6+5.69=□

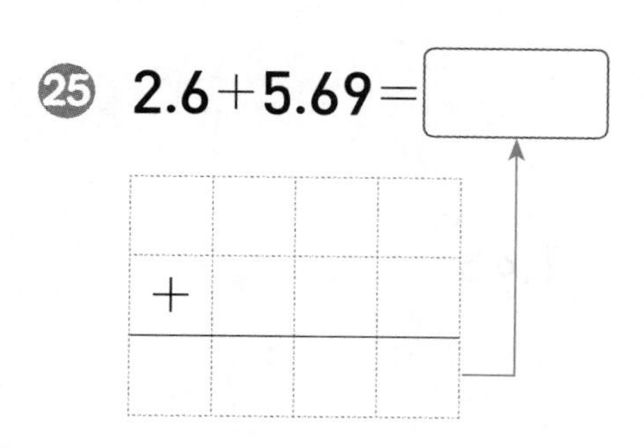

10 일차

(소수 한 자리 수)+(소수 두 자리 수)

계산해 보세요.

1 $0.3+0.51$

2 $3.2+1.49$

3 $4.7+0.23$

4 $5.1+2.96$

5 $6.6+1.74$

6 $1.5+3.67$

7 $7.8+2.65$

8 $10.9+1.43$

빈칸에 두 수의 합을 써넣으세요.

9

3.5	4.17

10

2.7	5.68

11

1.6	6.27

12

6.5	1.63

13

7.7	1.48

14

5.9	6.81

맞은 개수 / 22개

▶ 정답과 해설 18쪽

빈칸에 알맞은 수를 써넣으세요.

15

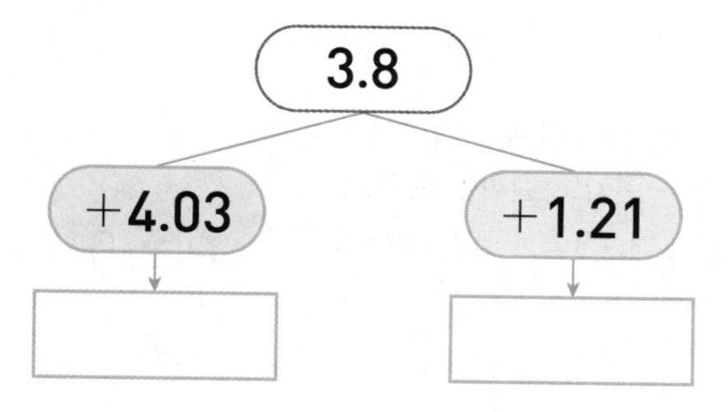

16

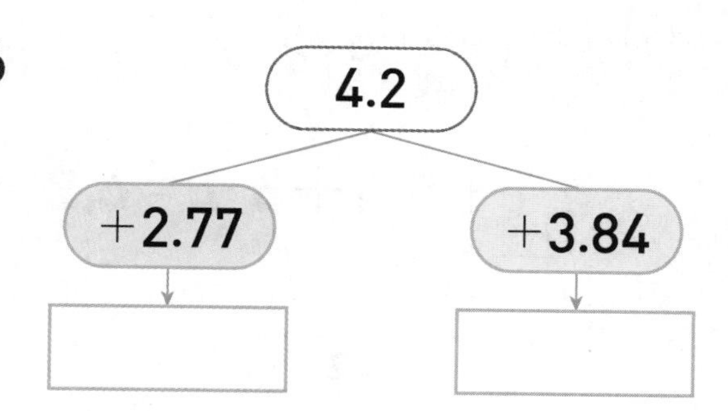

17

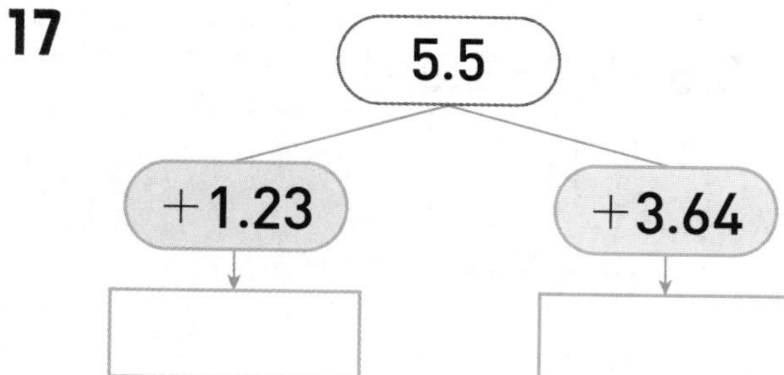

18

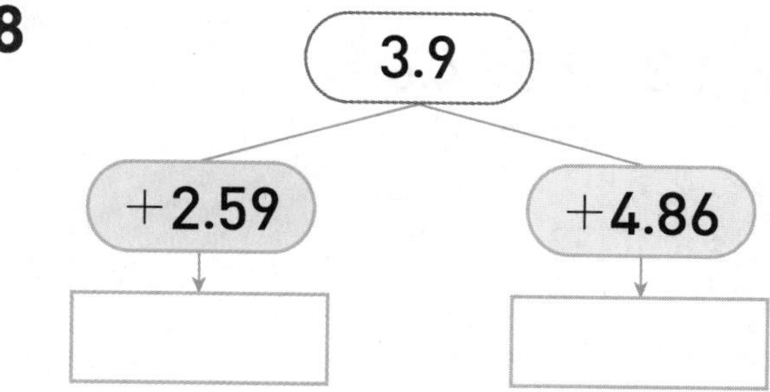

문장 읽고 계산식 세우기

19 3.4와 1.72의 합은?

식 3.4+☐=☐

20 12.7과 3.58의 합은?

식 ☐+3.58=☐

21 인형의 무게는 1.2 kg이고, 빈 상자의 무게는 0.35 kg일 때, 인형이 들어 있는 상자의 무게는 몇 kg?

식 ☐+0.35=☐ (kg)

22 장난감의 무게는 2.7 kg이고, 빈 상자의 무게는 0.38 kg일 때, 장난감이 들어 있는 상자의 무게는 몇 kg?

식 2.7+☐=☐ (kg)

세 소수의 덧셈

이렇게 해결하자

$2.1+0.4+3.7=\mathbf{6.2}$

2.5

6.2

세 수의 덧셈은 계산 순서가 달라도 결과는 같아요.

$2.1+0.4+3.7=\mathbf{6.2}$

4.1

6.2

□ 안에 알맞은 수를 써넣으세요.

❶ $1.3+2.5+4.6=$ □

❷ $3.5+0.9+5.8=$ □

❸ $6.4+1.1+3.7=$ □

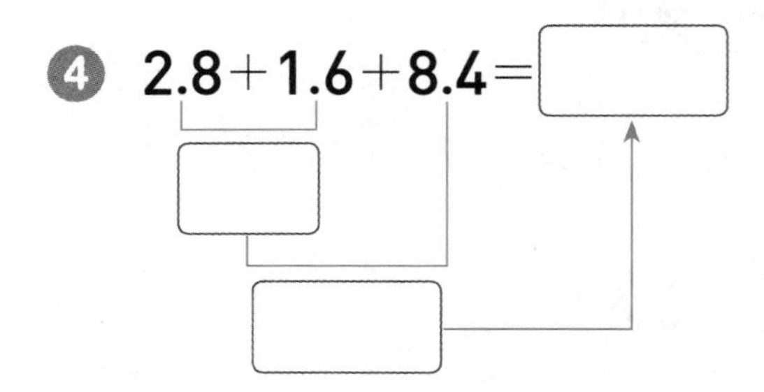

❹ $2.8+1.6+8.4=$ □

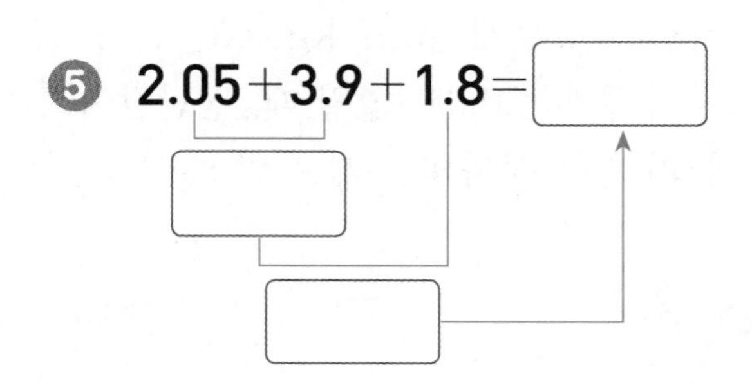

❺ $2.05+3.9+1.8=$ □

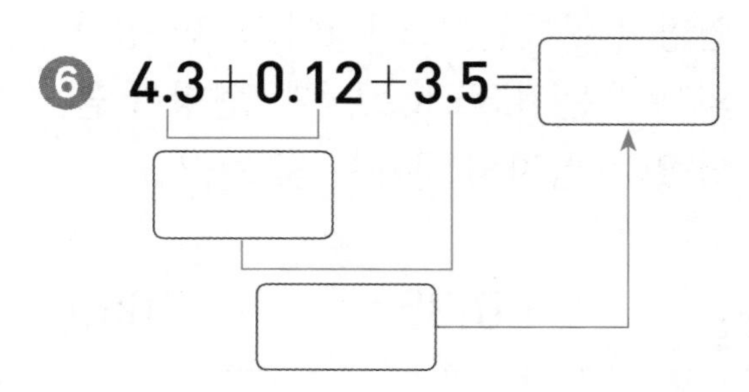

❻ $4.3+0.12+3.5=$ □

제한 시간 7분

기초 계산 연습

맞은 개수 / 16개

▶ 정답과 해설 19쪽

⑦ $7.8+1.4+0.2=\square$

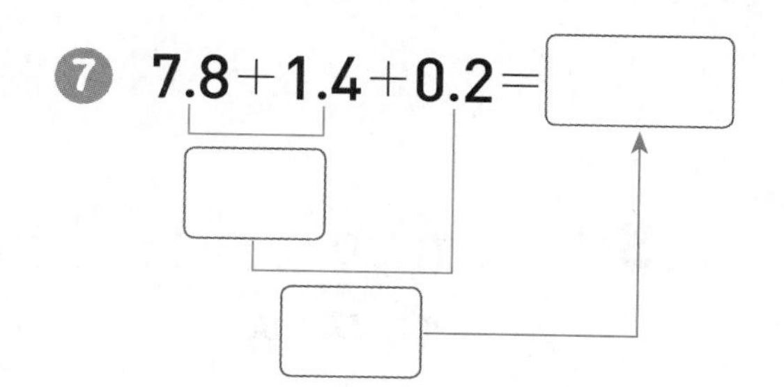

⑧ $1.56+2.77+0.8=\square$

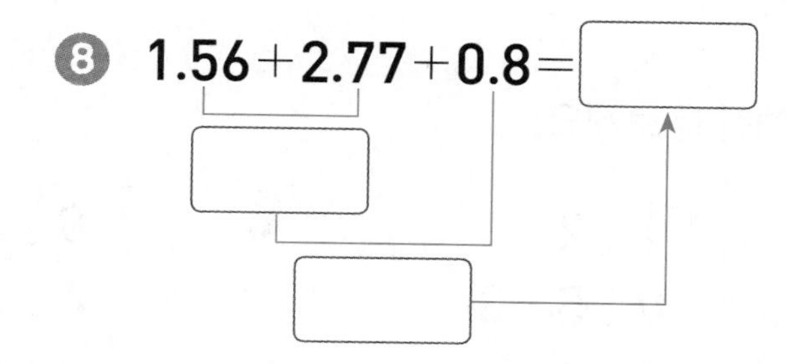

⑨ $2.32+1.59+3.7=\square$

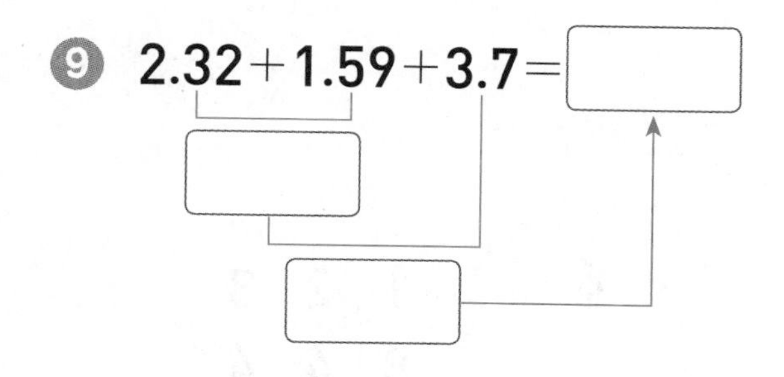

⑩ $5.3+0.8+0.25=\square$

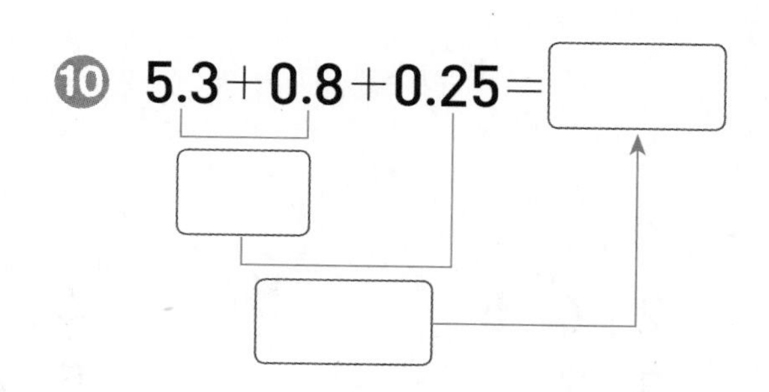

⑪ $1.54+2.8+3.5=\square$

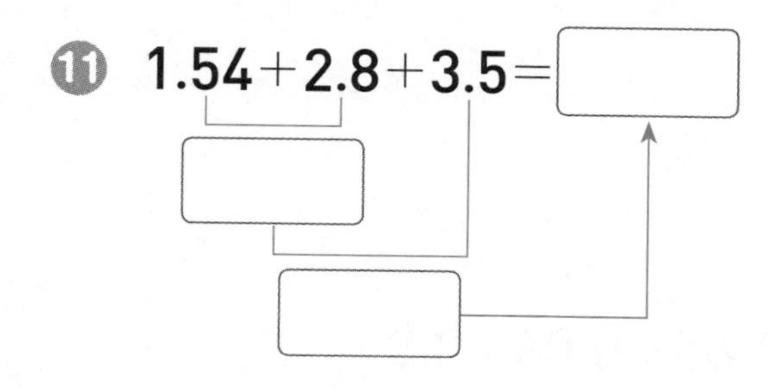

⑫ $4.6+2.9+1.17=\square$

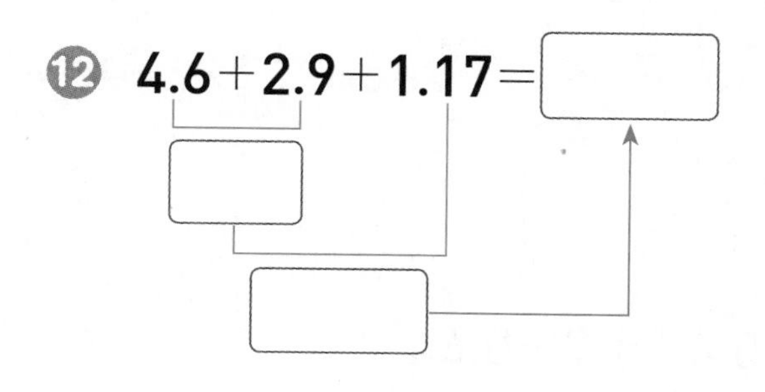

⑬ $2.7+1.05+4.9=\square$

⑭ $4.2+0.16+8.7=\square$

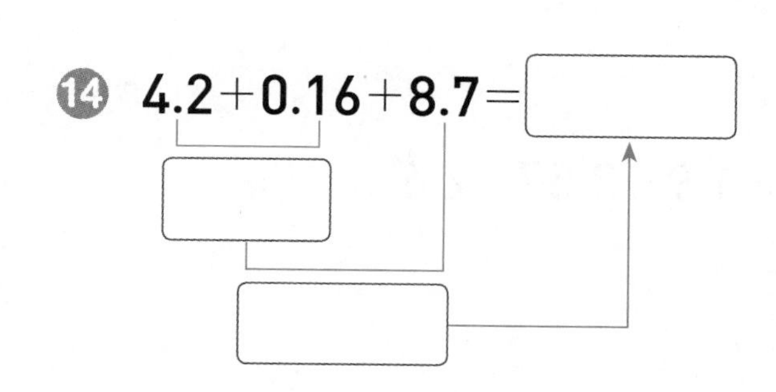

⑮ $3.62+1.4+2.6=\square$

⑯ $7.9+0.13+4.8=\square$

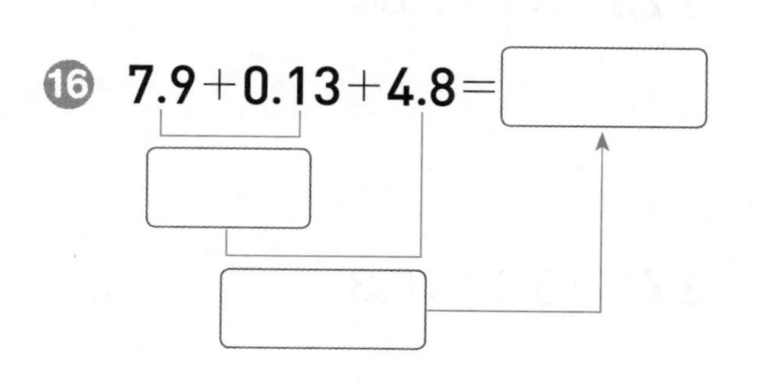

11 일차

세 소수의 덧셈

계산해 보세요.

1

	1	. 2	
	0	. 5	3
+	2	. 4	

2

	0	. 3	8
	4	. 6	
+	3	. 0	6

3

	0	. 9	
	1	. 7	6
+	2	. 2	8

4

	2	. 6	5
	3	. 3	
+	4	. 1	9

5

	4	. 1	8
	5	. 4	
+	2	. 6	

6

	1	. 2	3
	8	. 4	4
+	0	. 7	

7 $0.4+1.7+0.64$

8 $1.65+0.06+3.8$

9 $1.9+3.57+2.6$

10 $2.4+4.3+4.86$

11 $3.23+0.9+2.84$

12 $5.9+1.08+2.5$

13 $6.41+0.8+10.3$

14 $7.33+4.15+1.8$

제한 시간 10분

플러스 계산 연습

맞은 개수 / 22개

▶ 정답과 해설 19쪽

빈칸에 알맞은 수를 써넣으세요.

15

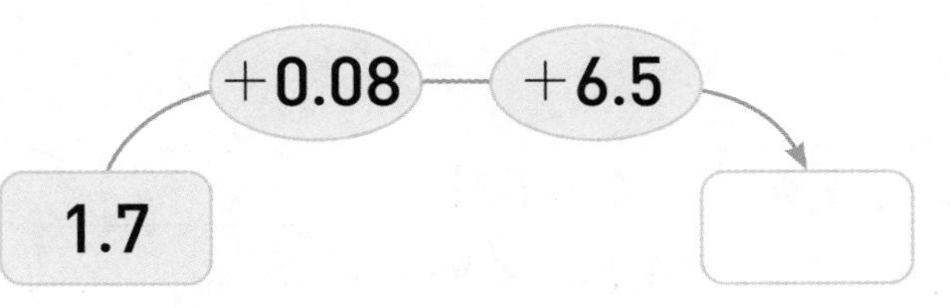

16

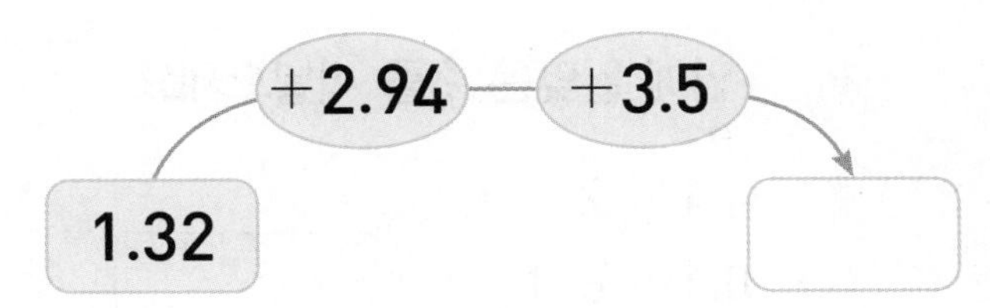

생활 속 계산

식단의 열량의 합을 구하세요.

17

쌀밥 320.5 kcal

└→ 열량의 단위, 킬로칼로리라고 읽음

콩나물국 15.12 kcal

감자조림 45.4 kcal

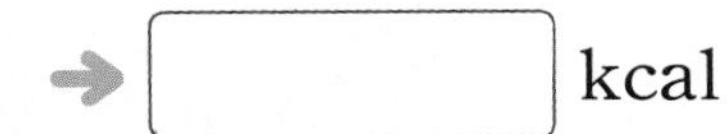
→ ☐ kcal

18

햄버거 310.6 kcal

감자튀김 311.2 kcal

콜라 112.5 kcal

→ ☐ kcal

문장 읽고 계산식 세우기

19 0.34, 1.8, 2.53의 세 수의 합은?

식 $0.34+1.8+\square=\square$

20 1.9, 1.71, 2.7의 세 수의 합은?

식 $1.9+\square+2.7=\square$

21 우유를 첫째 날은 0.15 L, 둘째 날은 0.3 L, 셋째 날은 0.42 L 마셨을 때, 3일 동안 마신 우유는 모두 몇 L?

식 $0.15+\square+0.42=\square$ (L)

22 물을 첫째 날은 0.7 L, 둘째 날은 0.82 L, 셋째 날은 1.1 L 마셨을 때, 3일 동안 마신 물은 모두 몇 L?

식 $\square+0.82+1.1=\square$ (L)

평가 SPEED 연산력 TEST

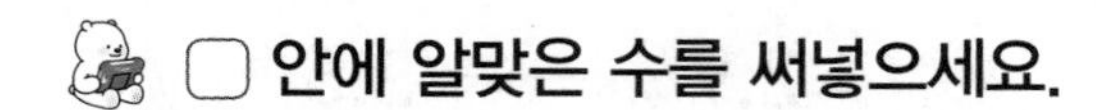

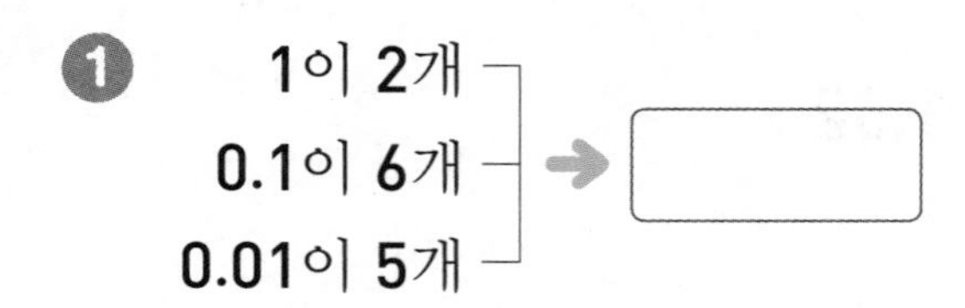

❶ 1이 2개, 0.1이 6개, 0.01이 5개 → ▢

❷ 1이 5개, 0.1이 3개, 0.001이 7개 → ▢

❸ 0.01이 13개인 수 → ▢

❹ 0.001이 265개인 수 → ▢

❺ 1.17의 10배 → ▢

❻ 0.48의 100배 → ▢

❼ 5.014의 10배 → ▢

❽ 73의 $\frac{1}{10}$ → ▢

❾ 2.14의 $\frac{1}{10}$ → ▢

❿ 56의 $\frac{1}{100}$ → ▢

두 소수의 크기를 비교하여 ○ 안에 $>$, $=$, $<$를 알맞게 써넣으세요.

⓫ 0.19 ○ 0.91

⓬ 0.74 ○ 0.738

⓭ 1.69 ○ 1.7

⓮ 2.45 ○ 2.54

⓯ 0.876 ○ 0.871

⓰ 3.08 ○ 3.008

▶정답과 해설 19쪽

계산해 보세요.

⑰ $0.5+0.2$

⑱ $0.6+0.8$

⑲ $1.2+2.3$

⑳ $5.8+1.4$

㉑ $0.54+0.72$

㉒ $0.62+0.19$

㉓ $3.22+2.72$

㉔ $6.12+1.94$

㉕ $6.07+2.3$

㉖ $5.67+1.5$

㉗ $4.6+3.52$

㉘ $7.4+2.68$

㉙ $1.54+0.14+0.8$

㉚ $2.2+5.68+3.6$

제한 시간 안에 정확하게
모두 풀었다면 여러분은 진정한 **계산왕!**

특강 문장제 문제 도전하기

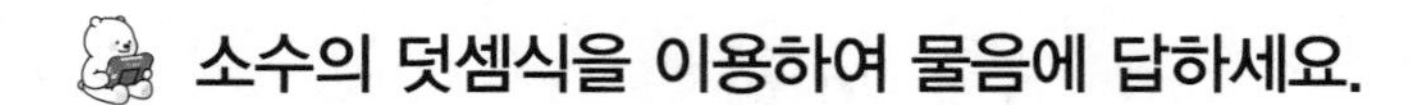

소수의 덧셈식을 이용하여 물음에 답하세요.

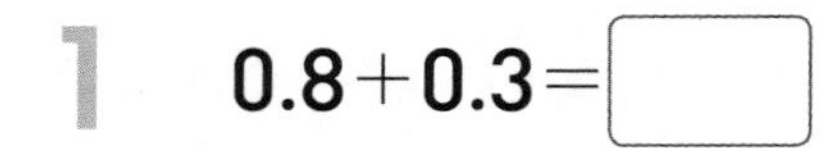

1 $0.8+0.3=\square$

이 소수의 덧셈식이 실생활에서 어떤 상황에 이용될까요?

➔ 물통에 물이 0.8 L 들어 있습니다.
이 물통에 물을 0.3 L만큼 더 넣으면
물통에 들어 있는 물은 모두 몇 L가 될까요?

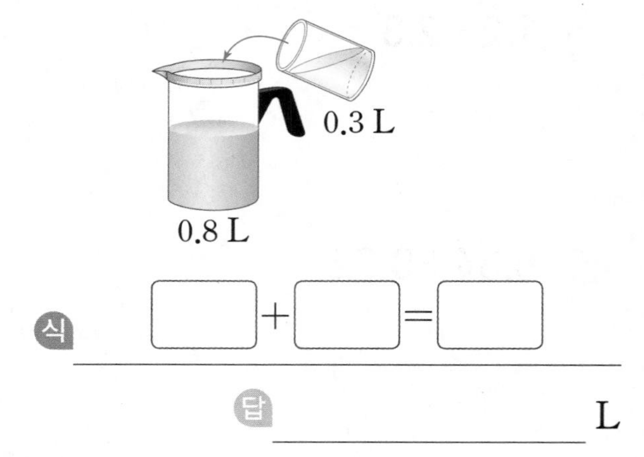

식 $\square+\square=\square$

답 ______ L

2 $2.8+2.4=\square$

➔ 고구마와 감자 상자의 무게의 합은 몇 kg일까요?

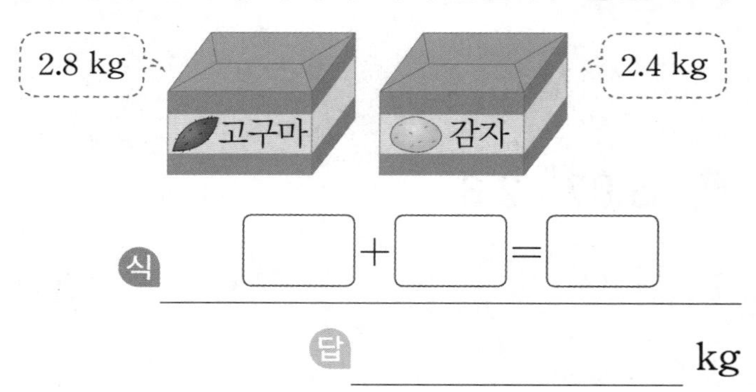

식 $\square+\square=\square$

답 ______ kg

3 $8.15+7.26=\square$

➔ 은우와 서준이의 50 m 달리기 기록의 합은 몇 초일까요?

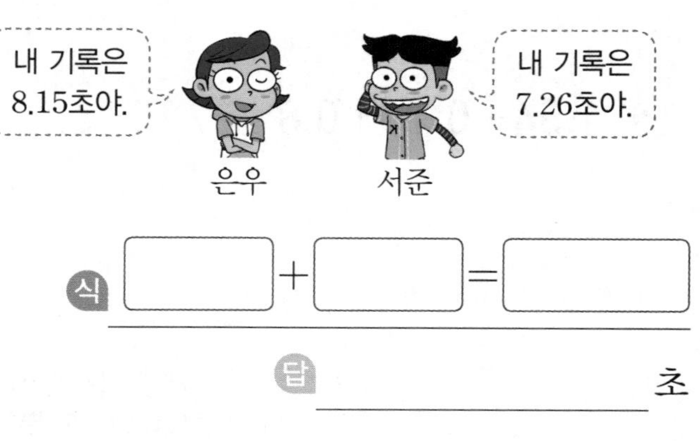

내 기록은 8.15초야.
내 기록은 7.26초야.
은우
서준

식 $\square+\square=\square$

답 ______ 초

▶정답과 해설 19쪽

문장을 읽고 문제를 해결하여 답을 구해 보자!

4 간장이 한 통에 **1.7** L 들어 있습니다.
100통에 들어 있는 간장은 모두 몇 L일까요?

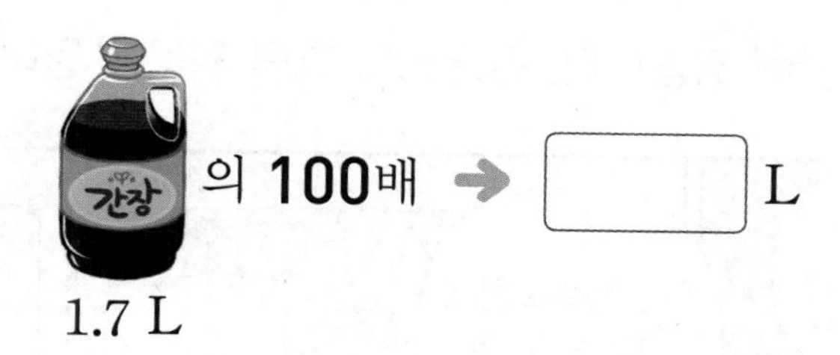

5 레몬, 귤, 복숭아 중 무게가 가장 가벼운 것을 찾아 쓰세요.

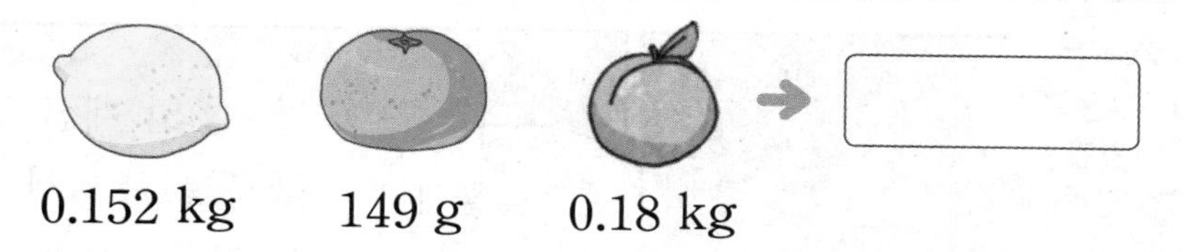

6 색 테이프를 서진이는 **3.8** m, 윤주는 **5.45** m, 현우는 **2.3** m 가지고 있습니다.
세 사람이 가지고 있는 색 테이프는 모두 몇 m일까요?

☐ + ☐ + ☐ = ☐ (m)

특강 창의·융합·코딩·도전하기

그림의 제목은?

융합 1 친구들이 박물관에 갔습니다. 김홍도의 그림 제목을 알아보세요.

① $1.4+2.1=$ ☐

② $1.3+1.8=$ ☐

3.2	3.6	3.1	4.2	3.5
원	단	당	도	서

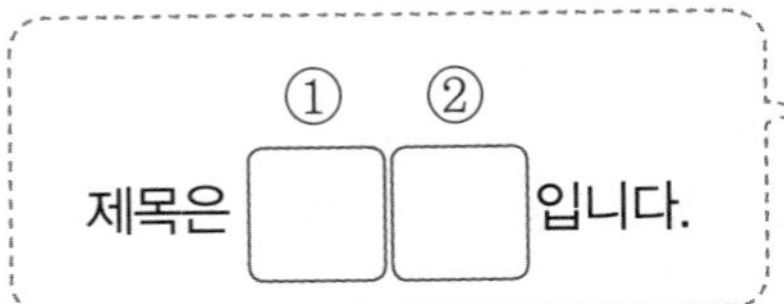

제목은 ①☐ ②☐ 입니다.

▶정답과 해설 19쪽

창의 2 서윤이는 친구네 집에 놀러 가려고 합니다.
갈림길에서 더 큰 소수가 있는 길로 갔다면 서윤이가 도착한 곳은 누구네 집일까요?

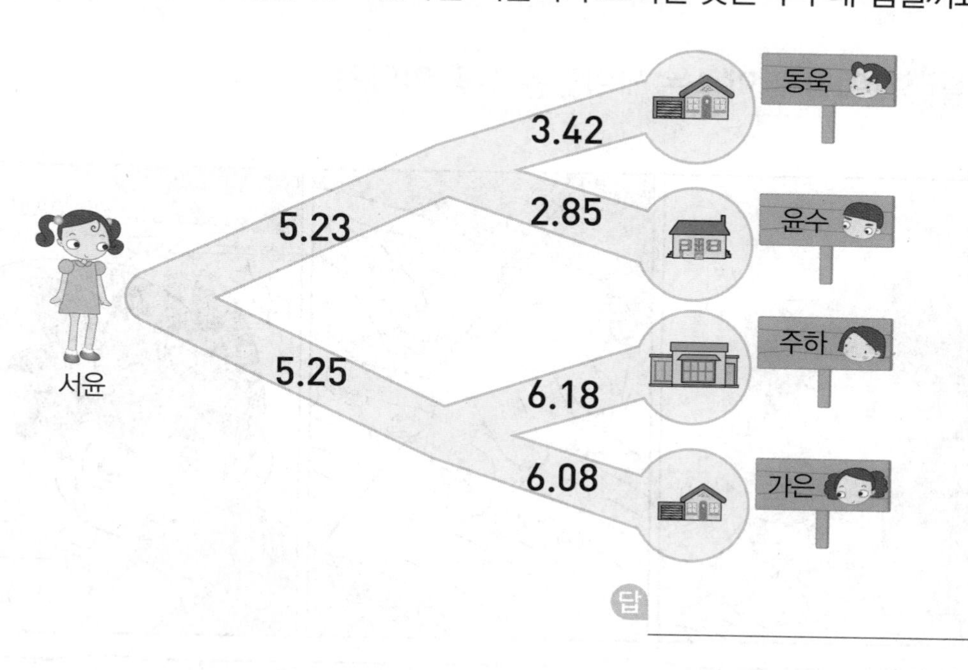

답 ______________________

융합 3 우리나라에서 현재 사용되고 있는 동전입니다.
동전의 무게의 합을 구하세요.

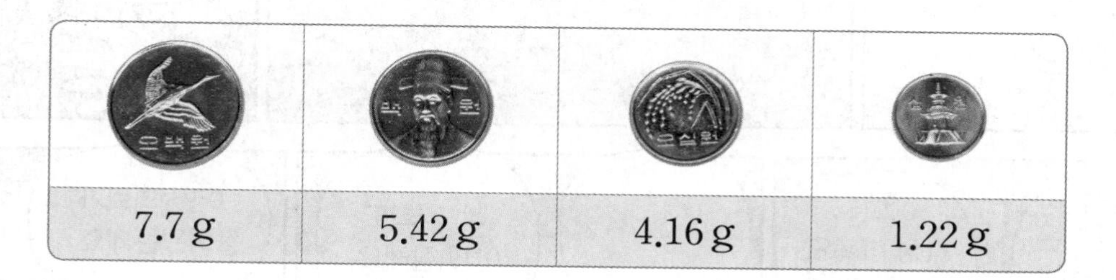

7.7 g	5.42 g	4.16 g	1.22 g

(1) + = ☐ (g) (2) + = ☐ (g)

4 소수의 뺄셈

실생활에서 알아보는 재미있는 수학 이야기

이번에 배울 내용을 알아볼까요?

- 1일차 ~ 2일차 소수 한 자리 수의 뺄셈
- 3일차 ~ 4일차 소수 두 자리 수의 뺄셈
- 5일차 ~ 6일차 자릿수가 다른 소수의 뺄셈
- 7일차 세 소수의 뺄셈
- 8일차 세 소수의 덧셈과 뺄셈

1 일차

1보다 작은 소수 한 자리 수의 뺄셈

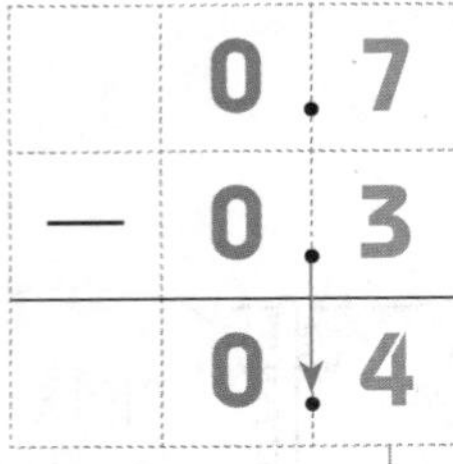

소수점의 자리를 맞추어 계산해요.

계산해 보세요.

❶ $0.3 - 0.2$

❷ $0.5 - 0.1$

❸ $0.4 - 0.2$

❹ $0.6 - 0.4$

❺ $0.8 - 0.4$

❻ $0.3 - 0.1$

❼ $0.2 - 0.1$

❽ $0.5 - 0.4$

❾ $0.6 - 0.2$

❿ $0.7 - 0.2$

⓫ $0.8 - 0.3$

⓬ $0.9 - 0.6$

기초 계산 연습

맞은 개수 / 27개

▶ 정답과 해설 20쪽

⑬ $\begin{array}{r} 0.4 \\ -\ 0.1 \\ \hline \end{array}$

⑭ $\begin{array}{r} 0.6 \\ -\ 0.5 \\ \hline \end{array}$

⑮ $\begin{array}{r} 0.7 \\ -\ 0.4 \\ \hline \end{array}$

⑯ $\begin{array}{r} 0.5 \\ -\ 0.2 \\ \hline \end{array}$

⑰ $\begin{array}{r} 0.8 \\ -\ 0.6 \\ \hline \end{array}$

⑱ $\begin{array}{r} 0.9 \\ -\ 0.2 \\ \hline \end{array}$

⑲ $\begin{array}{r} 0.7 \\ -\ 0.1 \\ \hline \end{array}$

⑳ $\begin{array}{r} 0.6 \\ -\ 0.3 \\ \hline \end{array}$

㉑ $\begin{array}{r} 0.8 \\ -\ 0.7 \\ \hline \end{array}$

㉒ $0.5-0.3=\square$

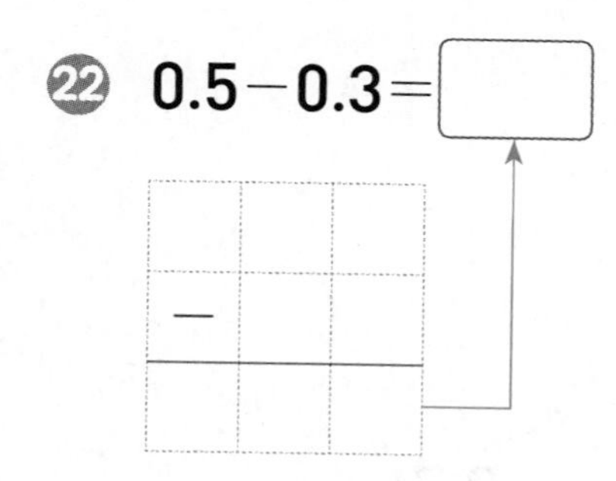

㉓ $0.4-0.3=\square$

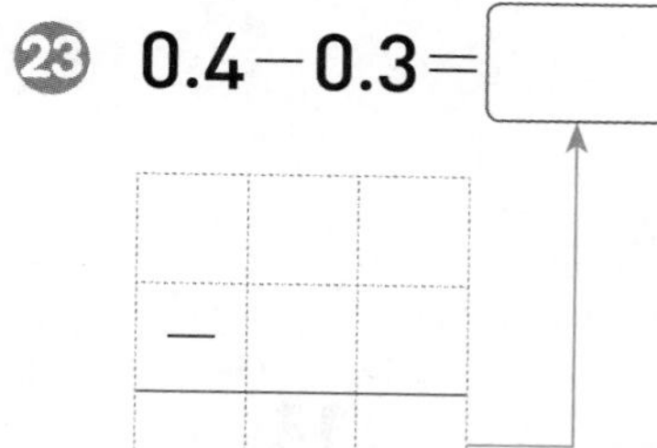

㉔ $0.8-0.5=\square$

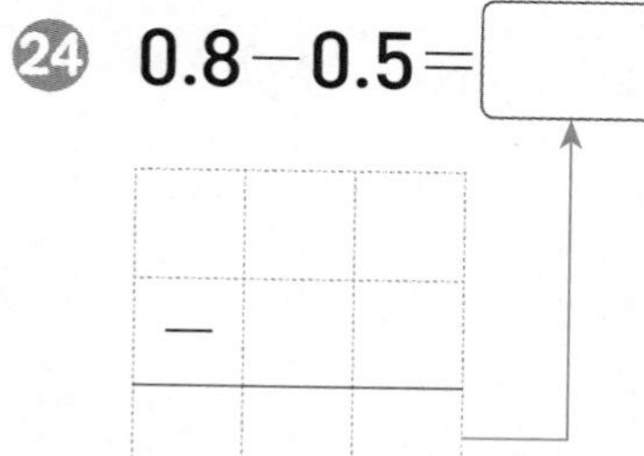

㉕ $0.7-0.5=\square$

㉖ $0.6-0.1=\square$

㉗ $0.9-0.7=\square$

1 일차

1보다 작은 소수 한 자리 수의 뺄셈

계산해 보세요.

1 0.4−0.2

2 0.3−0.2

3 0.5−0.3

4 0.6−0.5

5 0.8−0.2

6 0.7−0.5

7 0.9−0.8

8 0.6−0.4

9 0.8−0.1

빈칸에 알맞은 수를 써넣으세요.

10 0.3 → −0.1 → ☐

11 0.5 → −0.1 → ☐

12
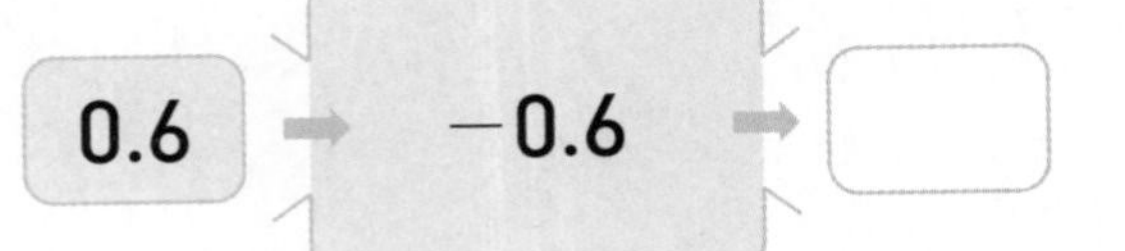

13
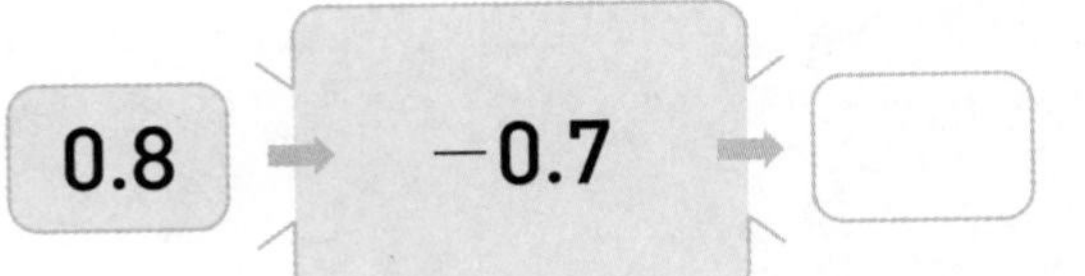

14
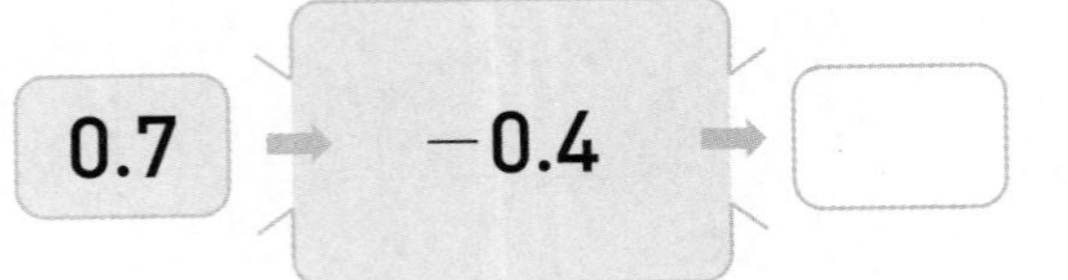

15
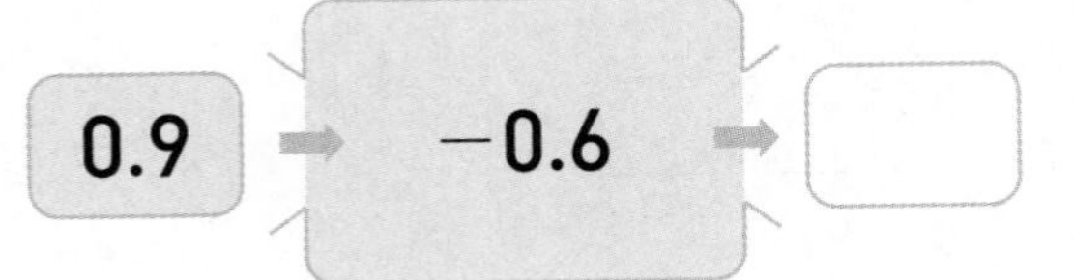

빈칸에 알맞은 수를 써넣으세요.

16 ⊖

0.5	0.4	
0.6	0.3	

17 ⊖

0.4	0.3	
0.8	0.6	

생활 속 계산

물 0.9 L에서 마시고 남은 양입니다. 마신 물의 양을 구하세요.

18

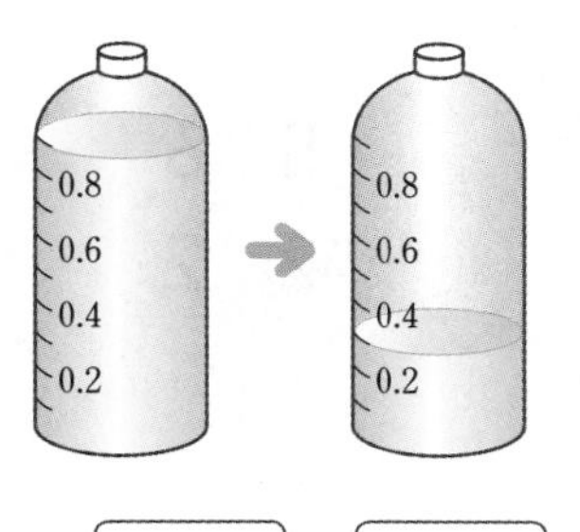

0.9 − ☐ = ☐ (L)

19

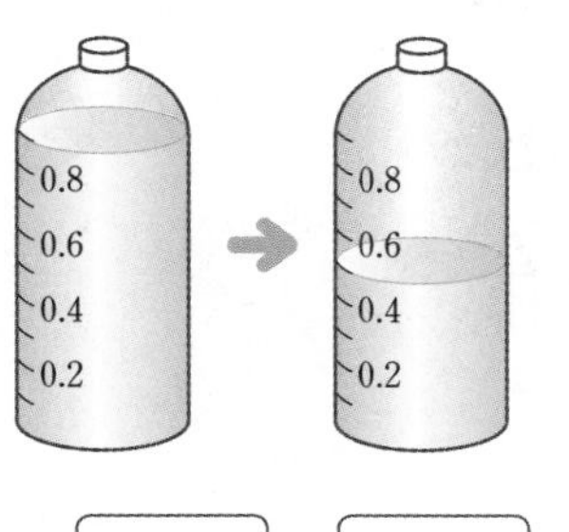

0.9 − ☐ = ☐ (L)

문장 읽고 계산식 세우기

20 0.4보다 0.1만큼 더 작은 수는?

식 0.4 − ☐ = ☐

21 0.7보다 0.2만큼 더 작은 수는?

22 우유 0.5 L 중 0.2 L를 마셨다면 남은 우유는 몇 L?

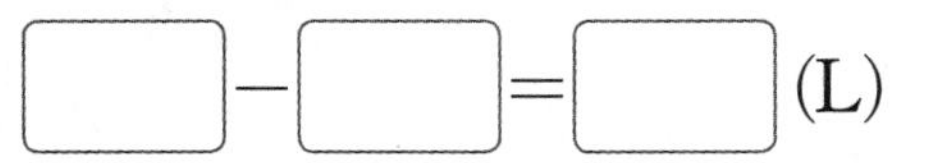

23 주스 0.8 L 중 0.4 L를 마셨다면 남은 주스는 몇 L?

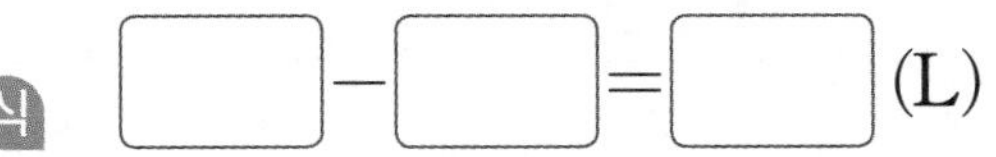

2 일차 1보다 큰 소수 한 자리 수의 뺄셈

이렇게 해결하자

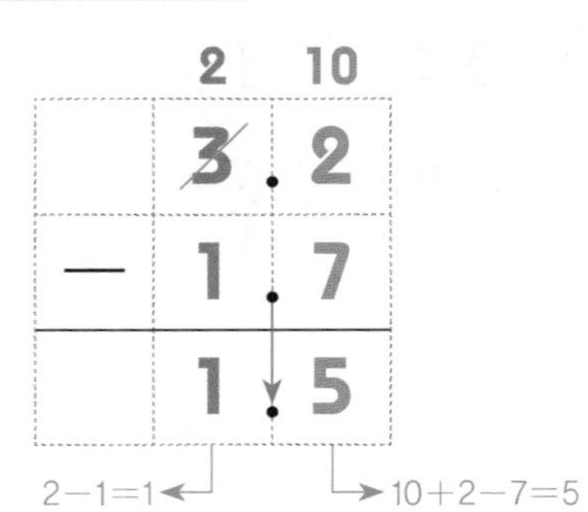

자연수의 뺄셈과 같은 방법으로 계산하고 소수점을 그대로 내려 찍어요.

계산해 보세요.

❶ $2.5 - 1.4 =$

❷ $3.9 - 1.6 =$

❸ $5.6 - 2.2 =$

❹ $4.7 - 2.4 =$

❺ $5.3 - 1.5 =$

❻ $6.2 - 4.3 =$

❼ $6.8 - 3.6 =$

❽ $7.1 - 4.2 =$

❾ $5.7 - 4.8 =$

❿ $3.3 - 1.5 =$

⓫ $8.3 - 1.7 =$

⓬ $9.2 - 5.4 =$

기초 계산 연습

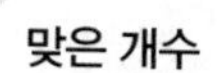

▶ 정답과 해설 20쪽

⑬

	3 . 6
−	2 . 3

⑭

	4 . 8
−	2 . 1

⑮

	3 . 4
−	1 . 7

⑯

	5 . 1
−	2 . 5

⑰

	7 . 2
−	4 . 9

⑱

	6 . 4
−	3 . 6

⑲

	2 . 3
−	1 . 9

⑳

	6 . 7
−	5 . 8

㉑

	8 . 5
−	3 . 9

㉒ $4.9-1.7=$ □

−		

㉓ $7.4-5.1=$ □

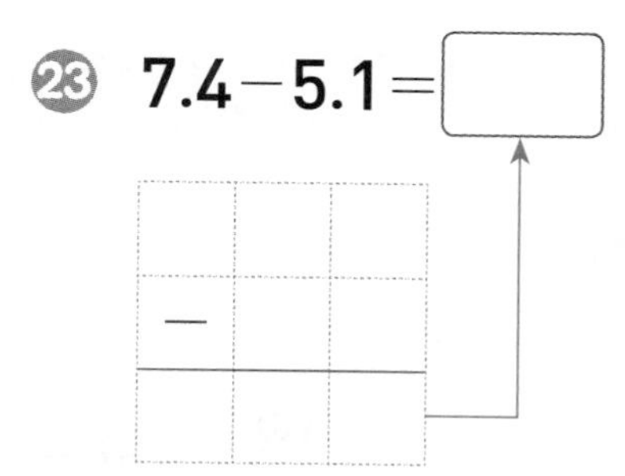

㉔ $5.2-3.3=$ □

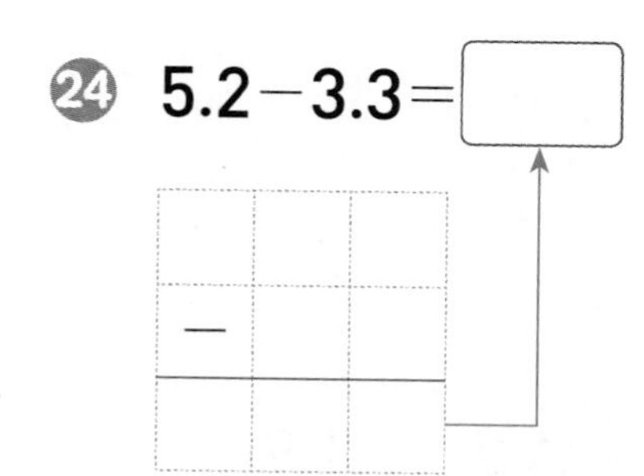

㉕ $6.2-4.5=$ □

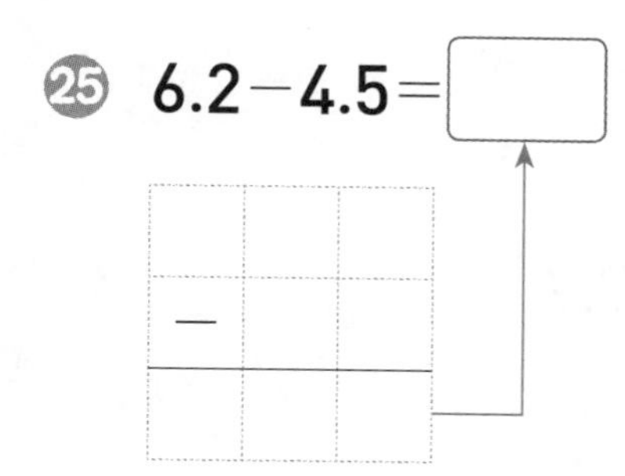

㉖ $8.2-2.8=$ □

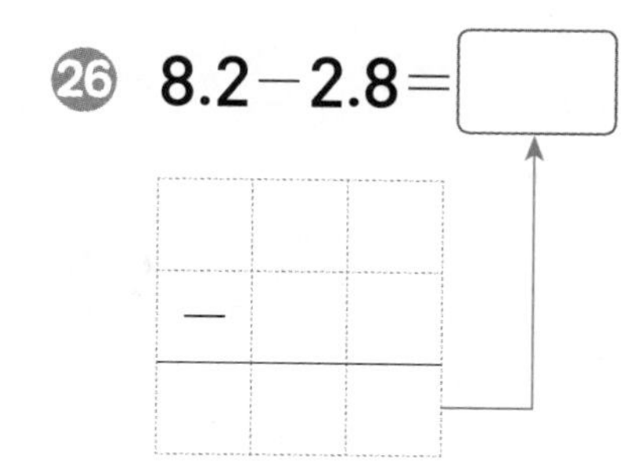

㉗ $9.3-4.7=$ □

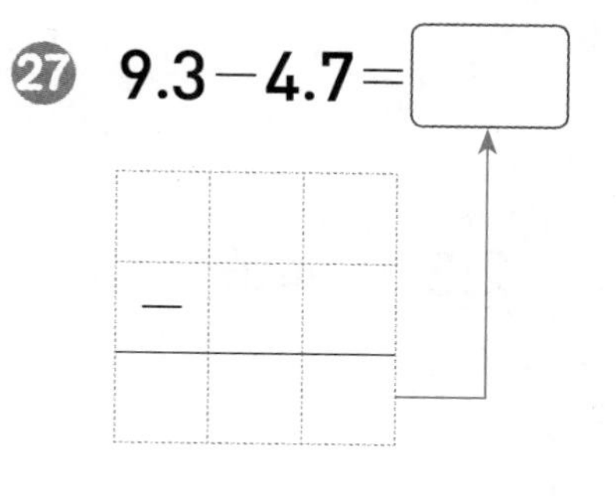

2 일차

1보다 큰 소수 한 자리 수의 뺄셈

계산해 보세요.

1 $4.3-2.2$

2 $5.7-3.1$

3 $2.1-1.8$

4 $6.5-1.4$

5 $7.2-3.4$

6 $4.1-1.6$

7 $7.4-5.7$

8 $8.8-5.9$

9 $10.3-6.4$

빈칸에 두 수의 차를 써넣으세요.

10

5.2	2.1

11

3.5	6.2

12

4.7	1.9

13

5.4	7.3

14

2.8	4.6

15

9.3	7.7

플러스 계산 연습

▶ 정답과 해설 21쪽

빈칸에 알맞은 수를 써넣으세요.

16

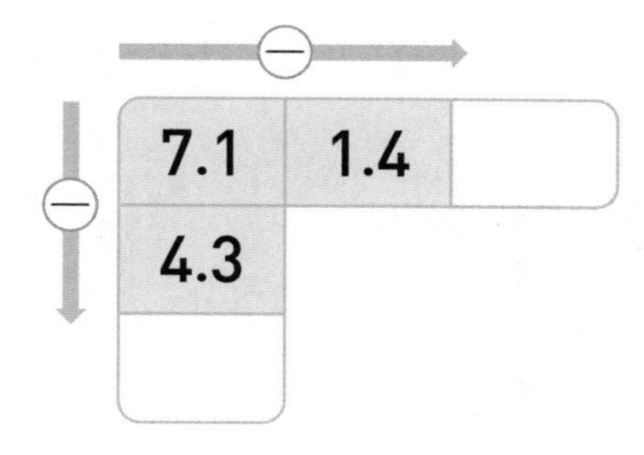

17

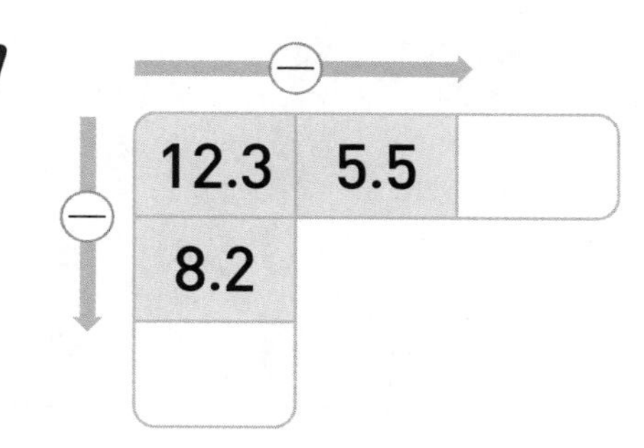

생활 속 계산

사용하고 남은 물감은 몇 g인지 구하세요.

18

전체 물감
5.7 g

5.7−2.9=☐(g)

19

전체 물감
8.5 g

8.5−4.6=☐(g)

문장 읽고 계산식 세우기

20 4.5와 1.2의 차는?

 4.5−☐=☐

21 3.4와 5.1의 차는?

 ☐−☐=☐

22 직사각형의 가로가 6.4 cm, 세로가 3.7 cm일 때, 가로와 세로의 차는?

 ☐−☐=☐(cm)

23 직사각형의 가로가 4.6 cm, 세로가 7.2 cm일 때, 가로와 세로의 차는?

 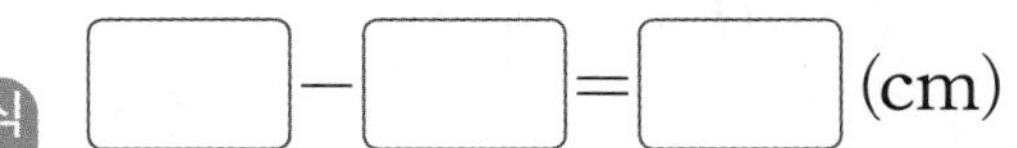

1보다 작은 소수 두 자리 수의 뺄셈

이렇게 해결하자

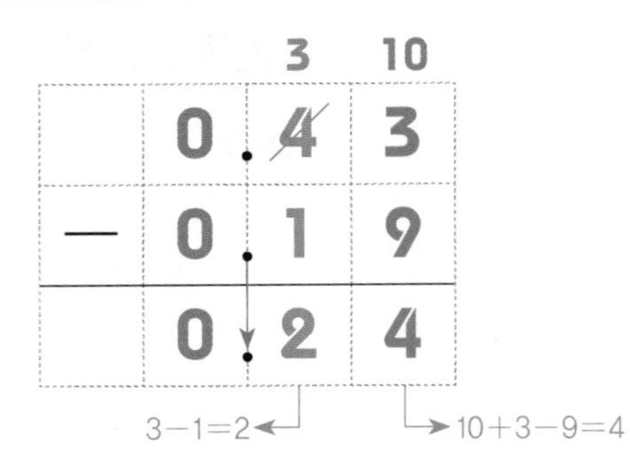

계산해 보세요.

❶

	0 . 2	8
−	0 . 1	1

❷

	0 . 4	5
−	0 . 1	2

❸

	0 . 3	9
−	0 . 2	5

❹

	0 . 7	3
−	0 . 4	3

❺

	0 . 5	5
−	0 . 3	8

❻

	0 . 6	1
−	0 . 4	7

❼

	0 . 5	8
−	0 . 2	7

❽

	0 . 8	6
−	0 . 5	9

❾

	0 . 4	3
−	0 . 2	5

❿

	0 . 9	4
−	0 . 4	5

⓫

	0 . 6	5
−	0 . 3	7

⓬

	0 . 8	2
−	0 . 3	6

기초 계산 연습

맞은 개수 / 25개

▶ 정답과 해설 21쪽

⑬

	0.	4	3
−	0.	3	2

⑭

	0.	8	5
−	0.	4	4

⑮

	0.	7	2
−	0.	1	6

⑯

	0.	5	3
−	0.	2	5

⑰

	0.	6	4
−	0.	5	8

⑱

	0.	9	1
−	0.	4	3

⑲

	0.	7	7
−	0.	2	8

⑳

	0.	9	6
−	0.	3	9

㉑

	0.	8	7
−	0.	5	9

㉒ 0.67−0.21= □

−			

㉓ 0.56−0.47= □

−			

㉔ 0.71−0.57= □

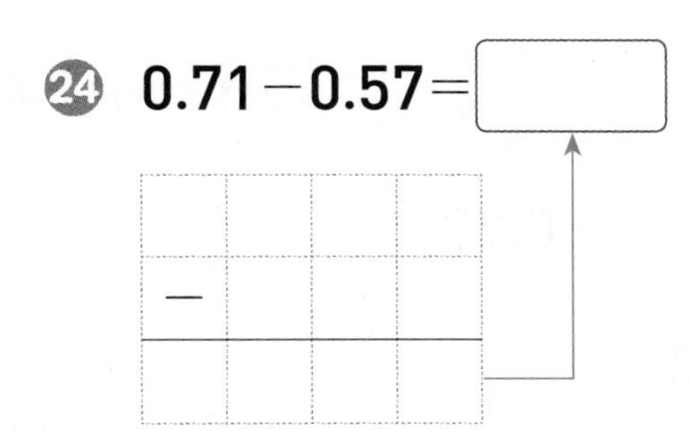

㉕ 0.92−0.44= □

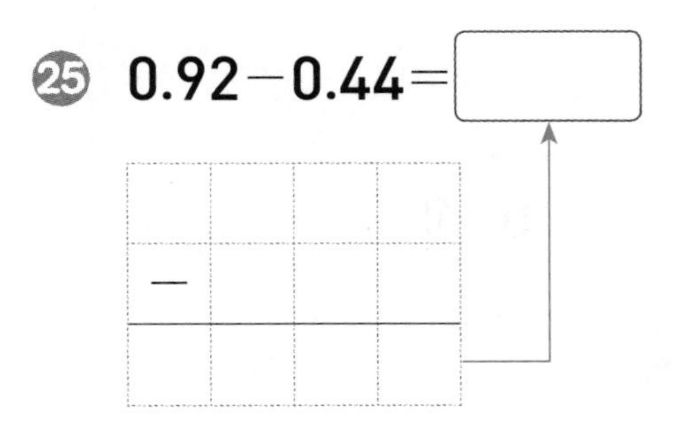

3 일차 1보다 작은 소수 두 자리 수의 뺄셈

계산해 보세요.

1 0.56−0.33

2 0.31−0.15

3 0.64−0.52

4 0.75−0.47

5 0.86−0.39

6 0.54−0.26

7 0.63−0.48

8 0.73−0.55

빈칸에 알맞은 수를 써넣으세요.

9

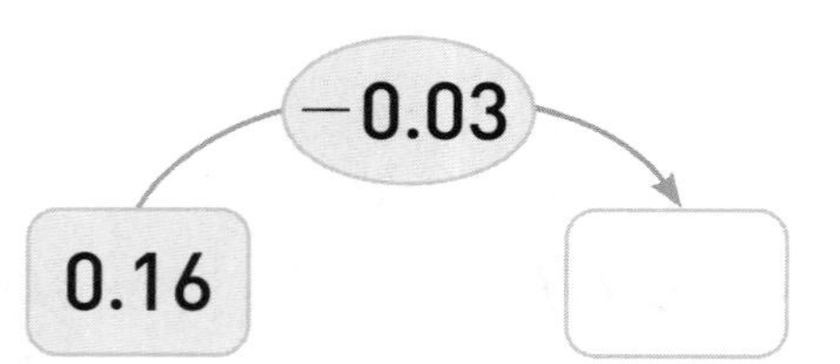

10

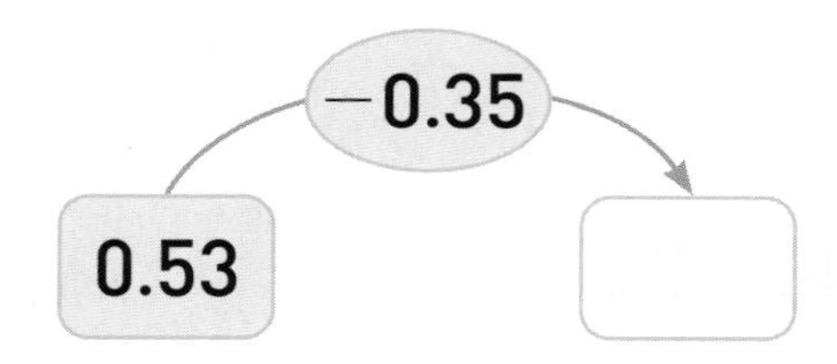

11

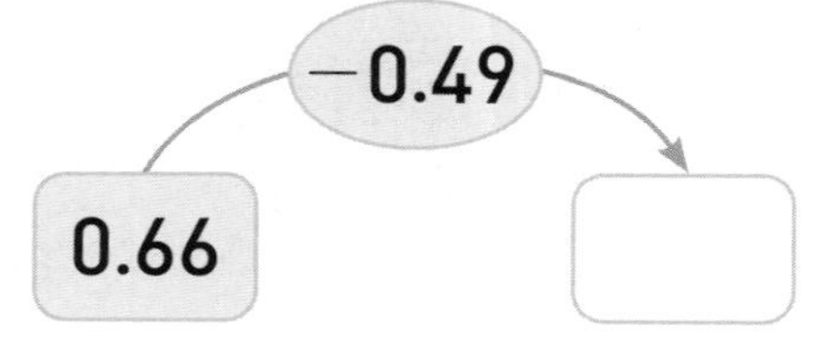

12

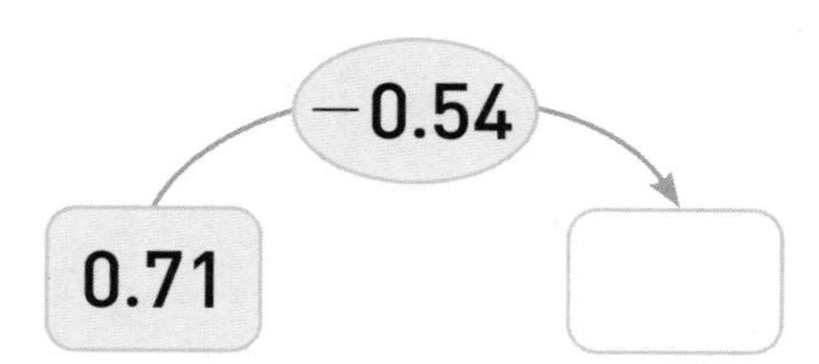

13

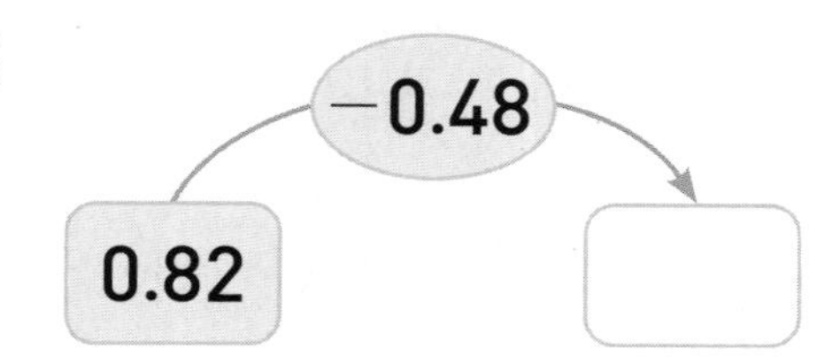

14

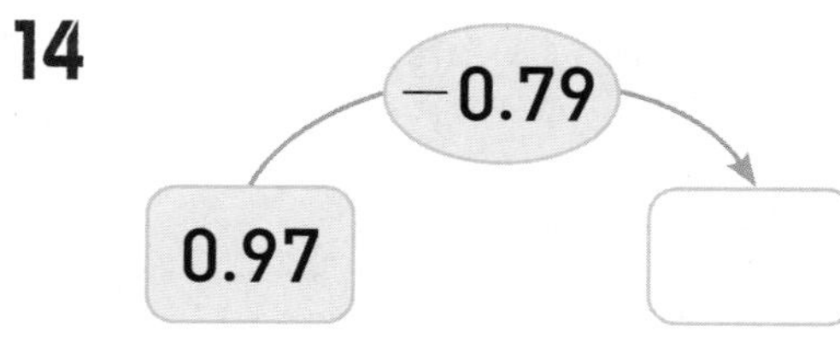

제한 시간 10분

플러스 계산 연습

맞은 개수 / 22개

▶ 정답과 해설 21쪽

빈칸에 알맞은 수를 써넣으세요.

15

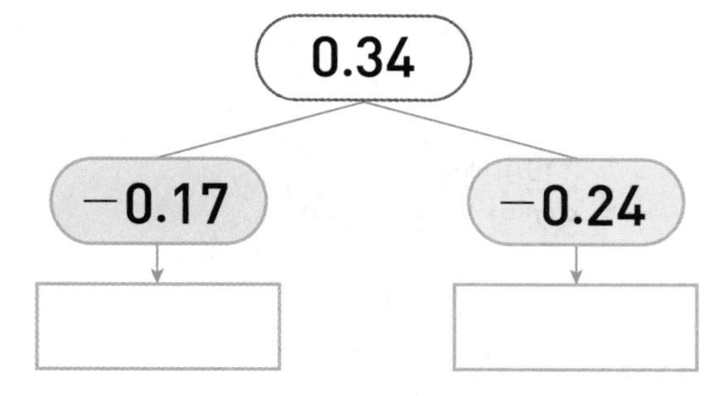

16

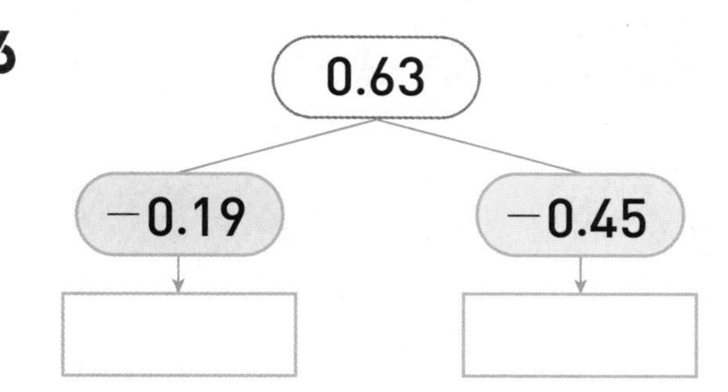

17

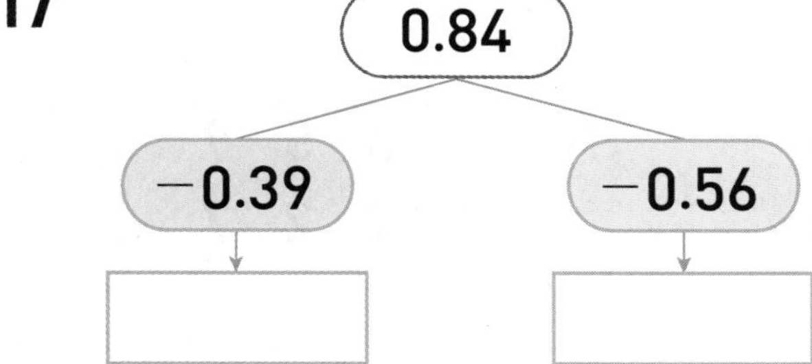

18

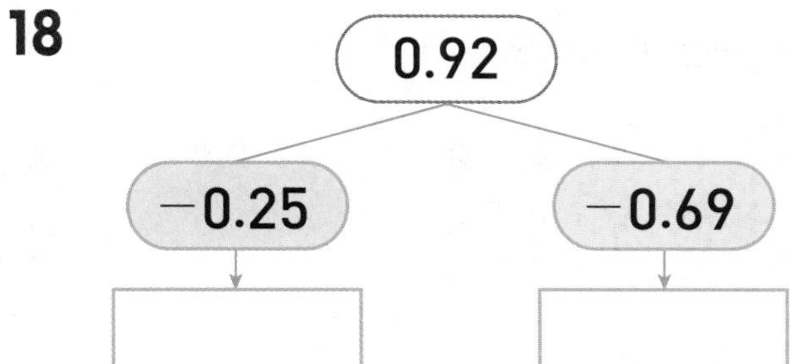

문장 읽고 계산식 세우기

19 0.79보다 0.56만큼 더 작은 수는?

식 0.79−☐=☐

20 0.33보다 0.26만큼 더 작은 수는?

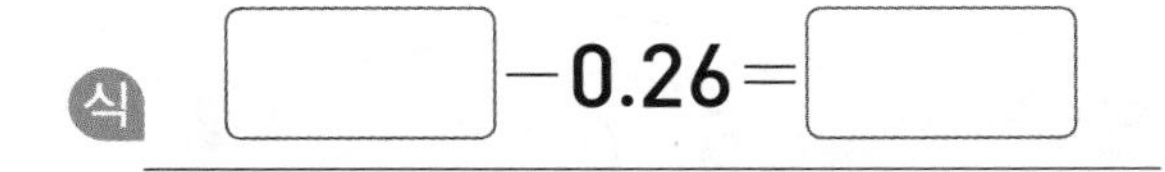

21 철사 0.56 m 중 0.12 m를 사용하면 남은 철사의 길이는 몇 m?

22 털실 0.82 m 중 0.45 m를 사용하면 남은 털실의 길이는 몇 m?

1보다 큰 소수 두 자리 수의 뺄셈

이렇게 해결하자

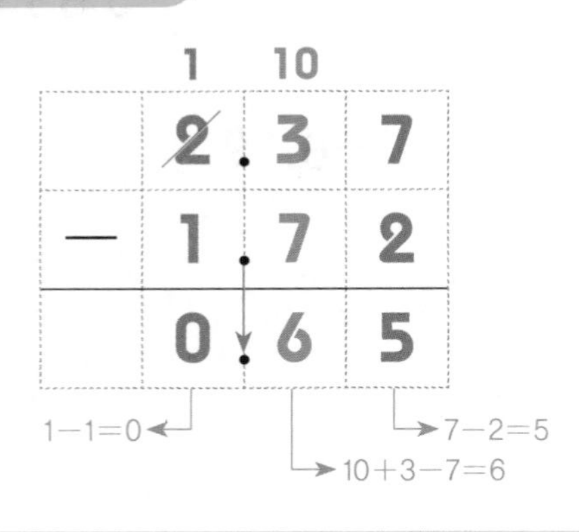

계산해 보세요.

❶
	1.	8	8
−	1.	3	2

❷
	4.	2	6
−	2.	0	5

❸
	3.	5	9
−	1.	2	7

❹
	5.	7	4
−	3.	4	1

❺
	2.	7	8
−	1.	6	9

❻
	6.	5	5
−	4.	1	2

❼
	4.	5	6
−	2.	8	2

❽
	5.	1	4
−	3.	6	2

❾
	8.	3	6
−	4.	1	8

❿
	6.	2	2
−	3.	0	7

⓫
	7.	1	4
−	2.	2	9

⓬
	9.	2	1
−	1.	5	9

제한 시간 7분

기초 계산 연습

맞은 개수 / 25개

▶ 정답과 해설 21쪽

⑬
	3	. 8	8
−	1	. 5	2

⑭
	5	. 5	7
−	2	. 3	1

⑮
	4	. 8	7
−	1	. 9	5

⑯
	2	. 9	3
−	1	. 2	5

⑰
	7	. 0	4
−	3	. 2	2

⑱
	8	. 3	5
−	4	. 5	1

⑲
	7	. 5	5
−	4	. 2	8

⑳
	5	. 2	3
−	3	. 5	6

㉑
	6	. 2	1
−	2	. 5	9

㉒ 6.76 − 2.35 = ☐

−			

㉓ 4.31 − 1.27 = ☐

−			

㉔ 5.94 − 2.85 = ☐

−			

㉕ 6.33 − 3.51 = ☐

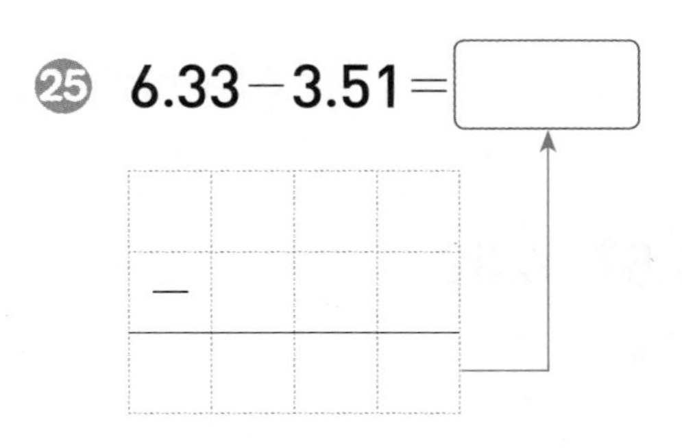

1보다 큰 소수 두 자리 수의 뺄셈

계산해 보세요.

1 $3.73-1.22$

2 $4.48-2.16$

3 $5.39-3.45$

4 $8.41-1.32$

5 $6.34-5.25$

6 $7.82-7.18$

7 $8.71-6.04$

8 $5.62-2.83$

빈칸에 두 수의 차를 써넣으세요.

9

3.41	2.36

10

1.78	4.92

11

3.08	5.25

12

7.21	3.32

13

8.87	4.88

14

2.95	6.27

제한 시간 10분

플러스 계산 연습

맞은 개수 / 22개

▶ 정답과 해설 22쪽

빈칸에 알맞은 수를 써넣으세요.

15

−	1.42	2.49
5.27		

5.27−1.42

16

−	2.79	5.67
7.28		

생활 속 계산

 그림을 보고 과일의 무게는 몇 kg인지 구하세요.

17

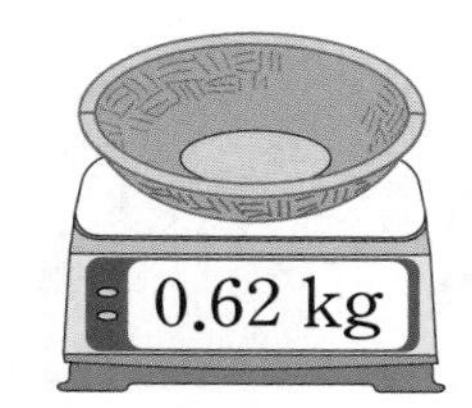

3.05 − ☐ = ☐ (kg)

18

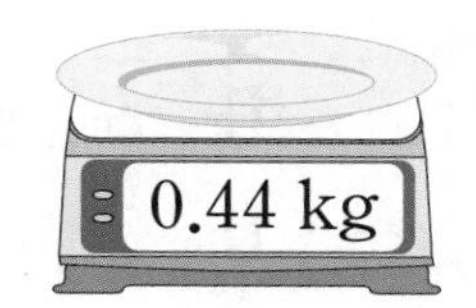

1.91 − ☐ = ☐ (kg)

문장 읽고 계산식 세우기

19 4.84보다 2.69만큼 더 작은 수는?

 4.84 − ☐ = ☐

20 6.73보다 4.25만큼 더 작은 수는?

☐ − 4.25 = ☐

21 딸기를 현우는 3.14 kg 땄고, 은수는 현우보다 1.05 kg만큼 더 적게 땄을 때 은수가 딴 딸기는 몇 kg?

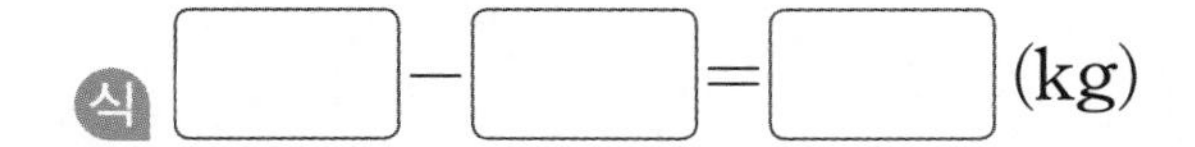
식 ☐ − ☐ = ☐ (kg)

22 고구마를 선호는 5.06 kg 캤고, 승아는 선호보다 1.22 kg만큼 더 적게 캤을 때 승아가 캔 고구마는 몇 kg?

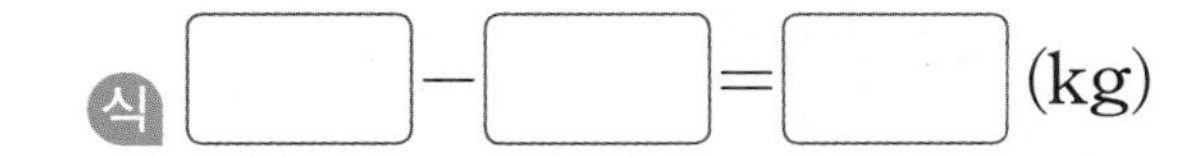
식 ☐ − ☐ = ☐ (kg)

5일차 (소수 두 자리 수)−(소수 한 자리 수)

이렇게 해결하자

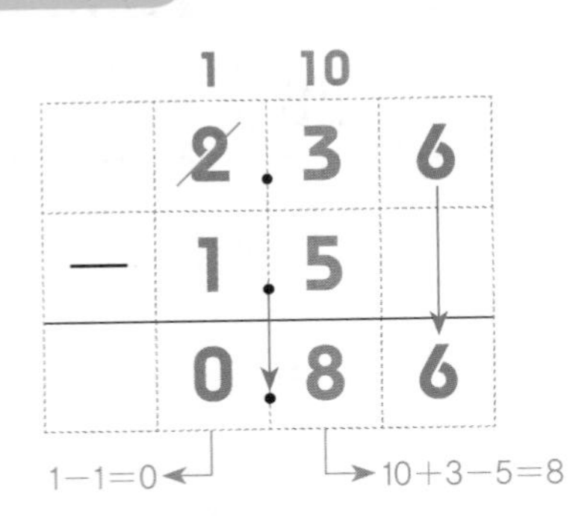

소수점의 자리를 맞추어 계산해요.

계산해 보세요.

① 0.45 − 0.3

② 1.83 − 0.7

③ 3.64 − 2.1

④ 5.89 − 3.5

⑤ 4.51 − 0.9

⑥ 6.22 − 1.7

⑦ 8.43 − 5.4

⑧ 7.38 − 3.4

⑨ 8.05 − 4.2

⑩ 7.18 − 4.6

⑪ 6.72 − 2.9

⑫ 9.54 − 5.8

기초 계산 연습

맞은 개수 / 25개

▶ 정답과 해설 22쪽

⑬

	0	.6	9
−	0	.3	

⑭

	4	.6	5
−	1	.4	

⑮

	3	.3	9
−	2	.6	

⑯

	7	.8	5
−	2	.9	

⑰

	3	.4	3
−	1	.5	

⑱

	6	.5	5
−	3	.8	

⑲

	4	.6	9
−	2	.8	

⑳

	5	.1	7
−	4	.3	

㉑

	8	.2	7
−	5	.4	

㉒ 7.88−5.8= □

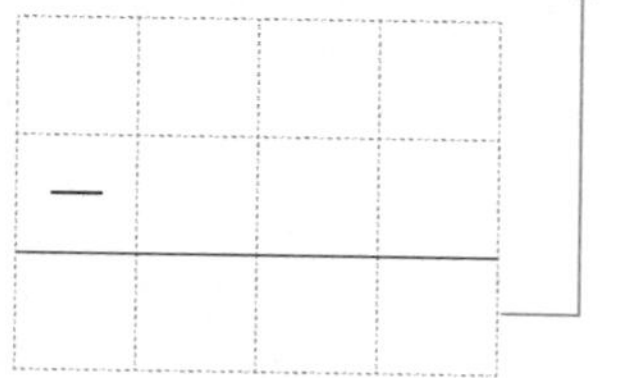

㉓ 6.15−3.2= □

−			

㉔ 5.32−1.4= □

−			

㉕ 9.33−6.5= □

−			

5 일차

(소수 두 자리 수)−(소수 한 자리 수)

계산해 보세요.

1 $4.53-0.5$

2 $3.75-1.2$

3 $3.51-1.6$

4 $6.46-3.7$

5 $7.54-2.8$

6 $8.12-6.5$

7 $9.36-5.5$

8 $10.65-6.9$

빈칸에 알맞은 수를 써넣으세요.

9

3.11	−0.2	

10

4.15	−3.3	

11

7.83	−4.9	

12

8.29	−3.8	

13

5.78	−3.8	

14

11.35	−3.5	

제한 시간 10분

플러스 계산 연습

맞은 개수 / 22개

▶ 정답과 해설 22쪽

빈칸에 알맞은 수를 써넣으세요.

15 ⊖ →

2.64	1.7	
3.36	2.1	

16

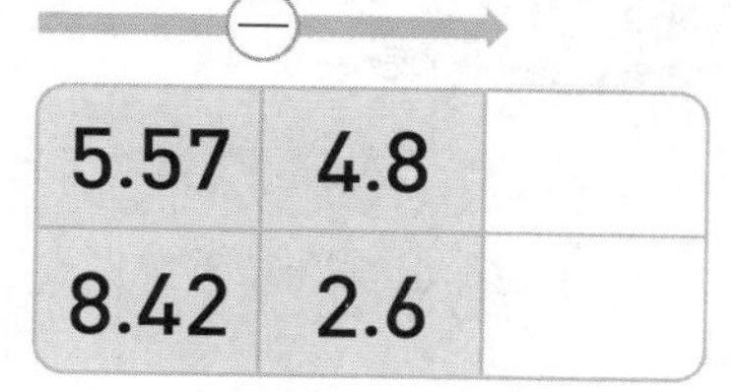

5.57	4.8	
8.42	2.6	

생활 속 계산

두 학용품의 길이의 차를 구하세요.

17

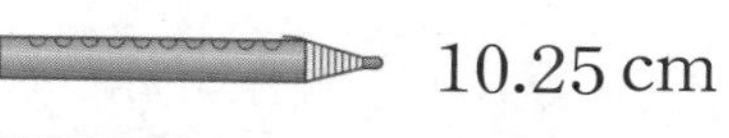

10.25 cm

5.3 cm

10.25 − ☐ = ☐ (cm)

18

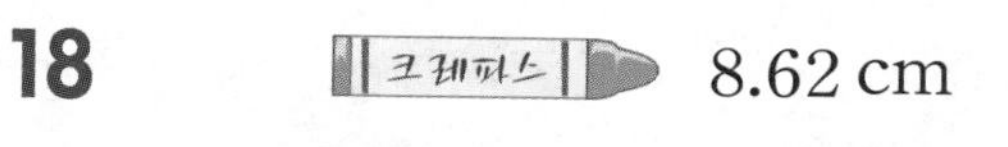

8.62 cm

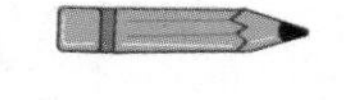

6.8 cm

8.62 − ☐ = ☐ (cm)

문장 읽고 계산식 세우기

19 6.72와 5.6의 차는?

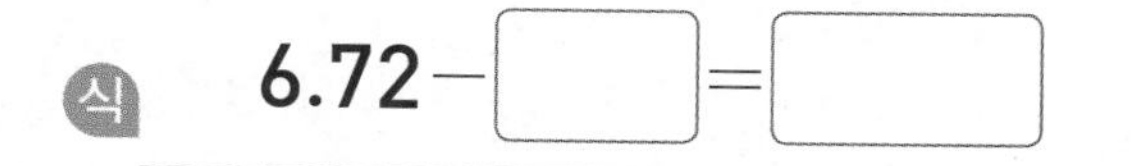

식 6.72 − ☐ = ☐

20 3.8과 7.59의 차는?

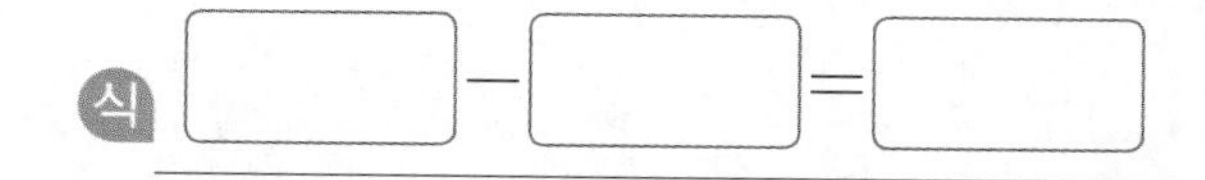

식 ☐ − ☐ = ☐

21 빨간색 끈 2.64 m와 파란색 끈 1.7 m의 길이의 차는 몇 m?

식 ☐ − ☐ = ☐ (m)

22 노란색 끈 2.9 m와 초록색 끈 5.43 m의 길이의 차는 몇 m?

식 ☐ − ☐ = ☐ (m)

6 일차 (소수 한 자리 수)−(소수 두 자리 수)

이렇게 해결하자

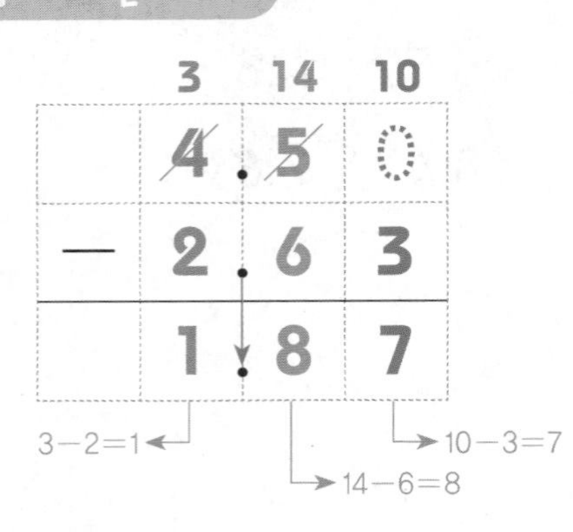

4.5의 오른쪽 끝자리에 0을 생각하지 않고 3을 그대로 내려쓰지 않도록 주의해요!

$$\begin{array}{r} 4.5 \\ -\ 2.63 \\ \hline 1.93 \end{array}\ (\times)$$

계산해 보세요.

1. $0.8 - 0.26$
2. $3.1 - 0.04$
3. $4.6 - 1.02$
4. $2.3 - 1.17$
5. $8.9 - 5.33$
6. $7.7 - 3.48$
7. $5.8 - 2.56$
8. $6.1 - 1.54$
9. $8.3 - 4.47$
10. $6.5 - 3.63$
11. $9.2 - 4.39$
12. $7.5 - 5.71$

기초 계산 연습

맞은 개수 / 25개

▶ 정답과 해설 22쪽

⑬
	4 . 7		
−	0 . 0	5	

⑭
	2 . 5		
−	1 . 1	4	

⑮
	5 . 8		
−	2 . 5	6	

⑯
	3 . 8		
−	1 . 9	7	

⑰
	6 . 6		
−	2 . 4	5	

⑱
	8 . 6		
−	5 . 6	3	

⑲
	5 . 7		
−	4 . 8	1	

⑳
	7 . 3		
−	5 . 9	6	

㉑
	9 . 1		
−	6 . 8	8	

㉒ 0.9−0.58=☐

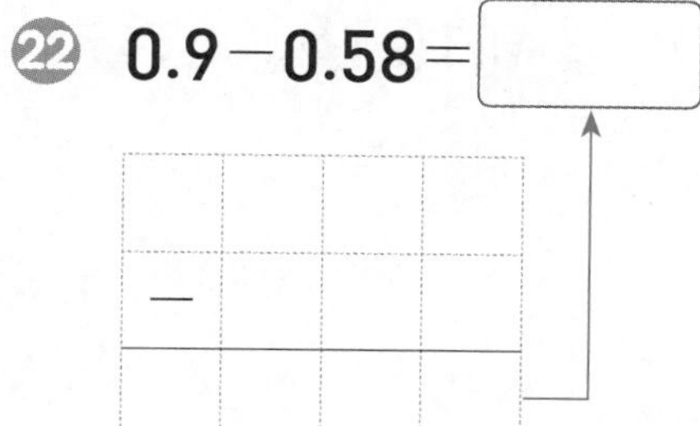

㉓ 1.7−1.53=☐

㉔ 5.5−3.64=☐

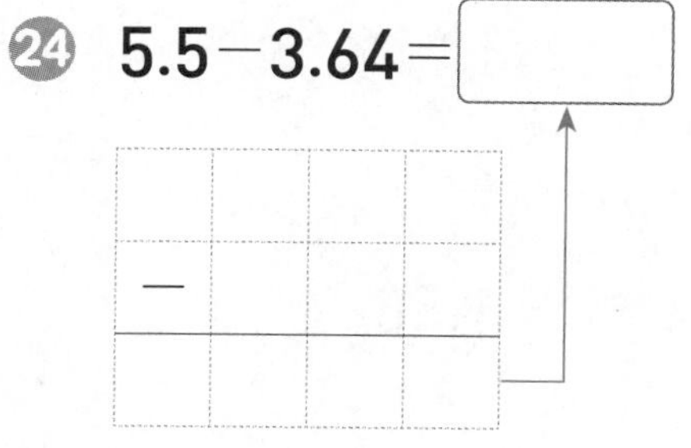

㉕ 7.6−3.92=☐

4 소수의 뺄셈

6 일차

(소수 한 자리 수)−(소수 두 자리 수)

계산해 보세요.

1 $0.6-0.39$

2 $2.1-1.02$

3 $3.9-1.72$

4 $5.6-1.84$

5 $7.3-3.42$

6 $8.5-4.21$

7 $5.8-4.99$

8 $9.8-4.83$

빈칸에 알맞은 수를 써넣으세요.

9 1.8 → −1.16 → □

10 0.9 → −0.13 → □

11 4.7 → −3.21 → □

12 7.4 → −2.52 → □

13 8.2 → −6.25 → □

14 6.7 → −1.88 → □

제한 시간 10분

플러스 계산 연습

맞은 개수 / 22개

▶ 정답과 해설 23쪽

 빈칸에 알맞은 수를 써넣으세요.

15

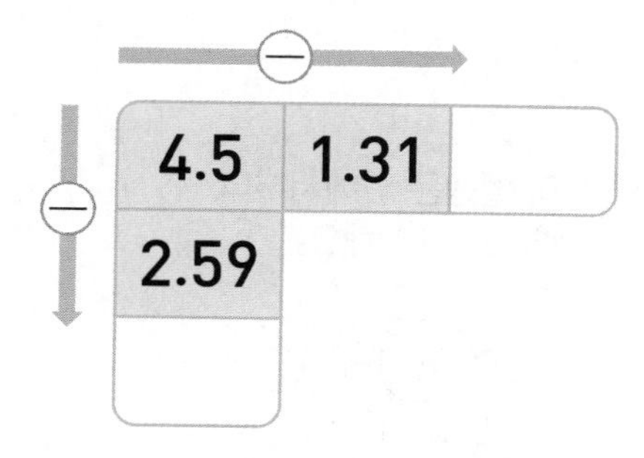

16

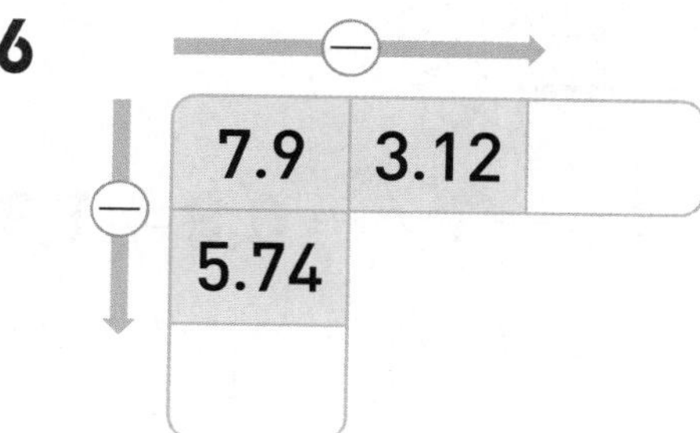

생활 속 계산

 사용하고 남은 곡식의 무게는 몇 kg인지 구하세요.

17

5.3 − ☐ = ☐ (kg)

18

6.2 − ☐ = ☐ (kg)

문장 읽고 계산식 세우기

19 3.5보다 1.05만큼 더 작은 수는?

식 3.5 − ☐ = ☐

20 8.2보다 3.36만큼 더 작은 수는?

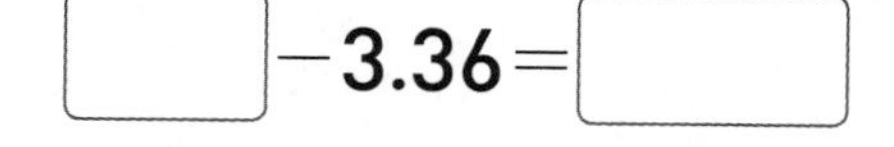

식 ☐ − 3.36 = ☐

21 털실을 주연이는 4.4 m보다 1.23 m만큼 더 짧게 가지고 있을 때, 주연이가 가지고 있는 털실의 길이는 몇 m?

식 ☐ − ☐ = ☐ (m)

22 리본을 승민이는 6.5 m보다 1.66 m만큼 더 짧게 가지고 있을 때, 승민이가 가지고 있는 리본의 길이는 몇 m?

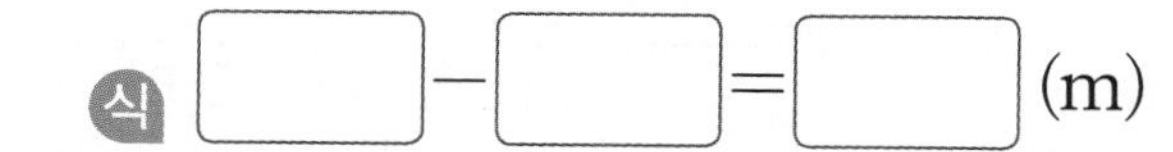

식 ☐ − ☐ = ☐ (m)

7 일차

세 소수의 뺄셈

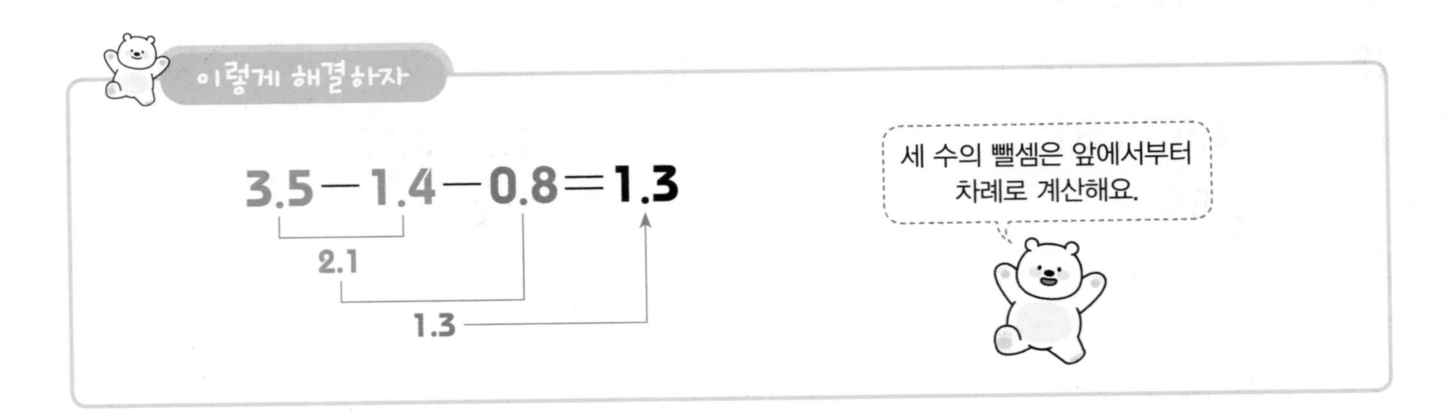

이렇게 해결하자
3.5－1.4－0.8＝1.3
2.1
1.3
세 수의 뺄셈은 앞에서부터 차례로 계산해요.

□ 안에 알맞은 수를 써넣으세요.

❶ 4.2－1.3－1.4＝□

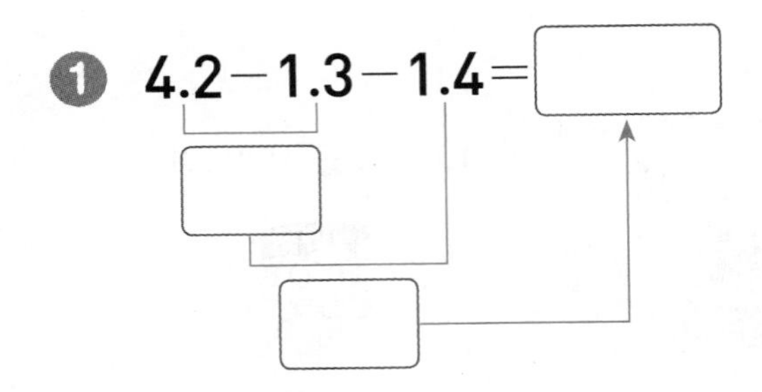

❷ 5.1－0.9－2.4＝□

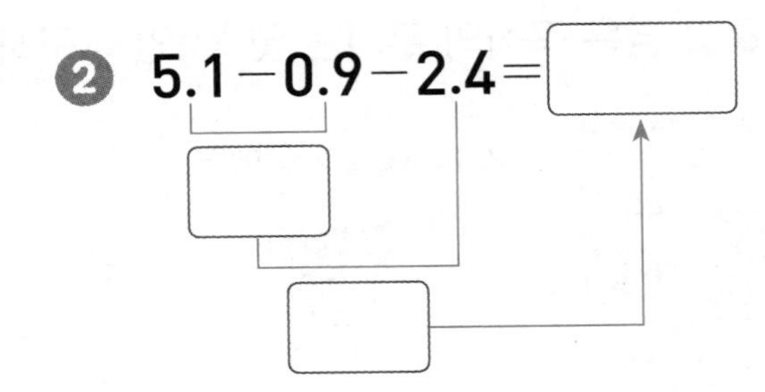

❸ 8.7－1.8－2.5＝□

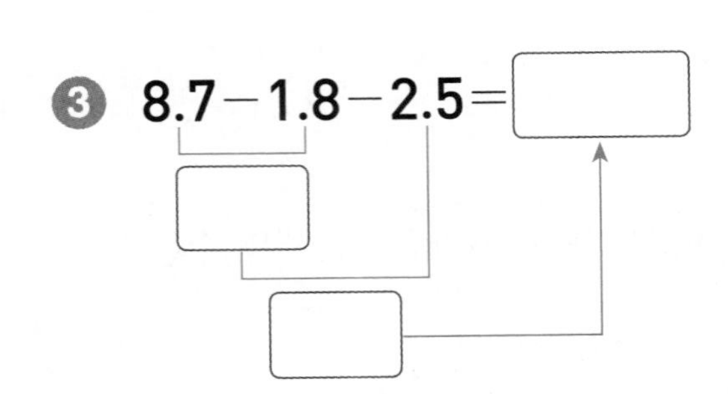

❹ 0.68－0.19－0.4＝□

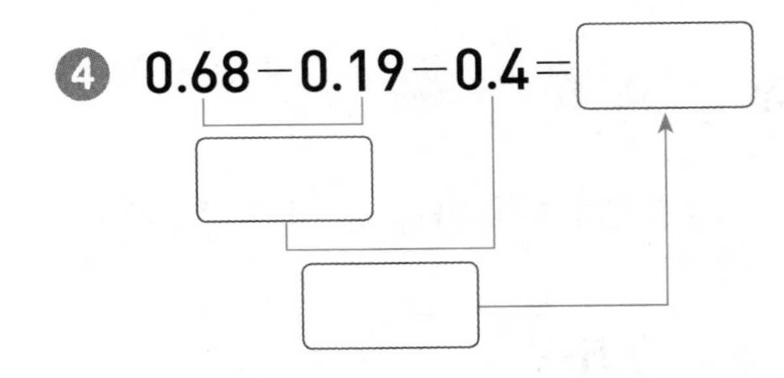

❺ 3.26－1.61－0.23＝□

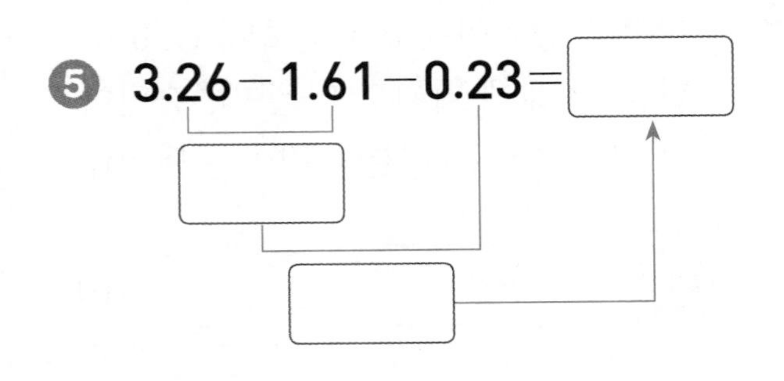

❻ 6.3－1.7－1.35＝□

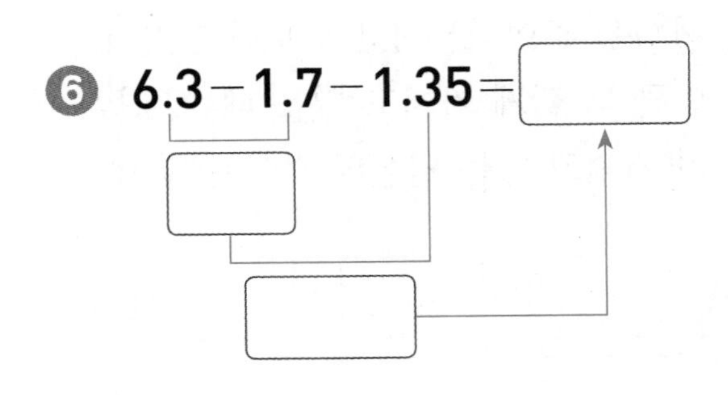

기초 계산 연습

맞은 개수 / 16개

▶ 정답과 해설 23쪽

⑦ $0.88-0.5-0.19=\square$

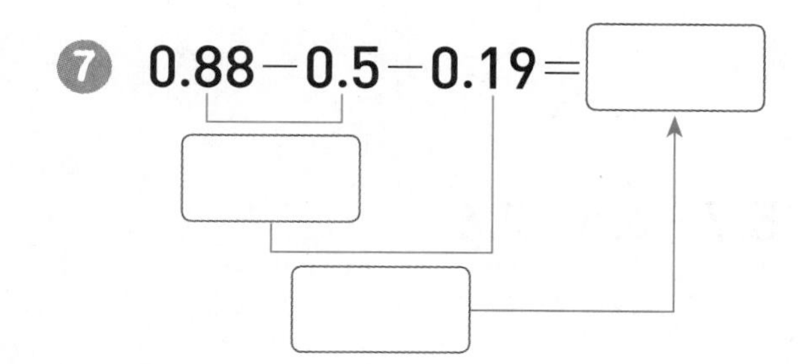

⑧ $6.5-2.51-1.3=\square$

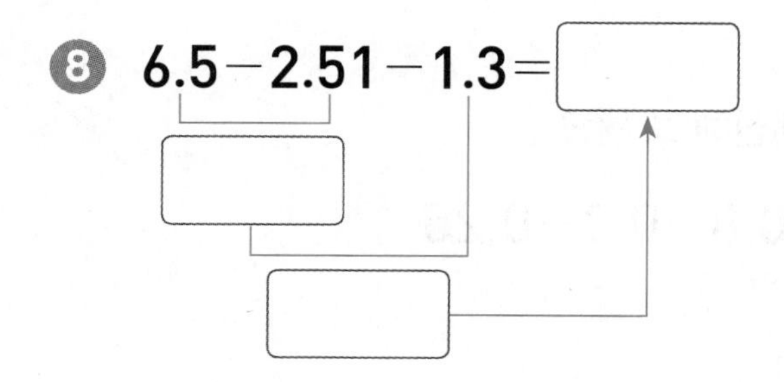

⑨ $7.46-2.07-3.3=\square$

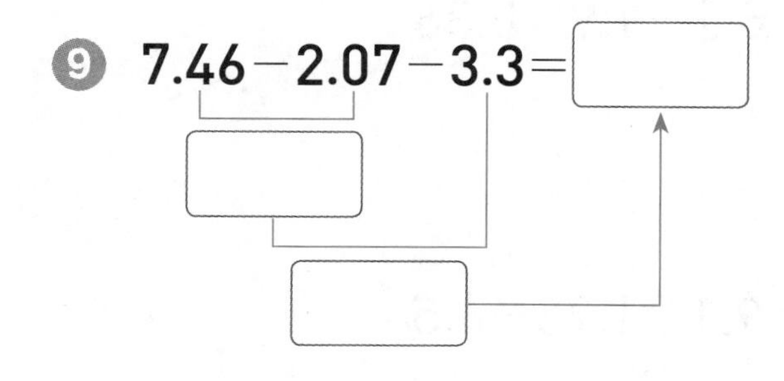

⑩ $0.96-0.43-0.27=\square$

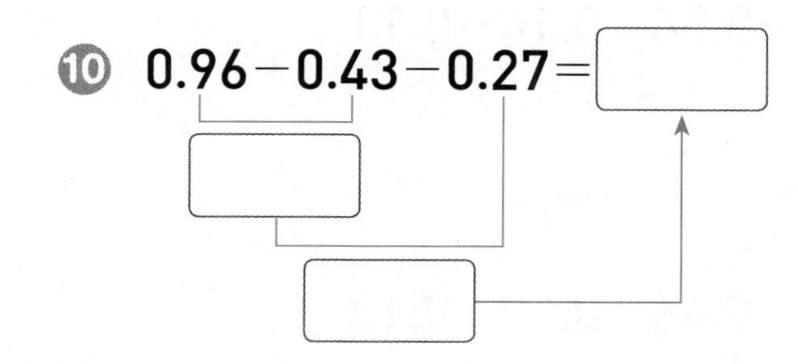

⑪ $9.3-1.51-2.4=\square$

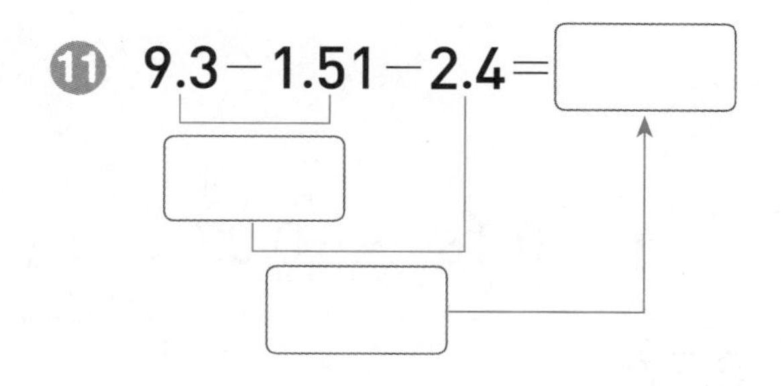

⑫ $5.19-1.4-3.6=\square$

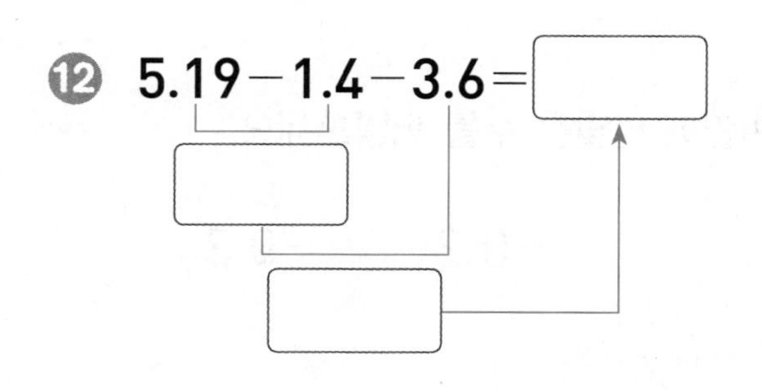

⑬ $6.16-3.05-2.9=\square$

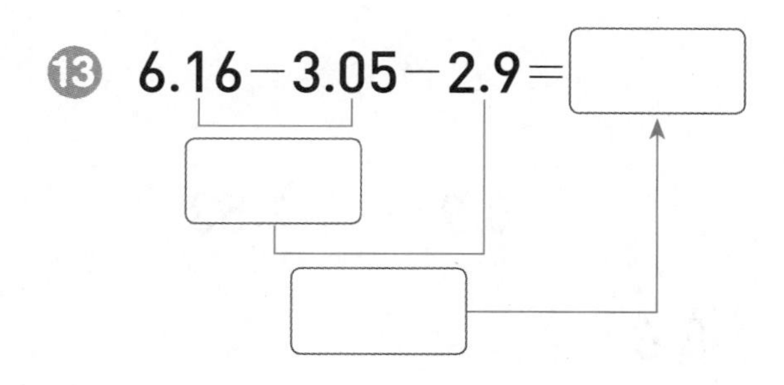

⑭ $7.23-2.4-4.21=\square$

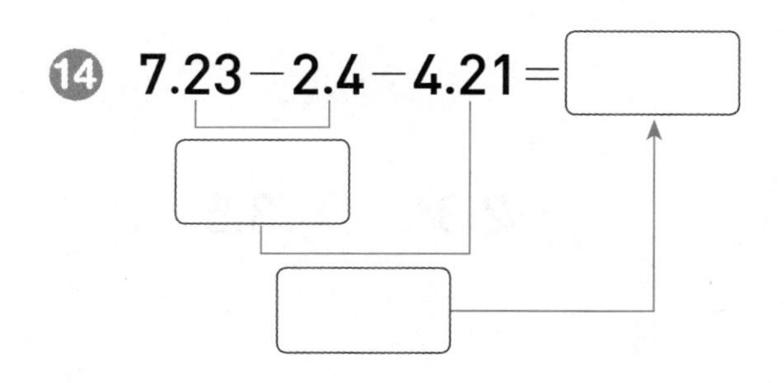

⑮ $8.73-2.9-0.89=\square$

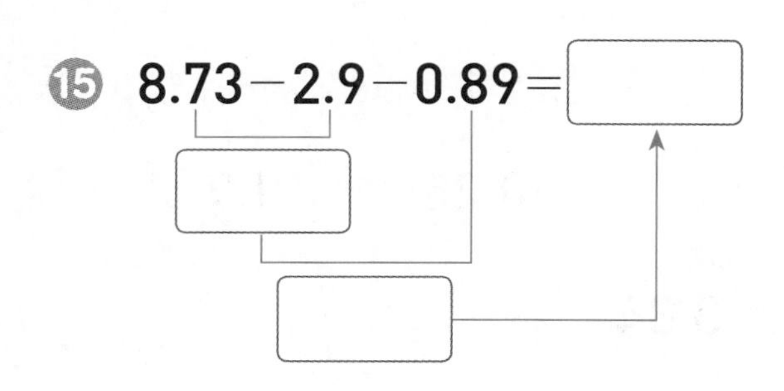

⑯ $9.41-2.08-1.7=\square$

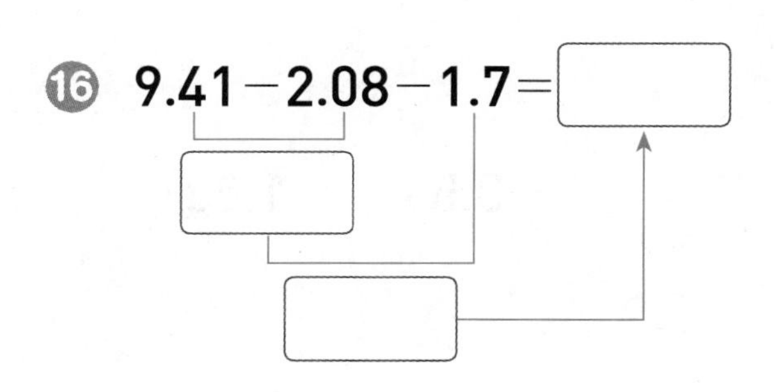

세 소수의 뺄셈

계산해 보세요.

1 $0.8-0.3-0.25$

2 $5.7-1.5-2.6$

3 $0.54-0.14-0.11$

4 $6.2-1.9-0.36$

5 $0.46-0.12-0.18$

6 $9.1-1.75-4.5$

빈칸에 알맞은 수를 써넣으세요.

7

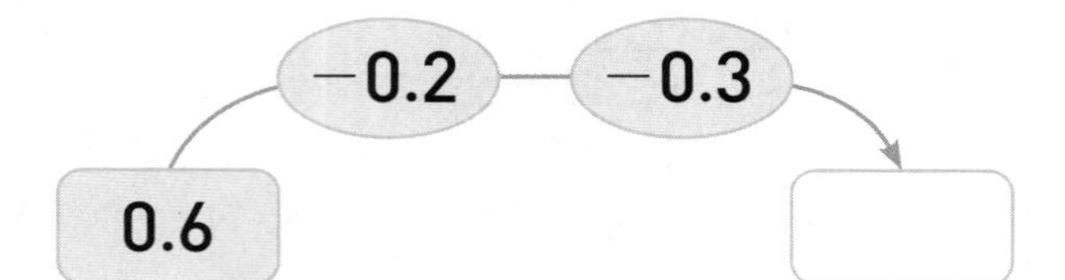

8

−0.16 — −0.37

0.77 → [ ]

9

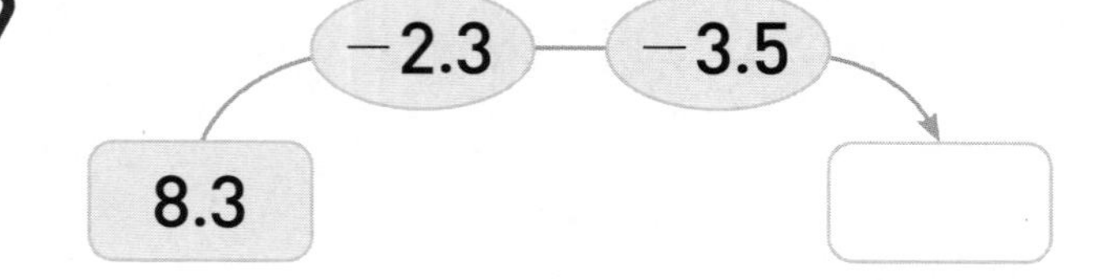

10

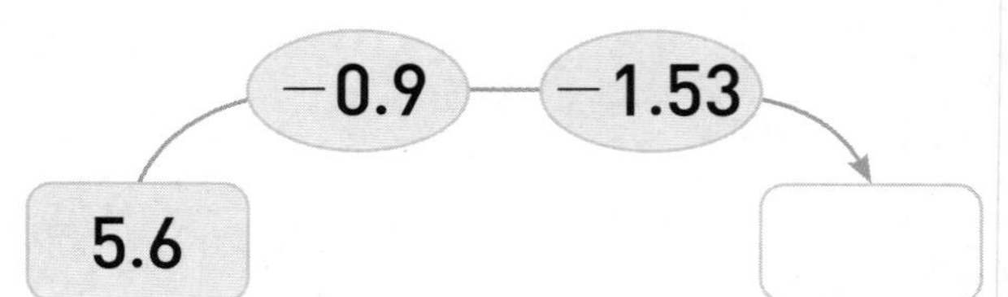

11

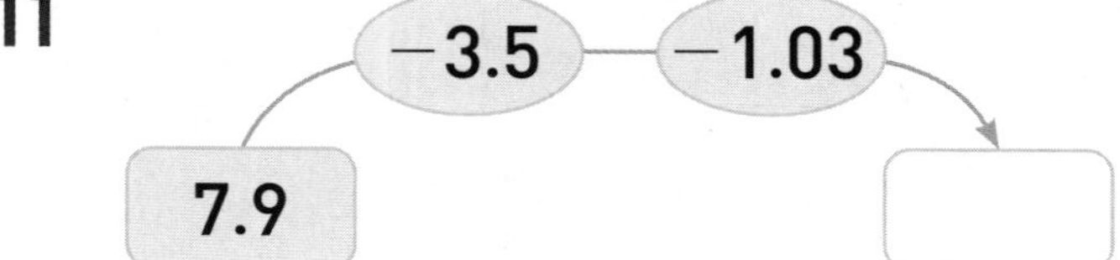

12

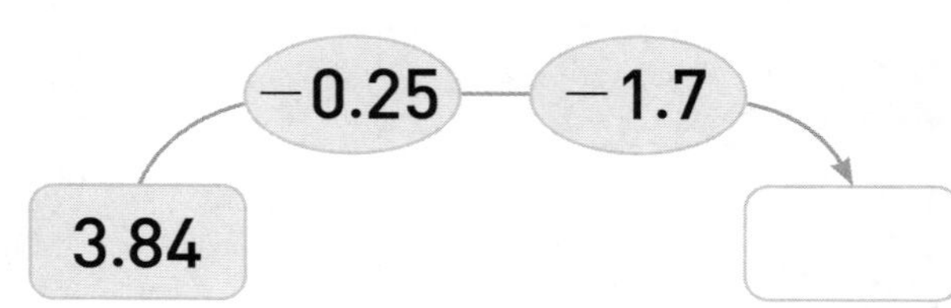

플러스 계산 연습

맞은 개수 / 20개

▶ 정답과 해설 23쪽

빈칸에 알맞은 수를 써넣으세요.

13 ⊖ ⊖

0.7	0.2	0.3	
0.9	0.15	0.4	

14 ⊖ ⊖

4.7	1.3	2.7	
6.1	1.5	1.1	

15 ⊖ ⊖

0.85	0.26	0.12	
0.69	0.34	0.07	

16 ⊖ ⊖

7.7	1.6	1.38	
8.1	2.13	4.5	

문장 읽고 계산식 세우기

17 0.55, 0.9, 0.32 중 가장 큰 수에서 나머지 두 수를 뺀 값은?

식 $0.9-0.55-\square=\square$

18 1.5, 3.1, 1.49 중 가장 큰 수에서 나머지 두 수를 뺀 값은?

식 $\square-1.5-1.49=\square$

19 우유 1.7 L 중 어제 0.45 L를 마셨고, 오늘 0.2 L를 마시면 남은 우유는 몇 L?

식 $1.7-\square-0.2=\square$ (L)

20 주스 1.6 L 중 어제 0.36 L를 마셨고, 오늘 0.18 L를 마시면 남은 주스는 몇 L?

식 $1.6-0.36-\square=\square$ (L)

8 일차

세 소수의 덧셈과 뺄셈

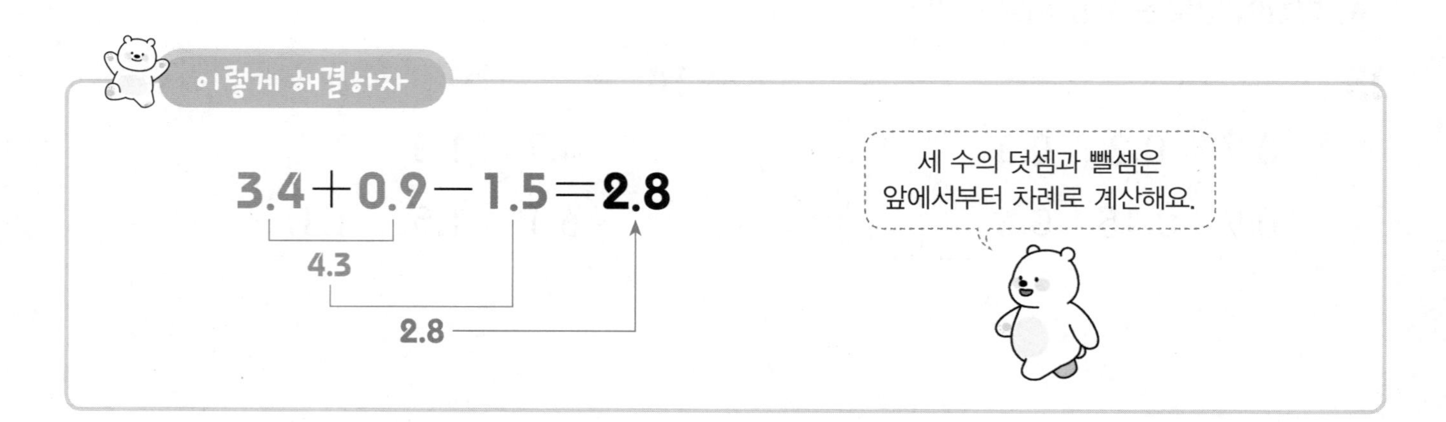

이렇게 해결하자
3.4+0.9−1.5=2.8
4.3
2.8
세 수의 덧셈과 뺄셈은 앞에서부터 차례로 계산해요.

□ 안에 알맞은 수를 써넣으세요.

❶ $0.6+0.3-0.4=$ □

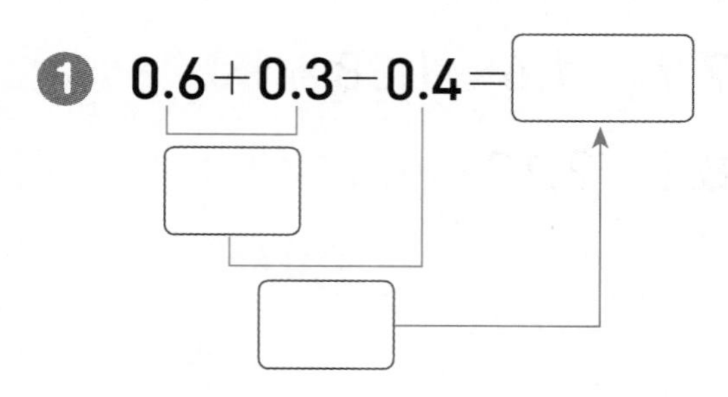

❷ $1.4-0.2+1.3=$ □

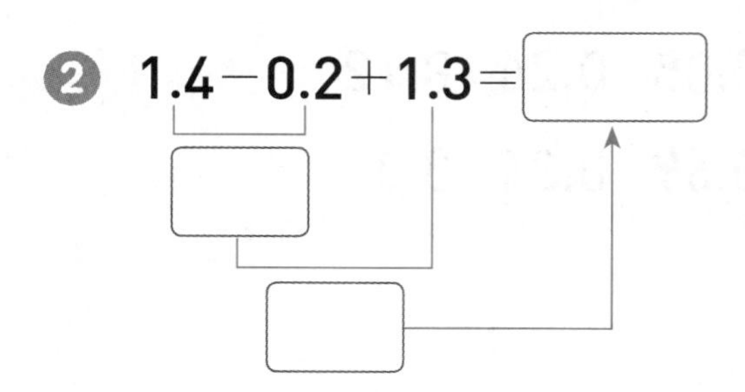

❸ $2.8+5.3-3.6=$ □

❹ $5.7-4.5+1.9=$ □

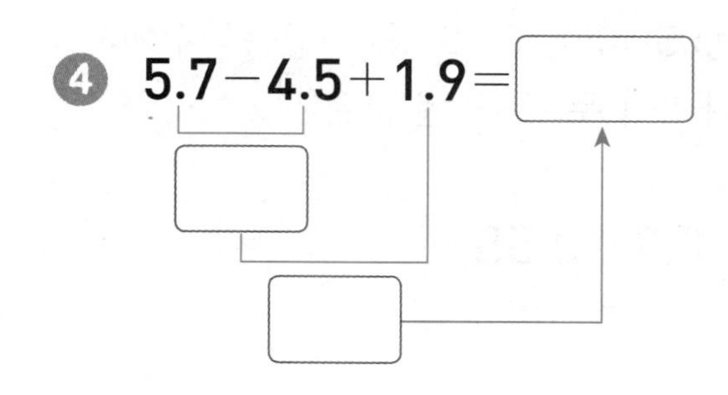

❺ $0.54+0.38-0.6=$ □

❻ $0.76-0.25+0.34=$ □

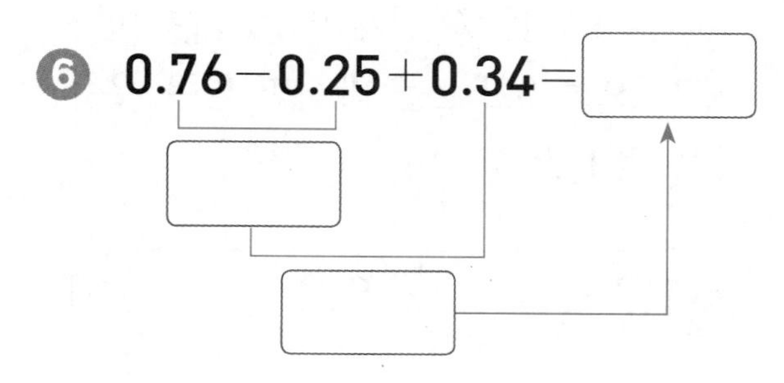

기초 계산 연습

맞은 개수 / 16개

▶ 정답과 해설 23쪽

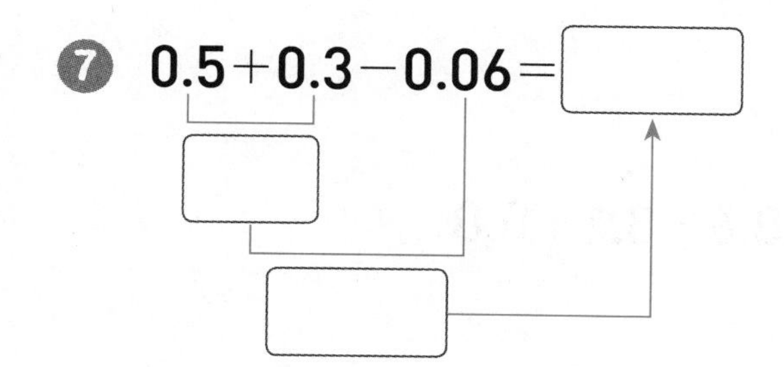

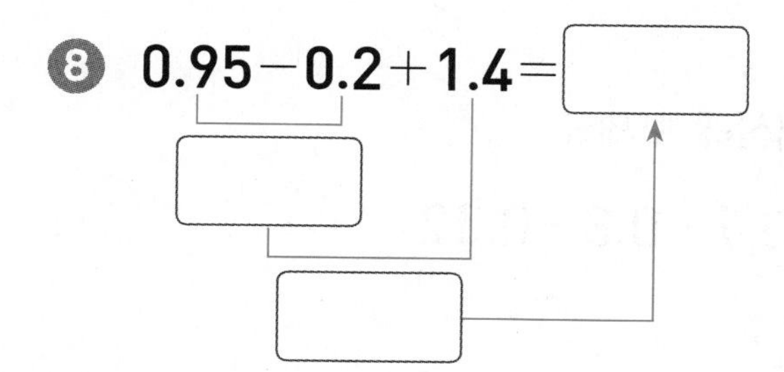

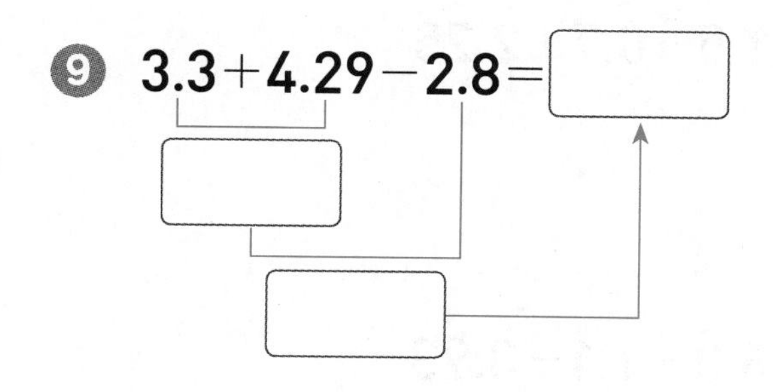

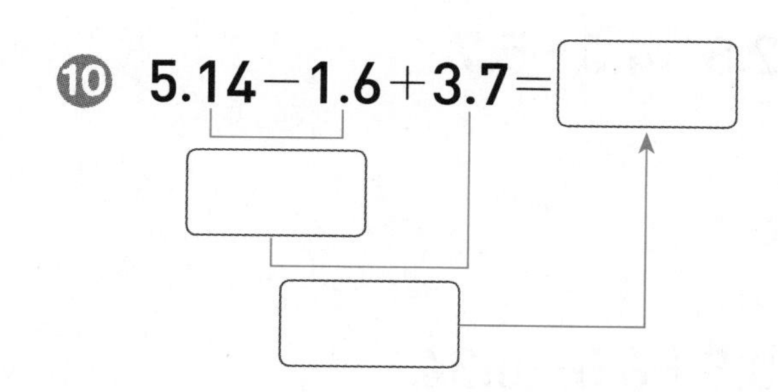

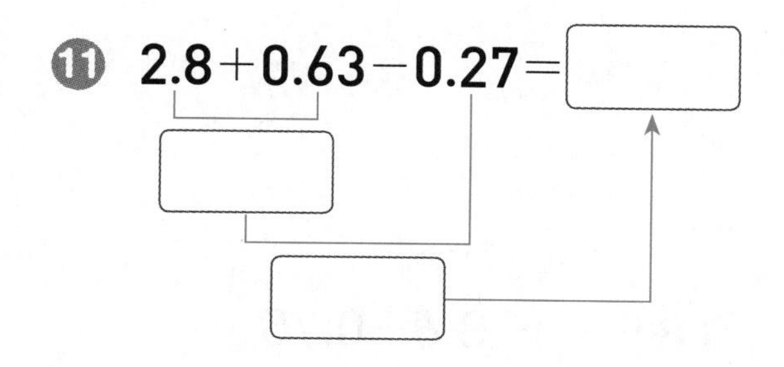

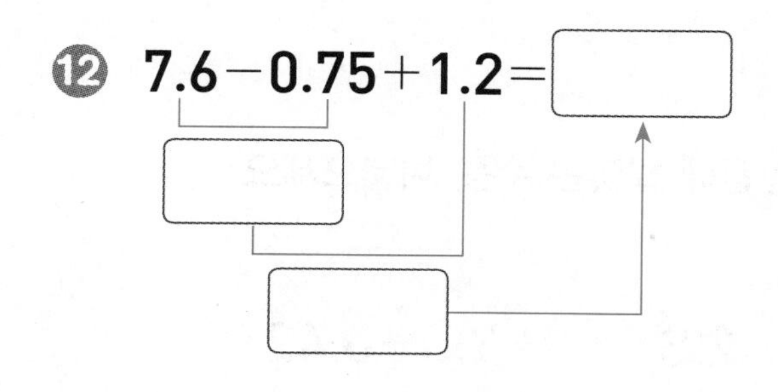

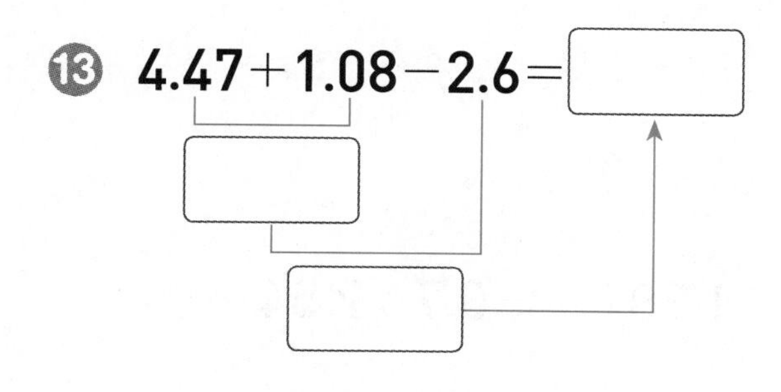

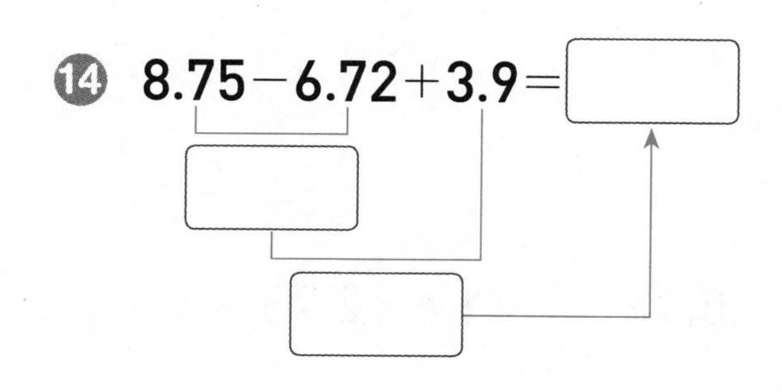

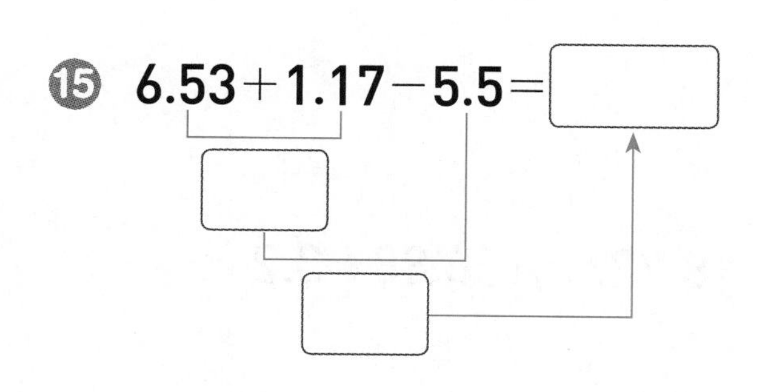

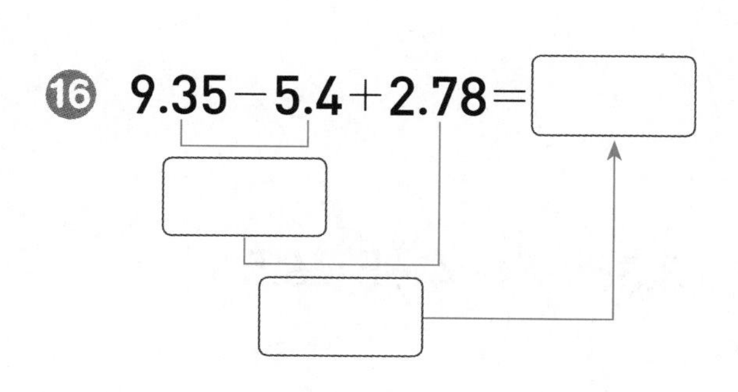

8 일차 세 소수의 덧셈과 뺄셈

계산해 보세요.

1 $0.7+0.8-0.32$

2 $0.6-0.1+0.8$

3 $2.8+4.3-5.7$

4 $1.5-0.7+2.25$

5 $3.5+6.5-0.34$

6 $6.3-1.1+3.93$

빈칸에 알맞은 수를 써넣으세요.

7 2.8 → $+1.5-0.42$ → □

8 0.81 → $-0.6+0.75$ → □

9 5.14 → $+1.6-2.78$ → □

10 1.98 → $-0.7+2.54$ → □

11 3.35 → $+4.65-6.5$ → □

12 8.72 → $-6.88+3.2$ → □

플러스 계산 연습

맞은 개수 / 20개

▶ 정답과 해설 24쪽

빈칸에 알맞은 수를 써넣으세요.

13 (+) (−)

0.6	0.78	0.5	
3.87	2.6	1.53	

14 (−) (+)

0.42	0.17	3.5	
5.71	3.25	7.7	

생활 속 계산

집에서 학교까지 갈 때 중간에 다른 장소를 거쳐 가면 바로 가는 것보다 몇 km 더 먼지 구하세요.

15

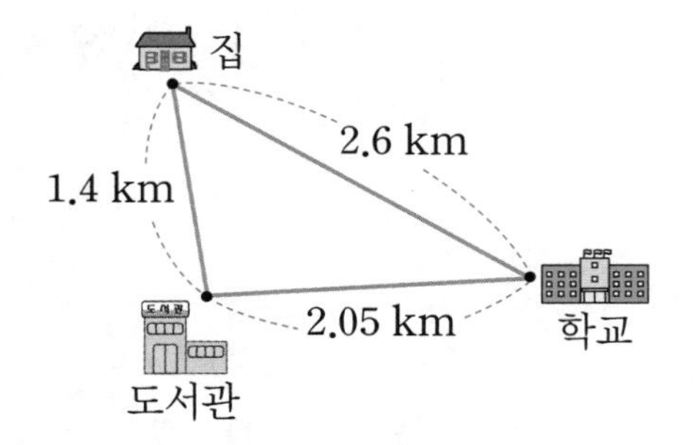

1.4 + 2.05 − ☐ = ☐ (km)

16

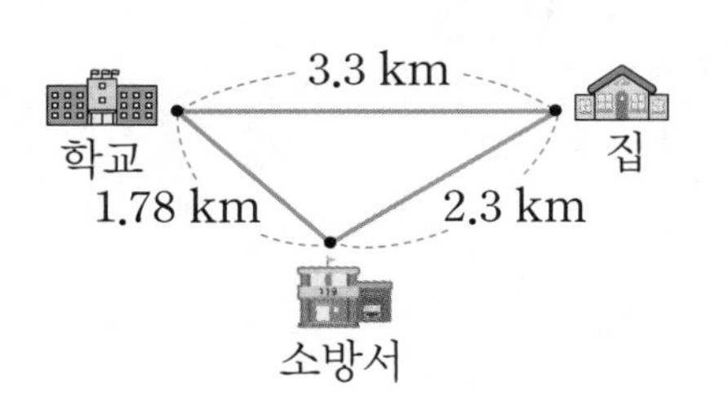

2.3 + 1.78 − ☐ = ☐ (km)

문장 읽고 계산식 세우기

17 0.85와 0.7의 합에서 0.54를 뺀 값은?

식 0.85 + ☐ − 0.54 = ☐

18 5.54에서 3.18을 빼고 4.3을 더한 값은?

식 ☐ − 3.18 + 4.3 = ☐

19 길이가 4.6 cm인 색 테이프 2장을 1.5 cm 겹쳐서 이어 붙였을 때, 이어 붙인 색 테이프의 전체 길이는 몇 cm?

식 ☐ + 4.6 − 1.5 = ☐ (cm)

20 길이가 7.1 cm인 색 테이프 2장을 2.8 cm 겹쳐서 이어 붙였을 때, 이어 붙인 색 테이프의 전체 길이는 몇 cm?

식 7.1 + 7.1 − ☐ = ☐ (cm)

평가 SPEED 연산력 TEST

 계산해 보세요.

❶ $\begin{array}{r} 0.5 \\ -\ 0.2 \\ \hline \end{array}$

❷ $\begin{array}{r} 2.6 \\ -\ 1.4 \\ \hline \end{array}$

❸ $\begin{array}{r} 5.3 \\ -\ 2.6 \\ \hline \end{array}$

❹ $\begin{array}{r} 0.48 \\ -\ 0.31 \\ \hline \end{array}$

❺ $\begin{array}{r} 0.22 \\ -\ 0.07 \\ \hline \end{array}$

❻ $\begin{array}{r} 6.57 \\ -\ 1.29 \\ \hline \end{array}$

❼ $\begin{array}{r} 8.52 \\ -\ 4.7 \\ \hline \end{array}$

❽ $\begin{array}{r} 5.3 \\ -\ 2.27 \\ \hline \end{array}$

❾ $\begin{array}{r} 9.2 \\ -\ 4.56 \\ \hline \end{array}$

⑩ $5.86-1.84$

⑪ $7.61-1.9$

⑫ $4.8-2.5-1.13$

⑬ $8.4-2.71-3.3$

⑭ $0.91+0.45-0.7$

⑮ $1.76-0.14+3.4$

▶정답과 해설 24쪽

맞은 개수 / 25개

빈칸에 알맞은 수를 써넣으세요.

⑯ 0.9 | −0.3 | ☐

⑰
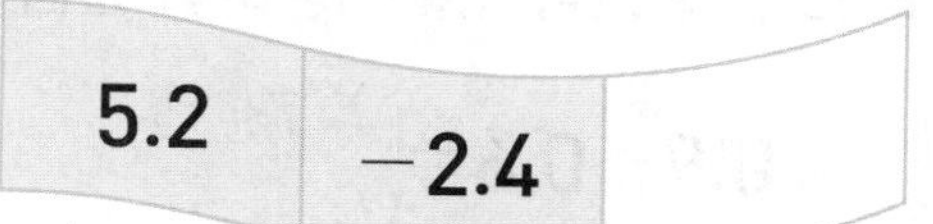

⑱

⑲ 4.77 | −1.98 | ☐

⑳ 9.15 | −3.4 | ☐

㉑
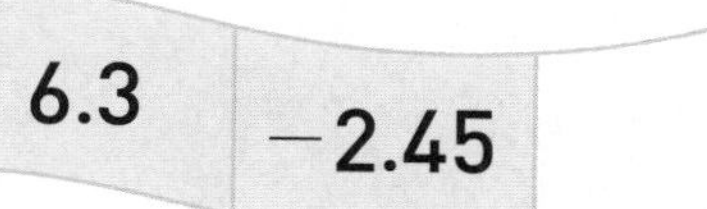

㉒
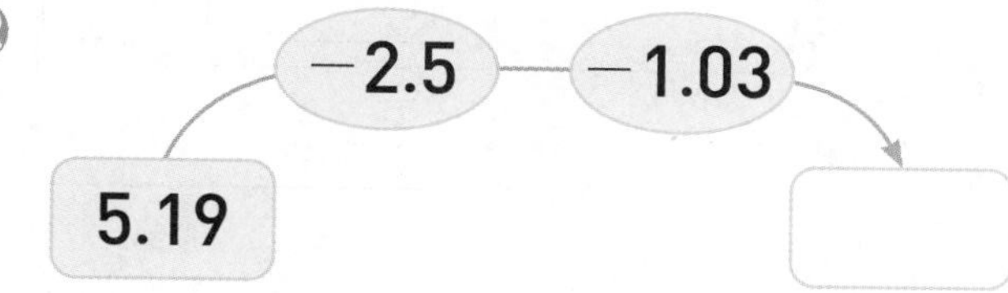

㉓
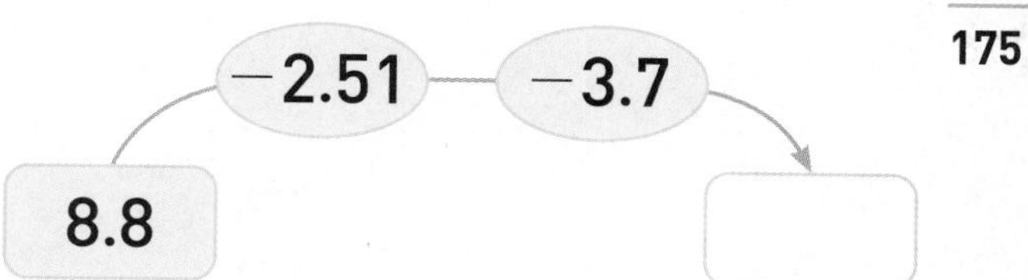

㉔
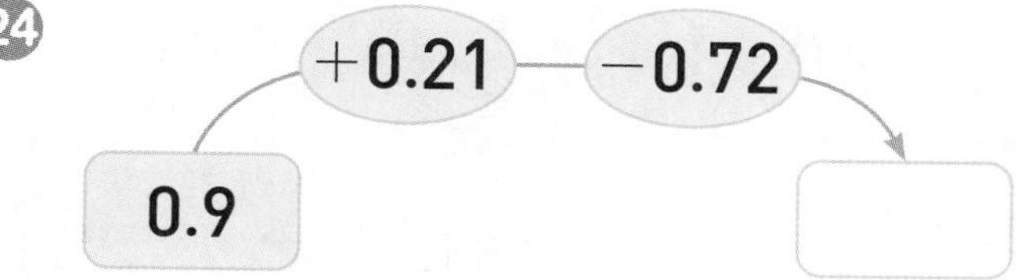

㉕
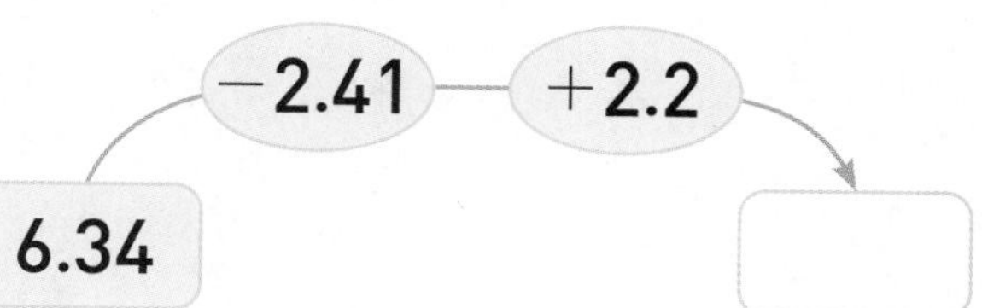

제한 시간 안에 정확하게
모두 풀었다면 여러분은 진정한 **계산왕!**

특강 문장제 문제 도전하기

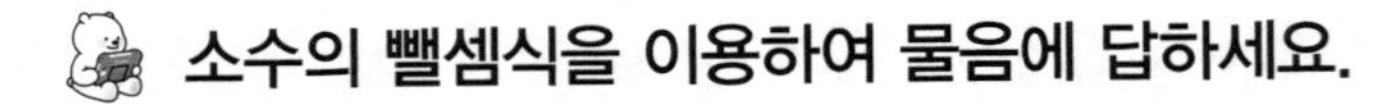

소수의 뺄셈식을 이용하여 물음에 답하세요.

1 $0.9-0.6=$ ☐ ➔ 민서는 무 0.9 kg과 감자 0.6 kg을 샀습니다. 민서가 산 무는 감자보다 몇 kg 더 무거울까요?

이 소수의 뺄셈식이
실생활에서 어떤 상황에
이용될까요?

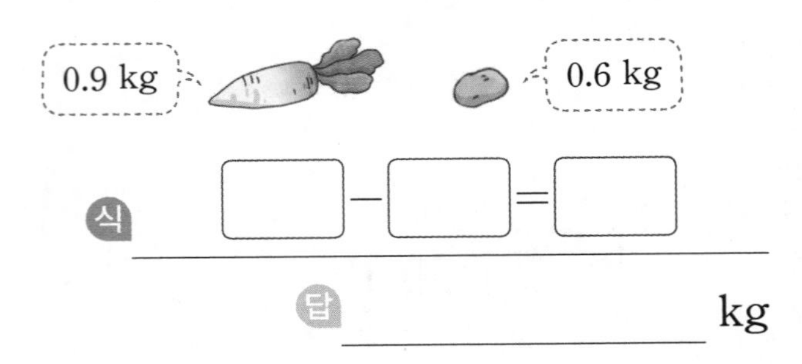
0.9 kg
0.6 kg

식 ☐ − ☐ = ☐

답 ________ kg

2 $4.2-1.5=$ ☐ ➔ 리본 4.2 m 중에서 선물을 포장하고 남은 리본의 길이는 몇 m일까요?

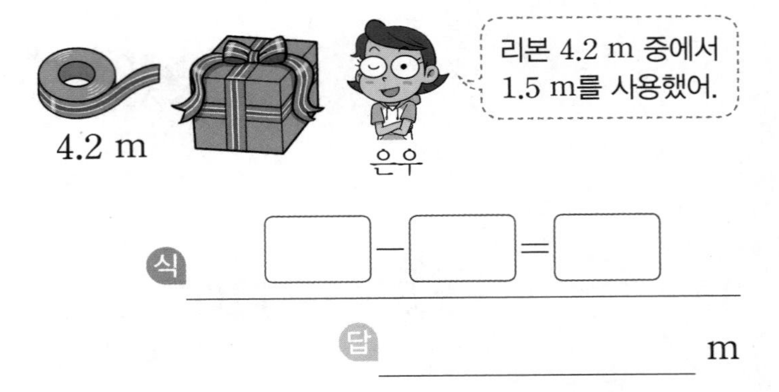
4.2 m
은우
리본 4.2 m 중에서
1.5 m를 사용했어.

식 ☐ − ☐ = ☐

답 ________ m

3 $2.5-0.36=$ ☐ ➔ 우유 2.5 L 중에서 0.36 L를 마셨습니다. 남은 우유는 몇 L일까요?

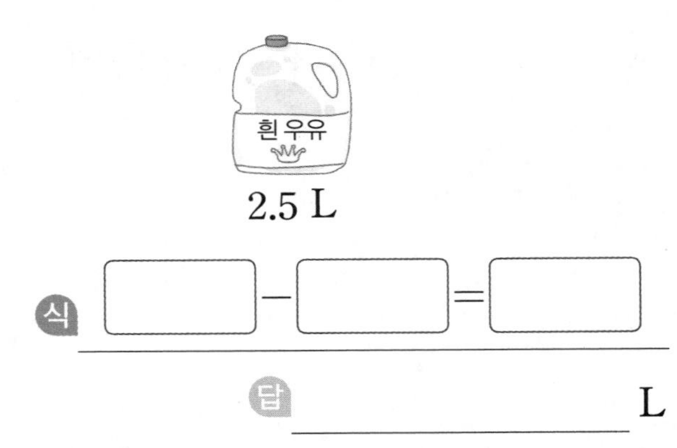
흰 우유
2.5 L

식 ☐ − ☐ = ☐

답 ________ L

▶정답과 해설 24쪽

문장을 읽고 알맞은 계산식을 세워 답을 구해 보자!

4 **2.13** kg인 당근 한 봉지는 **1.87** kg인 호박 한 봉지보다 몇 kg 더 무거울까요?

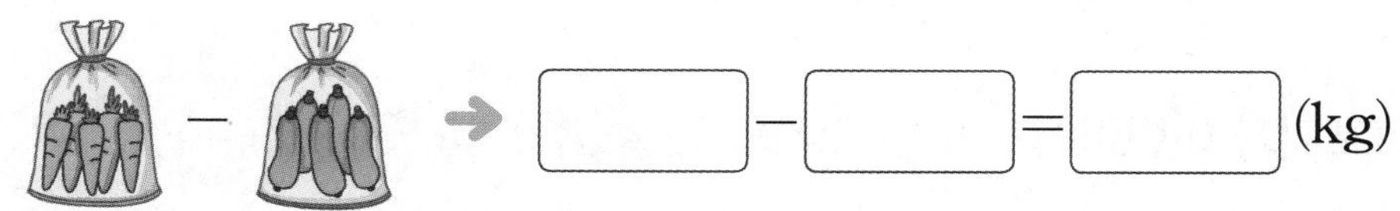

5 철사 **9.2** m 중에서 동생에게 **3.5** m, 친구에게 **2.4** m를 주었습니다.
남은 철사의 길이는 몇 m일까요?

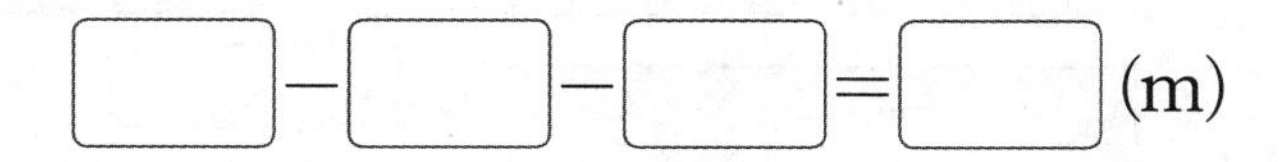

6 물뿌리개에 물이 **5.5** L 들어 있습니다.
꽃밭에 물을 **2.8** L 준 다음 **1.6** L의 물을 다시 채워 넣었습니다.
물뿌리개에 들어 있는 물은 몇 L일까요?

☐ − ☐ + ☐ = ☐ (L)

남은 털실의 길이는?

아프리카 어린이에게 보낼 모자를 만들었습니다.

털실 25.6 m가 있었는데 똑똑이가 7.66 m, 꼼꼼이가 9.4 m를 사용했을 때 남은 털실의 길이는 몇 m일까요?

$25.6-7.66-9.4=\square$

답 ______________ m

▶정답과 해설 24쪽

융합 2 경상북도 경주시의 불국사에 있는 삼층 석탑과 다보탑의 높이의 차는 몇 m일까요?

석탑	경주 불국사 삼층 석탑	경주 불국사 다보탑
높이	10.75 m	10.29 m

답 ______________ m

코딩 3 어떤 수의 계산 과정을 나타낸 순서도입니다.
시작 수가 9.1일 때 출력된 수를 구하세요.

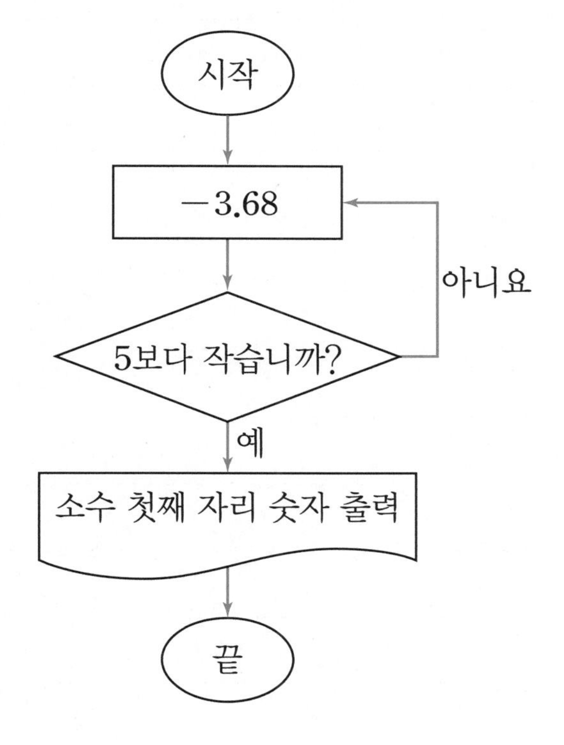

예를 들어 시작 수가 8.2이면 8.2−3.68=4.52이고, 4.52는 5보다 작으므로 출력된 수는 4.52의 소수 첫째 자리 숫자인 5예요.

답 

배움으로 행복한 내일을 꿈꾸는

천재교육 커뮤니티 안내

교재 안내부터 구매까지 한 번에!

천재교육 홈페이지

자사가 발행하는 참고서, 교과서에 대한 소개는 물론
도서 구매도 할 수 있습니다. 회원에게 지급되는 별을 모아
다양한 상품 응모에도 도전해 보세요!

다양한 교육 꿀팁에 깜짝 이벤트는 덤!

천재교육 인스타그램

천재교육의 새롭고 중요한 소식을 가장 먼저 접하고 싶다면?
천재교육 인스타그램 팔로우가 필수!
깜짝 이벤트도 수시로 진행되니 놓치지 마세요!

수업이 편리해지는

천재교육 ACA 사이트

오직 선생님만을 위한, 천재교육 모든 교재에 대한 정보가 담긴
아카 사이트에서는 다양한 수업자료 및 부가 자료는 물론
시험 출제에 필요한 문제도 다운로드하실 수 있습니다.

https://aca.chunjae.co.kr

천재교육을 사랑하는 샘들의 모임

천사샘

학원 강사, 공부방 선생님이시라면 누구나 가입할 수 있는 천사샘!
교재 개발 및 평가를 통해 교재 검토진으로 참여할 수 있는 기회는 물론
다양한 교사용 교재 증정 이벤트가 선생님을 기다립니다.

아이와 함께 성장하는 학부모들의 모임공간

튠맘 학습연구소

튠맘 학습연구소는 초·중등 학부모를 대상으로 다양한 이벤트와 함께
교재 리뷰 및 학습 정보를 제공하는 네이버 카페입니다.
초등학생, 중학생 자녀를 둔 학부모님이라면 튠맘 학습연구소로 오세요!

천재교육의 주요 교재를 소개합니다.

#차원이_다른_클라쓰
#강의전문교재
#초등교재

수학교재

●수학리더 시리즈
- 수학리더 [연산] 예비초~6학년/A·B단계
- 수학리더 [개념] 1~6학년/학기별
- 수학리더 [기본] 1~6학년/학기별
- 수학리더 [유형] 1~6학년/학기별
- 수학리더 [기본+응용] 1~6학년/학기별
- 수학리더 [응용·심화] 1~6학년/학기별
신간 수학리더 [최상위] 3~6학년/학기별

●독해가 힘이다 시리즈 *문제해결력
- 수학도 독해가 힘이다 1~6학년/학기별
신간 초등 문해력 독해가 힘이다 문장제 수학편 1~6학년/단계별

●수학의 힘 시리즈
- 수학의 힘 알파[실력] 3~6학년/학기별
- 수학의 힘 베타[유형] 1~6학년/학기별

●Go! 매쓰 시리즈
- Go! 매쓰(Start) *교과서 개념 1~6학년/학기별
- Go! 매쓰(Run A/B/C) *교과서+사고력 1~6학년/학기별
- Go! 매쓰(Jump) *유형 사고력 1~6학년/학기별

●계산박사 1~12단계

월간교재

●NEW 해법수학 1~6학년
●해법수학 단원평가 마스터 1~6학년 / 학기별
●월간 무등생평가 1~6학년

전과목교재

●리더 시리즈
- 국어 1~6학년/학기별
- 사회 3~6학년/학기별
- 과학 3~6학년/학기별

쉽고 빠른 드릴 연산서

해법 전략

수학리더 연산 4B

- 혼자서도 이해할 수 있는 친절한 문제 풀이
- OX퀴즈로 계산 원리 다시 알아보기

천재교육

해법전략
포인트 3가지

- 혼자서도 이해할 수 있는 친절한 문제 풀이
- 참고, 주의 등 자세한 풀이 제시
- OX퀴즈로 계산 원리 다시 알아보기

정답과 해설

1 분수의 덧셈

개념 OX 퀴즈

옳으면 ○에, 틀리면 ✕에 ○표 하세요.

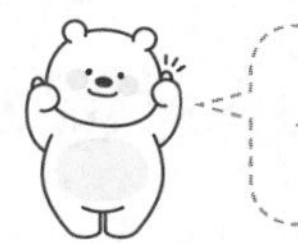

$\frac{1}{3}+\frac{1}{3}=\frac{2}{6}$

○ ✕

정답은 6쪽에서 확인하세요.

1 일차 기초 계산 연습 6~7쪽

❶ 1, $\frac{2}{4}$
❷ 3, $\frac{5}{7}$
❸ 3, $\frac{7}{8}$
❹ 3, $\frac{5}{6}$
❺ 2, 2, $\frac{4}{5}$
❻ 4, 3, $\frac{7}{9}$
❼ 5, 2, $\frac{7}{10}$
❽ 1, 5, $\frac{6}{7}$
❾ 4, 5, $\frac{9}{11}$
❿ 8, 2, $\frac{10}{13}$
⓫ $\frac{4}{5}$
⓬ $\frac{3}{4}$
⓭ $\frac{6}{7}$
⓮ $\frac{8}{9}$
⓯ $\frac{7}{8}$
⓰ $\frac{5}{6}$
⓱ $\frac{4}{7}$
⓲ $\frac{9}{10}$
⓳ $\frac{8}{9}$
⓴ $\frac{6}{8}$
㉑ $\frac{11}{12}$
㉒ $\frac{8}{11}$
㉓ $\frac{7}{10}$
㉔ $\frac{10}{13}$
㉕ $\frac{9}{15}$

⓫ $\frac{1}{5}+\frac{3}{5}=\frac{1+3}{5}=\frac{4}{5}$

⓮ $\frac{3}{9}+\frac{5}{9}=\frac{3+5}{9}=\frac{8}{9}$

㉔ $\frac{7}{13}+\frac{3}{13}=\frac{7+3}{13}=\frac{10}{13}$

1 일차 플러스 계산 연습 8~9쪽

1 $\frac{3}{4}$
2 $\frac{5}{7}$
3 $\frac{4}{8}$
4 $\frac{9}{10}$
5 $\frac{8}{9}$
6 $\frac{8}{13}$
7 $\frac{13}{15}$
8 $\frac{11}{17}$
9 $\frac{13}{18}$
10 $\frac{5}{6}$
11 $\frac{4}{9}$
12 $\frac{3}{8}$
13 $\frac{11}{12}$
14 $\frac{7}{11}$
15 $\frac{13}{20}$
16 $\frac{3}{7}$, $\frac{6}{7}$
17 $\frac{8}{10}$, $\frac{7}{10}$
18 $\frac{7}{9}$, $\frac{7}{9}$
19 $\frac{9}{13}$, $\frac{11}{13}$
20 $\frac{3}{8}$, $\frac{7}{8}$
21 $\frac{5}{11}$, $\frac{9}{11}$
22 $\frac{1}{10}$, $\frac{6}{10}$, $\frac{7}{10}$ (또는 $\frac{6}{10}$, $\frac{1}{10}$, $\frac{7}{10}$)
23 $\frac{6}{12}$, $\frac{5}{12}$, $\frac{11}{12}$ (또는 $\frac{5}{12}$, $\frac{6}{12}$, $\frac{11}{12}$)

22 $\frac{1}{10}+\frac{6}{10}=\frac{1+6}{10}=\frac{7}{10}$ (m)

23 $\frac{6}{12}+\frac{5}{12}=\frac{6+5}{12}=\frac{11}{12}$ (m)

2 일차 기초 계산 연습 10~11쪽

❶ 7, 1, 2
❷ 4, 1, 1
❸ 7, 1, 1
❹ 9, 1, 1
❺ 11, 1, 2
❻ 10, 1, 3
❼ 11, 1, 3
❽ 14, 1, 3
❾ 13, 1, 3
❿ 16, 1, 1
⓫ $1\frac{4}{7}$
⓬ $1\frac{3}{5}$
⓭ $1\frac{1}{9}$
⓮ $1\frac{4}{6}$
⓯ $1\frac{1}{8}$
⓰ $1\frac{7}{10}$
⓱ $1\frac{1}{9}$
⓲ $1\frac{2}{11}$
⓳ $1\frac{2}{7}$
⓴ $1\frac{5}{12}$
㉑ $1\frac{1}{6}$
㉒ $1\frac{2}{13}$
㉓ $1\frac{1}{11}$
㉔ $1\frac{3}{14}$
㉕ $1\frac{4}{15}$

⑪ $\frac{5}{7}+\frac{6}{7}=\frac{11}{7}=1\frac{4}{7}$

참고
계산 결과가 가분수이면 대분수로 나타냅니다.

⑬ $\frac{6}{9}+\frac{4}{9}=\frac{10}{9}=1\frac{1}{9}$

⑯ $\frac{9}{10}+\frac{8}{10}=\frac{17}{10}=1\frac{7}{10}$

2 일차 플러스 계산 연습 12~13쪽

1 $1\frac{2}{4}$　2 $1\frac{2}{7}$　3 $1\frac{1}{10}$
4 $1\frac{6}{9}$　5 $1\frac{2}{13}$　6 $1\frac{2}{11}$
7 $1\frac{3}{20}$　8 $1\frac{7}{15}$　9 $1\frac{2}{16}$
10 $1\frac{1}{5}$　11 $1\frac{3}{6}$　12 $1\frac{3}{10}$
13 $1\frac{4}{11}$　14 $1\frac{3}{14}$　15 $1\frac{3}{18}$
16 $1\frac{2}{9}$, $1\frac{4}{9}$　17 $1\frac{1}{13}$, $1\frac{4}{13}$
18 $1\frac{2}{5}$　19 $\frac{4}{8}$, $1\frac{3}{8}$
20 $\frac{3}{6}$, $1\frac{1}{6}$　21 $\frac{3}{9}$, $1\frac{1}{9}$
22 $\frac{11}{14}$, $\frac{8}{14}$, $1\frac{5}{14}$　23 $\frac{8}{12}$, $\frac{7}{12}$, $1\frac{3}{12}$

16 • $\frac{5}{9}+\frac{6}{9}=\frac{11}{9}=1\frac{2}{9}$
• $\frac{5}{9}+\frac{8}{9}=\frac{13}{9}=1\frac{4}{9}$

17 • $\frac{6}{13}+\frac{8}{13}=\frac{14}{13}=1\frac{1}{13}$
• $\frac{6}{13}+\frac{11}{13}=\frac{17}{13}=1\frac{4}{13}$

22 $\frac{11}{14}$보다 $\frac{8}{14}$만큼 더 큰 수
➜ $\frac{11}{14}+\frac{8}{14}=\frac{19}{14}=1\frac{5}{14}$

23 $\frac{8}{12}$보다 $\frac{7}{12}$만큼 더 큰 수
➜ $\frac{8}{12}+\frac{7}{12}=\frac{15}{12}=1\frac{3}{12}$

3 일차 기초 계산 연습 14~15쪽

① 1, 2, 1, 2　② 9, 11, 2, 3
③ 2, 5, 3, 5　④ 9, 11, 1, 5
⑤ 1, 4, 2, 4　⑥ 9, 15, 1, 7
⑦ $3\frac{3}{5}$　⑧ $1\frac{5}{7}$　⑨ $2\frac{5}{8}$
⑩ $2\frac{5}{6}$　⑪ $1\frac{7}{9}$　⑫ $5\frac{3}{10}$
⑬ $3\frac{7}{8}$　⑭ $2\frac{2}{4}$　⑮ $4\frac{6}{7}$
⑯ $5\frac{8}{11}$　⑰ $3\frac{11}{12}$　⑱ $4\frac{6}{8}$
⑲ $2\frac{8}{9}$　⑳ $3\frac{7}{10}$　㉑ $6\frac{11}{20}$

⑦ 방법 1 $3\frac{1}{5}+\frac{2}{5}=3+\left(\frac{1}{5}+\frac{2}{5}\right)$
$=3+\frac{3}{5}=3\frac{3}{5}$

방법 2 $3\frac{1}{5}+\frac{2}{5}=\frac{16}{5}+\frac{2}{5}=\frac{18}{5}=3\frac{3}{5}$

참고
(대분수)+(진분수)는 자연수 부분과 진분수 부분으로 나누어 계산하거나 대분수를 가분수로 바꾸어 계산합니다.

3 일차 플러스 계산 연습 16~17쪽

1 $4\frac{4}{5}$　2 $3\frac{7}{8}$　3 $1\frac{8}{12}$
4 $2\frac{7}{10}$　5 $2\frac{7}{16}$　6 $1\frac{12}{14}$
7 $5\frac{8}{11}$　8 $7\frac{13}{18}$　9 $3\frac{19}{20}$
10 $1\frac{4}{7}$, $1\frac{5}{7}$, $1\frac{6}{7}$　11 $3\frac{3}{9}$, $3\frac{5}{9}$, $3\frac{7}{9}$
12 $2\frac{7}{11}$, $2\frac{9}{11}$, $2\frac{10}{11}$　13 $3\frac{7}{12}$, $3\frac{10}{12}$, $3\frac{11}{12}$
14 (위부터) $1\frac{2}{4}$, $1\frac{3}{4}$　15 (위부터) $5\frac{8}{15}$, $5\frac{14}{15}$
16 $2\frac{7}{8}$　17 $\frac{6}{10}$, $3\frac{9}{10}$
18 $\frac{2}{5}$, $2\frac{3}{5}$　19 $3\frac{3}{11}$, $3\frac{10}{11}$
20 $1\frac{1}{8}$, $\frac{3}{8}$, $1\frac{4}{8}$ (또는 $\frac{3}{8}$, $1\frac{1}{8}$, $1\frac{4}{8}$)
21 $2\frac{3}{20}$, $\frac{6}{20}$, $2\frac{9}{20}$ (또는 $\frac{6}{20}$, $2\frac{3}{20}$, $2\frac{9}{20}$)

1 $4\frac{1}{5}+\frac{3}{5}=4+\left(\frac{1}{5}+\frac{3}{5}\right)=4+\frac{4}{5}=4\frac{4}{5}$

10 $1\frac{3}{7}+\frac{1}{7}=1\frac{4}{7}$, $1\frac{3}{7}+\frac{2}{7}=1\frac{5}{7}$,
$1\frac{3}{7}+\frac{3}{7}=1\frac{6}{7}$

20 (소고기의 무게)+(돼지고기의 무게)
$=1\frac{1}{8}+\frac{3}{8}=1+\left(\frac{1}{8}+\frac{3}{8}\right)$
$=1+\frac{4}{8}=1\frac{4}{8}$ (kg)

21 (고구마의 무게)+(감자의 무게)
$=2\frac{3}{20}+\frac{6}{20}=2+\left(\frac{3}{20}+\frac{6}{20}\right)$
$=2+\frac{9}{20}=2\frac{9}{20}$ (kg)

4일차 기초 계산 연습 18~19쪽

❶ 3, 3, 5, 3, 5 ❷ 6, 19, 4, 3
❸ 2, 4, 4, 5, 4, 5 ❹ 10, 26, 3, 5
❺ 3, 4, 4, 7, 4, 7 ❻ 31, 18, 49, 4, 9
❼ $3\frac{2}{3}$ ❽ $3\frac{4}{5}$ ❾ $4\frac{7}{8}$
❿ $3\frac{5}{7}$ ⓫ $5\frac{7}{9}$ ⓬ $6\frac{3}{6}$
⓭ $6\frac{6}{11}$ ⓮ $2\frac{7}{10}$ ⓯ $7\frac{6}{7}$
⓰ $6\frac{7}{9}$ ⓱ $4\frac{7}{8}$ ⓲ $3\frac{8}{15}$
⓳ $4\frac{7}{10}$ ⓴ $4\frac{8}{11}$ ㉑ $3\frac{9}{20}$

❾ 방법 1 $3\frac{1}{8}+1\frac{6}{8}=(3+1)+\left(\frac{1}{8}+\frac{6}{8}\right)$
$=4+\frac{7}{8}=4\frac{7}{8}$
방법 2 $3\frac{1}{8}+1\frac{6}{8}=\frac{25}{8}+\frac{14}{8}=\frac{39}{8}=4\frac{7}{8}$

⓴ 방법 1 $2\frac{1}{11}+2\frac{7}{11}=(2+2)+\left(\frac{1}{11}+\frac{7}{11}\right)$
$=4+\frac{8}{11}=4\frac{8}{11}$
방법 2 $2\frac{1}{11}+2\frac{7}{11}=\frac{23}{11}+\frac{29}{11}=\frac{52}{11}=4\frac{8}{11}$

4일차 플러스 계산 연습 20~21쪽

1 $4\frac{3}{5}$ 2 $6\frac{4}{9}$ 3 $3\frac{5}{8}$
4 $6\frac{9}{10}$ 5 $5\frac{11}{12}$ 6 $7\frac{4}{15}$
7 $2\frac{3}{6}$, $4\frac{4}{6}$, $3\frac{5}{6}$ 8 $2\frac{6}{7}$, $3\frac{4}{7}$, $4\frac{5}{7}$
9 $3\frac{7}{11}$, $5\frac{8}{11}$, $6\frac{9}{11}$ 10 $4\frac{8}{14}$, $2\frac{4}{14}$, $3\frac{11}{14}$
11 $3\frac{7}{8}$ 12 $3\frac{9}{10}$
13 $3\frac{2}{15}$, $5\frac{7}{15}$ 14 $4\frac{6}{20}$, $8\frac{11}{20}$
15 $6\frac{1}{9}$, $8\frac{5}{9}$ 16 $3\frac{7}{13}$, $4\frac{10}{13}$
17 $5\frac{5}{10}$, $2\frac{4}{10}$, $7\frac{9}{10}$ 18 $4\frac{10}{16}$, $1\frac{3}{16}$, $5\frac{13}{16}$

1 $2\frac{1}{5}+2\frac{2}{5}=(2+2)+\left(\frac{1}{5}+\frac{2}{5}\right)$
$=4+\frac{3}{5}=4\frac{3}{5}$

7 $1\frac{2}{6}+1\frac{1}{6}=2\frac{3}{6}$, $1\frac{2}{6}+3\frac{2}{6}=4\frac{4}{6}$,
$1\frac{2}{6}+2\frac{3}{6}=3\frac{5}{6}$

8 $1\frac{3}{7}+1\frac{3}{7}=2\frac{6}{7}$, $1\frac{3}{7}+2\frac{1}{7}=3\frac{4}{7}$,
$1\frac{3}{7}+3\frac{2}{7}=4\frac{5}{7}$

13 (집~병원)+(병원~공원)
$=2\frac{5}{15}+3\frac{2}{15}=(2+3)+\left(\frac{5}{15}+\frac{2}{15}\right)$
$=5+\frac{7}{15}=5\frac{7}{15}$ (km)

14 (집~우체국)+(우체국~공원)
$=4\frac{5}{20}+4\frac{6}{20}=(4+4)+\left(\frac{5}{20}+\frac{6}{20}\right)$
$=8+\frac{11}{20}=8\frac{11}{20}$ (km)

17 $5\frac{5}{10}$보다 $2\frac{4}{10}$만큼 더 큰 수
➔ $5\frac{5}{10}+2\frac{4}{10}=(5+2)+\left(\frac{5}{10}+\frac{4}{10}\right)$
$=7+\frac{9}{10}=7\frac{9}{10}$

5 일차 기초 계산 연습 22~23쪽

1 7, 1, 2, 3, 2
2 10, 13, 3, 1
3 10, 1, 2, 4, 2
4 28, 31, 5, 1
5 13, 1, 1, 6, 1
6 12, 17, 2, 3
7 $2\frac{1}{6}$
8 $4\frac{1}{5}$
9 $2\frac{2}{9}$
10 $3\frac{4}{7}$
11 $4\frac{3}{10}$
12 $3\frac{5}{8}$
13 $4\frac{3}{9}$
14 $6\frac{1}{12}$
15 $5\frac{3}{6}$
16 $3\frac{4}{11}$
17 $3\frac{1}{14}$
18 $4\frac{7}{10}$
19 $2\frac{4}{15}$
20 $5\frac{3}{8}$
21 $2\frac{5}{12}$

9 방법 1 $1\frac{7}{9}+\frac{4}{9}=1+\frac{11}{9}=1+1\frac{2}{9}=2\frac{2}{9}$

방법 2 $1\frac{7}{9}+\frac{4}{9}=\frac{16}{9}+\frac{4}{9}=\frac{20}{9}=2\frac{2}{9}$

10 방법 1 $2\frac{5}{7}+\frac{6}{7}=2+\frac{11}{7}=2+1\frac{4}{7}=3\frac{4}{7}$

방법 2 $2\frac{5}{7}+\frac{6}{7}=\frac{19}{7}+\frac{6}{7}=\frac{25}{7}=3\frac{4}{7}$

5 일차 플러스 계산 연습 24~25쪽

1 $2\frac{2}{7}$
2 $3\frac{3}{8}$
3 $4\frac{1}{5}$
4 $3\frac{1}{10}$
5 $4\frac{2}{15}$
6 $2\frac{7}{16}$
7 $4\frac{2}{19}$
8 $3\frac{2}{22}$
9 $4\frac{3}{20}$
10 $3\frac{2}{6}$, $2\frac{1}{6}$
11 $4\frac{2}{9}$, $3\frac{6}{9}$
12 $5\frac{7}{11}$, $4\frac{4}{11}$
13 $5\frac{5}{12}$, $3\frac{3}{12}$
14 (위부터) $3\frac{2}{8}$, $3\frac{1}{8}$
15 (위부터) $6\frac{3}{10}$, $6\frac{7}{10}$
16 (위부터) $4\frac{1}{14}$, $4\frac{7}{14}$
17 (위부터) $3\frac{4}{20}$, $3\frac{1}{20}$
18 $\frac{4}{6}$, $2\frac{3}{6}$
19 $7\frac{9}{14}$, $8\frac{1}{14}$
20 $1\frac{2}{4}$, $\frac{3}{4}$, $2\frac{1}{4}$ $\left(\text{또는 } \frac{3}{4}, 1\frac{2}{4}, 2\frac{1}{4}\right)$
21 $5\frac{7}{10}$, $\frac{8}{10}$, $6\frac{5}{10}$ $\left(\text{또는 } \frac{8}{10}, 5\frac{7}{10}, 6\frac{5}{10}\right)$

10 • $1\frac{4}{6}+\frac{3}{6}=1+\frac{7}{6}=1+1\frac{1}{6}=2\frac{1}{6}$

• $2\frac{5}{6}+\frac{3}{6}=2+\frac{8}{6}=2+1\frac{2}{6}=3\frac{2}{6}$

14 • $2\frac{3}{8}+\frac{7}{8}=2+\frac{10}{8}=2+1\frac{2}{8}=3\frac{2}{8}$

• $2\frac{3}{8}+\frac{6}{8}=2+\frac{9}{8}=2+1\frac{1}{8}=3\frac{1}{8}$

20 (밤의 무게)+(도토리의 무게)

$=1\frac{2}{4}+\frac{3}{4}=1+\frac{5}{4}=1+1\frac{1}{4}=2\frac{1}{4}$ (kg)

21 (수박의 무게)+(참외의 무게)

$=5\frac{7}{10}+\frac{8}{10}=5+\frac{15}{10}=5+1\frac{5}{10}=6\frac{5}{10}$ (kg)

6 일차 기초 계산 연습 26~27쪽

1 5, 1, 1, 4, 1
2 8, 22, 4, 2
3 13, 1, 5, 7, 5
4 35, 63, 6, 3
5 15, 1, 4, 5, 4
6 15, 38, 4, 2
7 $4\frac{1}{3}$
8 $3\frac{1}{8}$
9 $4\frac{2}{6}$
10 $6\frac{1}{5}$
11 3
12 $4\frac{2}{9}$
13 $5\frac{2}{4}$
14 $4\frac{3}{10}$
15 $6\frac{7}{11}$
16 $9\frac{1}{8}$
17 $5\frac{3}{9}$
18 $4\frac{9}{14}$
19 $8\frac{4}{12}$
20 $4\frac{1}{13}$
21 $6\frac{7}{10}$

14 방법 1 $2\frac{4}{10}+1\frac{9}{10}=3+\frac{13}{10}$

$=3+1\frac{3}{10}=4\frac{3}{10}$

방법 2 $2\frac{4}{10}+1\frac{9}{10}=\frac{24}{10}+\frac{19}{10}=\frac{43}{10}=4\frac{3}{10}$

19 방법 1 $2\frac{5}{12}+5\frac{11}{12}=7+\frac{16}{12}$

$=7+1\frac{4}{12}=8\frac{4}{12}$

방법 2 $2\frac{5}{12}+5\frac{11}{12}=\frac{29}{12}+\frac{71}{12}=\frac{100}{12}=8\frac{4}{12}$

6 일차 플러스 계산 연습 28~29쪽

1 4
2 $4\frac{3}{7}$
3 $4\frac{3}{5}$
4 $9\frac{1}{6}$
5 $6\frac{1}{8}$
6 $7\frac{2}{15}$
7 $5\frac{1}{4}$, $3\frac{2}{4}$
8 $6\frac{4}{9}$, $5\frac{1}{9}$
9 $7\frac{6}{10}$, $5\frac{3}{10}$
10 4, $3\frac{9}{14}$
11 $6\frac{1}{8}$, $5\frac{5}{7}$
12 $5\frac{2}{12}$, $9\frac{3}{16}$
13 $9\frac{5}{10}$
14 $6\frac{2}{15}$
15 $1\frac{3}{6}$, $4\frac{2}{6}$
16 $3\frac{7}{11}$, $8\frac{5}{11}$
17 $5\frac{6}{8}$, $1\frac{7}{8}$, $7\frac{5}{8}$ (또는 $1\frac{7}{8}$, $5\frac{6}{8}$, $7\frac{5}{8}$)
18 $7\frac{14}{20}$, $2\frac{7}{20}$, $10\frac{1}{20}$
(또는 $2\frac{7}{20}$, $7\frac{14}{20}$, $10\frac{1}{20}$)

17 (물의 양)+(식초의 양)
$=5\frac{6}{8}+1\frac{7}{8}=6+\frac{13}{8}=6+1\frac{5}{8}=7\frac{5}{8}$ (L)

18 (물의 양)+(간장의 양)
$=7\frac{14}{20}+2\frac{7}{20}=9+\frac{21}{20}$
$=9+1\frac{1}{20}=10\frac{1}{20}$ (L)

7 일차 기초 계산 연습 30~31쪽

❶ 3, 6, 1, 2, 5, 2
❷ 9, 24, 4, 4
❸ 1, 5, 10, 1, 3, 5, 3
❹ 17, 21, 47, 4, 7
❺ $3\frac{7}{8}$
❻ $2\frac{8}{9}$
❼ $6\frac{1}{4}$
❽ $6\frac{5}{6}$
❾ $3\frac{6}{7}$
❿ $5\frac{6}{10}$
⓫ $5\frac{3}{5}$
⓬ $6\frac{3}{8}$
⓭ $6\frac{5}{12}$
⓮ $6\frac{7}{15}$

⓬ 방법 1 $2\frac{2}{8}+1\frac{3}{8}+2\frac{6}{8}$
$=(2+1+2)+\left(\frac{2}{8}+\frac{3}{8}+\frac{6}{8}\right)$
$=5+\frac{11}{8}=5+1\frac{3}{8}=6\frac{3}{8}$

방법 2 $2\frac{2}{8}+1\frac{3}{8}+2\frac{6}{8}$
$=\frac{18}{8}+\frac{11}{8}+\frac{22}{8}=\frac{51}{8}=6\frac{3}{8}$

7 일차 플러스 계산 연습 32~33쪽

1 $1\frac{3}{4}$
2 $1\frac{1}{9}$
3 $3\frac{7}{8}$
4 $4\frac{4}{5}$
5 $6\frac{3}{11}$
6 $10\frac{6}{13}$
7 $1\frac{5}{6}$
8 $1\frac{9}{12}$
9 $4\frac{4}{7}$
10 $5\frac{8}{10}$
11 $6\frac{9}{12}$
12 $4\frac{9}{15}$
13 $1\frac{6}{7}$, $1\frac{3}{8}$
14 $1\frac{6}{9}$, $4\frac{9}{10}$
15 $5\frac{1}{6}$, 7
16 $7\frac{2}{8}$, $7\frac{3}{14}$
17 $\frac{2}{5}$, $1\frac{1}{5}$
18 $\frac{5}{6}$, $2\frac{3}{6}$
19 $\frac{3}{4}$, $3\frac{2}{4}$
20 $1\frac{3}{10}$, $4\frac{7}{10}$

13 • $\frac{2}{7}+\frac{6}{7}+\frac{5}{7}=\frac{2+6+5}{7}=\frac{13}{7}=1\frac{6}{7}$
• $\frac{4}{8}+\frac{1}{8}+\frac{6}{8}=\frac{4+1+6}{8}=\frac{11}{8}=1\frac{3}{8}$

14 • $1\frac{2}{9}+\frac{3}{9}+\frac{1}{9}=1+\frac{6}{9}=1\frac{6}{9}$
• $\frac{4}{10}+4\frac{2}{10}+\frac{3}{10}=4+\frac{9}{10}=4\frac{9}{10}$

19 (세 사람이 캔 고구마의 무게)
$=1\frac{1}{4}+\frac{3}{4}+1\frac{2}{4}=2\frac{6}{4}=3\frac{2}{4}$ (kg)

20 (세 사람이 딴 딸기의 무게)
$=1\frac{3}{10}+\frac{9}{10}+2\frac{5}{10}=3\frac{17}{10}=4\frac{7}{10}$ (kg)

평가 SPEED 연산력 TEST 34~35쪽

❶ $\frac{3}{4}$ ❷ $\frac{5}{7}$ ❸ $1\frac{3}{8}$

❹ $1\frac{7}{13}$ ❺ $3\frac{4}{5}$ ❻ $1\frac{7}{12}$

❼ $4\frac{2}{9}$ ❽ $5\frac{3}{10}$ ❾ $7\frac{3}{20}$

❿ $3\frac{5}{6}$ ⓫ $6\frac{11}{12}$ ⓬ 8

⓭ $5\frac{2}{14}$ ⓮ $1\frac{4}{5}$ ⓯ $4\frac{2}{3}$

⓰ $\frac{7}{9}$ ⓱ $1\frac{3}{10}$ ⓲ $3\frac{5}{6}$

⓳ $5\frac{3}{5}$ ⓴ $5\frac{3}{12}$ ㉑ $5\frac{2}{15}$

㉒ $5\frac{2}{7}$ ㉓ $7\frac{1}{10}$

㉒ $1\frac{1}{7}+3\frac{3}{7}+\frac{5}{7}$
$=(1+3)+\left(\frac{1}{7}+\frac{3}{7}+\frac{5}{7}\right)$
$=4+\frac{9}{7}=4+1\frac{2}{7}=5\frac{2}{7}$

㉓ $5\frac{6}{10}+\frac{3}{10}+1\frac{2}{10}$
$=(5+1)+\left(\frac{6}{10}+\frac{3}{10}+\frac{2}{10}\right)$
$=6+\frac{11}{10}=6+1\frac{1}{10}=7\frac{1}{10}$

특강 문장제 문제 도전하기 36~37쪽

1 $\frac{4}{5}$; $\frac{3}{5}$, $\frac{1}{5}$, $\frac{4}{5}$; $\frac{4}{5}$

2 $9\frac{4}{10}$; $7\frac{5}{10}$, $1\frac{9}{10}$, $9\frac{4}{10}$; $9\frac{4}{10}$

3 $2\frac{2}{8}$; $\frac{6}{8}$, $2\frac{2}{8}$; $2\frac{2}{8}$

4 $\frac{3}{4}$, $\frac{2}{4}$, $1\frac{1}{4}$

5 $1\frac{2}{9}$, $\frac{8}{9}$, $2\frac{1}{9}$

6 $1\frac{4}{5}$, $1\frac{3}{5}$, $3\frac{2}{5}$

4 (포도 주스의 양)+(딸기 주스의 양)
$=\frac{3}{4}+\frac{2}{4}=\frac{3+2}{4}=\frac{5}{4}=1\frac{1}{4}$ (L)

5 (이어 붙인 색 테이프의 길이)
$=1\frac{2}{9}+\frac{8}{9}=1+\left(\frac{2}{9}+\frac{8}{9}\right)$
$=1+\frac{10}{9}=1+1\frac{1}{9}=2\frac{1}{9}$ (m)

6 (어제 읽은 시간)+(오늘 읽은 시간)
$=1\frac{4}{5}+1\frac{3}{5}=(1+1)+\left(\frac{4}{5}+\frac{3}{5}\right)$
$=2+\frac{7}{5}=2+1\frac{2}{5}=3\frac{2}{5}$(시간)

특강 창의·융합·코딩·도전하기 38~39쪽

융합 1 $1\frac{5}{8}$, $3\frac{4}{8}$; $3\frac{4}{8}$

코딩 2

	$\frac{2}{9}$		$\frac{3}{9}$
$\frac{7}{9}$		$\frac{4}{9}$	
	$\frac{5}{9}$		
$\frac{6}{9}$			

; $1\frac{2}{9}$

융합 1 $1\frac{7}{8}+1\frac{5}{8}=(1+1)+\left(\frac{7}{8}+\frac{5}{8}\right)$
$=2+\frac{12}{8}=2+1\frac{4}{8}=3\frac{4}{8}$ (kg)

코딩 2 로봇이 주운 수 카드에 적힌 두 분수: $\frac{4}{9}$, $\frac{7}{9}$

➔ $\frac{4}{9}+\frac{7}{9}=\frac{4+7}{9}=\frac{11}{9}=1\frac{2}{9}$

개념 OX 퀴즈 정답

$\frac{1}{3}+\frac{1}{3}=\frac{1+1}{3}=\frac{2}{3}$

2 분수의 뺄셈

개념 OX 퀴즈

옳으면 ○에, 틀리면 ×에 ○표 하세요.

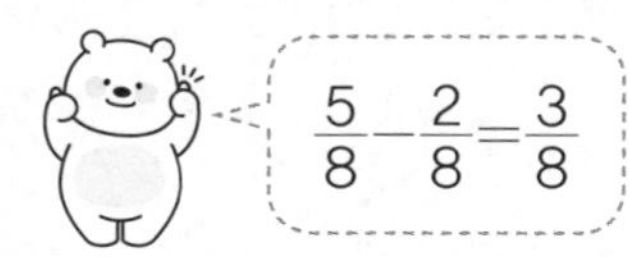

○

정답은 13쪽에서 확인하세요.

1 일차 기초 계산 연습 42~43쪽

❶ $2, \frac{1}{4}$ ❷ $3, \frac{3}{7}$
❸ $5, \frac{2}{9}$ ❹ $3, \frac{1}{5}$
❺ $5, 1, \frac{4}{6}$ ❻ $7, 2, \frac{5}{8}$
❼ $9, 7, \frac{2}{11}$ ❽ $8, 5, \frac{3}{10}$
❾ $7, 3, \frac{4}{12}$ ❿ $11, 6, \frac{5}{16}$
⓫ $\frac{1}{3}$ ⓬ $\frac{1}{5}$ ⓭ $\frac{6}{9}$
⓮ $\frac{2}{7}$ ⓯ $\frac{2}{6}$ ⓰ $\frac{5}{8}$
⓱ $\frac{2}{4}$ ⓲ $\frac{4}{10}$ ⓳ $\frac{2}{11}$
⓴ $\frac{1}{9}$ ㉑ $\frac{3}{8}$ ㉒ $\frac{8}{14}$
㉓ $\frac{7}{15}$ ㉔ $\frac{3}{10}$ ㉕ $\frac{4}{12}$

⓫ $\frac{2}{3}-\frac{1}{3}=\frac{2-1}{3}=\frac{1}{3}$

⓬ $\frac{3}{5}-\frac{2}{5}=\frac{3-2}{5}=\frac{1}{5}$

㉓ $\frac{13}{15}-\frac{6}{15}=\frac{13-6}{15}=\frac{7}{15}$

㉔ $\frac{5}{10}-\frac{2}{10}=\frac{5-2}{10}=\frac{3}{10}$

1 일차 플러스 계산 연습 44~45쪽

1 $\frac{2}{5}$ 2 $\frac{1}{4}$ 3 $\frac{2}{8}$
4 $\frac{2}{7}$ 5 $\frac{3}{9}$ 6 $\frac{11}{15}$
7 $\frac{7}{10}$ 8 $\frac{6}{11}$ 9 $\frac{9}{14}$
10 $\frac{3}{6}$ 11 $\frac{4}{9}$ 12 $\frac{4}{8}$
13 $\frac{2}{13}$ 14 $\frac{6}{11}$ 15 $\frac{1}{15}$
16 $\frac{1}{7}, \frac{3}{8}$ 17 $\frac{4}{10}, \frac{3}{13}$
18 $\frac{3}{11}, \frac{4}{12}$ 19 $\frac{2}{22}, \frac{4}{30}$
20 $\frac{2}{9}, \frac{6}{9}$ 21 $\frac{14}{15}, \frac{11}{15}$
22 $\frac{7}{10}, \frac{4}{10}, \frac{3}{10}$ 23 $\frac{15}{20}, \frac{8}{20}, \frac{7}{20}$

10 $\frac{4}{6}>\frac{1}{6}$ ➔ $\frac{4}{6}-\frac{1}{6}=\frac{4-1}{6}=\frac{3}{6}$

11 $\frac{6}{9}>\frac{2}{9}$ ➔ $\frac{6}{9}-\frac{2}{9}=\frac{6-2}{9}=\frac{4}{9}$

22 (처음 우유의 양)−(마신 우유의 양)
$=\frac{7}{10}-\frac{4}{10}=\frac{7-4}{10}=\frac{3}{10}$ (L)

2 일차 기초 계산 연습 46~47쪽

❶ 2, 1 ❷ 5, 3
❸ 6, 5 ❹ 4, 1
❺ 7, 2 ❻ 9, 5
❼ 8, 5 ❽ 11, 9
❾ 10, 1 ❿ 15, 4
⓫ $\frac{3}{4}$ ⓬ $\frac{3}{6}$ ⓭ $\frac{3}{8}$
⓮ $\frac{2}{5}$ ⓯ $\frac{6}{7}$ ⓰ $\frac{7}{9}$
⓱ $\frac{1}{8}$ ⓲ $\frac{3}{10}$ ⓳ $\frac{2}{11}$
⓴ $\frac{1}{9}$ ㉑ $\frac{2}{8}$ ㉒ $\frac{5}{7}$
㉓ $\frac{6}{11}$ ㉔ $\frac{9}{12}$ ㉕ $\frac{9}{10}$

⑪ $1-\frac{1}{4}=\frac{4}{4}-\frac{1}{4}=\frac{3}{4}$

참고
1을 $\frac{■}{■}$로 바꾸어 계산합니다.

2일차 플러스 계산 연습 48~49쪽

1 $\frac{1}{3}$ 2 $\frac{4}{5}$ 3 $\frac{4}{7}$
4 $\frac{2}{4}$ 5 $\frac{7}{10}$ 6 $\frac{7}{9}$
7 $\frac{1}{8}$ 8 $\frac{3}{11}$ 9 $\frac{2}{15}$
10 $\frac{1}{5}$ 11 $\frac{1}{2}$ 12 $\frac{4}{6}$
13 $\frac{9}{14}$ 14 $\frac{11}{16}$ 15 $\frac{7}{20}$
16 $\frac{10}{12}$, $\frac{8}{12}$, $\frac{6}{12}$, $\frac{4}{12}$, $\frac{2}{12}$, 0
17 $\frac{2}{6}$ 18 $\frac{2}{8}$
19 $\frac{7}{11}$, $\frac{4}{11}$ 20 $\frac{5}{13}$, $\frac{8}{13}$
21 1, $\frac{3}{4}$, $\frac{1}{4}$ 22 1, $\frac{8}{10}$, $\frac{2}{10}$

21 $1>\frac{3}{4}$ ➜ $1-\frac{3}{4}=\frac{4}{4}-\frac{3}{4}=\frac{1}{4}$ (m)

3일차 기초 계산 연습 50~51쪽

❶ 1, 1, 1, 1 ❷ 7, 6, 1, 2
❸ 2, 3, 3, 3 ❹ 16, 13, 2, 1
❺ 3, 6, 5, 6 ❻ 31, 29, 3, 2
⑦ $1\frac{1}{5}$ ⑧ $3\frac{3}{8}$ ⑨ $4\frac{1}{6}$
⑩ $6\frac{2}{7}$ ⑪ $5\frac{1}{4}$ ⑫ $5\frac{3}{9}$
⑬ $7\frac{2}{8}$ ⑭ $2\frac{1}{5}$ ⑮ $4\frac{1}{10}$
⑯ $2\frac{2}{9}$ ⑰ $1\frac{2}{6}$ ⑱ $3\frac{7}{11}$
⑲ $7\frac{7}{10}$ ⑳ $2\frac{2}{13}$ ㉑ $5\frac{7}{16}$

⑦ 방법 1 $1\frac{3}{5}-\frac{2}{5}=1+\left(\frac{3}{5}-\frac{2}{5}\right)=1+\frac{1}{5}=1\frac{1}{5}$

방법 2 $1\frac{3}{5}-\frac{2}{5}=\frac{8}{5}-\frac{2}{5}=\frac{6}{5}=1\frac{1}{5}$

3일차 플러스 계산 연습 52~53쪽

1 $3\frac{1}{4}$ 2 $1\frac{2}{7}$ 3 $5\frac{3}{8}$
4 $2\frac{3}{9}$ 5 $3\frac{4}{11}$ 6 $4\frac{7}{10}$
7 $6\frac{5}{14}$ 8 $2\frac{9}{16}$ 9 $3\frac{4}{15}$
10 $2\frac{2}{5}$ 11 $5\frac{4}{6}$ 12 $4\frac{3}{9}$
13 $3\frac{3}{12}$ 14 $2\frac{4}{11}$ 15 $5\frac{1}{20}$
16 (위부터) $4\frac{4}{9}$, $4\frac{1}{9}$ 17 (위부터) $6\frac{5}{12}$, $6\frac{2}{12}$
18 (위부터) $8\frac{2}{10}$, $8\frac{7}{10}$ 19 (위부터) $7\frac{3}{16}$, $7\frac{9}{16}$
20 $\frac{1}{7}$, $8\frac{2}{7}$ 21 $7\frac{9}{15}$, $7\frac{7}{15}$
22 $5\frac{7}{8}$, $\frac{4}{8}$, $5\frac{3}{8}$ 23 $6\frac{18}{20}$, $\frac{11}{20}$, $6\frac{7}{20}$

16 $4\frac{6}{9}-\frac{2}{9}=4\frac{4}{9}$, $4\frac{6}{9}-\frac{5}{9}=4\frac{1}{9}$

22 (처음 물의 양)−(사용한 물의 양)
$=5\frac{7}{8}-\frac{4}{8}=5+\left(\frac{7}{8}-\frac{4}{8}\right)=5+\frac{3}{8}=5\frac{3}{8}$ (L)

4일차 기초 계산 연습 54~55쪽

❶ 2, 1, 1, 1, 1 ❷ 17, 7, 1, 1
❸ 3, 5, 2, 3, 2, 3 ❹ 12, 7, 1, 2
❺ 2, 6, 4, 2, 4, 2 ❻ 57, 24, 33, 3, 3
⑦ $4\frac{1}{3}$ ⑧ $4\frac{2}{7}$ ⑨ $3\frac{1}{5}$
⑩ $1\frac{3}{8}$ ⑪ $3\frac{3}{6}$ ⑫ $2\frac{5}{9}$
⑬ $1\frac{2}{7}$ ⑭ $1\frac{1}{10}$ ⑮ $5\frac{8}{11}$
⑯ $2\frac{1}{12}$ ⑰ $5\frac{3}{8}$ ⑱ $3\frac{2}{9}$
⑲ $3\frac{3}{10}$ ⑳ $4\frac{8}{11}$ ㉑ $2\frac{3}{20}$

❼ 방법 1 $5\frac{2}{3}-1\frac{1}{3}=(5-1)+\left(\frac{2}{3}-\frac{1}{3}\right)$
$=4+\frac{1}{3}=4\frac{1}{3}$

방법 2 $5\frac{2}{3}-1\frac{1}{3}=\frac{17}{3}-\frac{4}{3}=\frac{13}{3}=4\frac{1}{3}$

⑯ 방법 1 $3\frac{7}{12}-1\frac{6}{12}=(3-1)+\left(\frac{7}{12}-\frac{6}{12}\right)$
$=2+\frac{1}{12}=2\frac{1}{12}$

방법 2 $3\frac{7}{12}-1\frac{6}{12}=\frac{43}{12}-\frac{18}{12}=\frac{25}{12}=2\frac{1}{12}$

4 일차 플러스 계산 연습 56~57쪽

1 $2\frac{1}{5}$ **2** $2\frac{2}{8}$ **3** $4\frac{1}{6}$
4 $3\frac{3}{7}$ **5** $6\frac{7}{9}$ **6** $5\frac{7}{10}$
7 $3\frac{4}{6}$, $2\frac{1}{6}$, $\frac{3}{6}$ **8** $5\frac{5}{9}$, $4\frac{2}{9}$, $2\frac{4}{9}$
9 $4\frac{5}{11}$, $3\frac{4}{11}$, $1\frac{1}{11}$ **10** $4\frac{7}{12}$, $2\frac{5}{12}$, $1\frac{2}{12}$
11 $2\frac{1}{4}$ **12** $3\frac{3}{8}$
13 $2\frac{5}{10}$, $1\frac{3}{10}$ **14** $2\frac{6}{20}$, $2\frac{9}{20}$
15 $3\frac{2}{7}$, $\frac{3}{7}$ **16** $8\frac{11}{14}$, $2\frac{3}{14}$
17 $5\frac{4}{5}$, $2\frac{1}{5}$, $3\frac{3}{5}$ **18** $7\frac{9}{10}$, $3\frac{3}{10}$, $4\frac{6}{10}$

7 $4\frac{5}{6}-1\frac{1}{6}=3\frac{4}{6}$, $4\frac{5}{6}-2\frac{4}{6}=2\frac{1}{6}$,
$4\frac{5}{6}-4\frac{2}{6}=\frac{3}{6}$

13 (학교~공원)−(학교~집)
$=3\frac{8}{10}-2\frac{5}{10}=(3-2)+\left(\frac{8}{10}-\frac{5}{10}\right)$
$=1+\frac{3}{10}=1\frac{3}{10}$ (km)

14 (학교~공원)−(학교~집)
$=4\frac{15}{20}-2\frac{6}{20}=(4-2)+\left(\frac{15}{20}-\frac{6}{20}\right)$
$=2+\frac{9}{20}=2\frac{9}{20}$ (km)

5 일차 기초 계산 연습 58~59쪽

❶ 2, 1, 1 ❷ 12, 11, 3, 2
❸ 7, 4, 4 ❹ 18, 13, 2, 1
❺ 10, 3, 3 ❻ 45, 41, 4, 5
❼ $2\frac{1}{3}$ ❽ $1\frac{3}{5}$ ❾ $4\frac{7}{8}$
❿ $5\frac{1}{4}$ ⓫ $2\frac{2}{7}$ ⓬ $3\frac{5}{6}$
⓭ $6\frac{7}{9}$ ⓮ $5\frac{5}{8}$ ⓯ $1\frac{9}{11}$
⓰ $8\frac{9}{10}$ ⓱ $7\frac{3}{7}$ ⓲ $3\frac{2}{5}$
⓳ $4\frac{1}{12}$ ⓴ $1\frac{1}{9}$ ㉑ $5\frac{11}{14}$

❼ 방법 1 $3-\frac{2}{3}=2\frac{3}{3}-\frac{2}{3}=2\frac{1}{3}$

방법 2 $3-\frac{2}{3}=\frac{9}{3}-\frac{2}{3}=\frac{7}{3}=2\frac{1}{3}$

5 일차 플러스 계산 연습 60~61쪽

1 $1\frac{1}{6}$ **2** $3\frac{6}{7}$ **3** $4\frac{1}{8}$
4 $4\frac{1}{4}$ **5** $2\frac{1}{5}$ **6** $6\frac{6}{11}$
7 $7\frac{5}{9}$ **8** $8\frac{3}{10}$ **9** $6\frac{13}{15}$
10 $4\frac{2}{3}$ **11** $3\frac{1}{2}$ **12** $2\frac{1}{7}$
13 $6\frac{5}{14}$ **14** $5\frac{11}{12}$ **15** $4\frac{13}{17}$
16 $5\frac{3}{6}$, $5\frac{4}{7}$ **17** $8\frac{4}{9}$, $8\frac{4}{11}$
18 $\frac{3}{5}$, $4\frac{2}{5}$ **19** $\frac{5}{10}$, $6\frac{5}{10}$
20 $\frac{2}{3}$, $4\frac{1}{3}$ **21** $\frac{8}{9}$, $3\frac{1}{9}$
22 2, $\frac{3}{8}$, $1\frac{5}{8}$ **23** 3, $\frac{9}{10}$, $2\frac{1}{10}$

16 • $6-\frac{3}{6}=5\frac{6}{6}-\frac{3}{6}=5\frac{3}{6}$
• $6-\frac{3}{7}=5\frac{7}{7}-\frac{3}{7}=5\frac{4}{7}$

18 (처음 리본의 길이)−(사용한 리본의 길이)
$=5-\frac{3}{5}=4\frac{5}{5}-\frac{3}{5}=4\frac{2}{5}$ (m)

6 일차 기초 계산 연습 62~63쪽

❶ 4, 1, 1　❷ 24, 17, 2, 5
❸ 7, 3, 5　❹ 9, 16, 3, 1
❺ 12, 4, 7　❻ 48, 21, 27, 3, 3
❼ $\frac{1}{2}$　❽ $1\frac{1}{3}$　❾ $2\frac{5}{8}$
❿ $2\frac{3}{4}$　⓫ $2\frac{1}{6}$　⓬ $\frac{3}{7}$
⓭ $1\frac{8}{9}$　⓮ $1\frac{3}{5}$　⓯ $2\frac{5}{11}$
⓰ $2\frac{3}{10}$　⓱ $5\frac{3}{12}$　⓲ $2\frac{2}{7}$
⓳ $1\frac{8}{11}$　⓴ $4\frac{13}{14}$　㉑ $1\frac{9}{20}$

❾ 방법 1 $5-2\frac{3}{8}=4\frac{8}{8}-2\frac{3}{8}=2\frac{5}{8}$

방법 2 $5-2\frac{3}{8}=\frac{40}{8}-\frac{19}{8}=\frac{21}{8}=2\frac{5}{8}$

6 일차 플러스 계산 연습 64~65쪽

1 $2\frac{1}{5}$　2 $1\frac{1}{6}$　3 $2\frac{3}{8}$
4 $2\frac{7}{11}$　5 $1\frac{8}{10}$　6 $1\frac{7}{9}$
7 $2\frac{1}{18}$　8 $3\frac{9}{14}$　9 $1\frac{13}{20}$
10 $\frac{2}{4}$　11 $2\frac{3}{11}$　12 $1\frac{1}{10}$
13 $3\frac{6}{9}$　14 $6\frac{5}{12}$　15 $7\frac{12}{13}$
16 $2\frac{17}{20}$　17 $2\frac{16}{25}$
18 $10\frac{3}{6}$, $13\frac{3}{6}$　19 $11\frac{1}{6}$, $12\frac{5}{6}$
20 $2\frac{7}{9}$, $4\frac{2}{9}$　21 $5\frac{7}{12}$, $3\frac{5}{12}$
22 6, $4\frac{1}{2}$, $1\frac{1}{2}$　23 3, $1\frac{4}{10}$, $1\frac{6}{10}$

10 $3-2\frac{2}{4}=2\frac{4}{4}-2\frac{2}{4}=\frac{2}{4}$

18 (하루 시간)−(낮의 길이)

$=24-10\frac{3}{6}=23\frac{6}{6}-10\frac{3}{6}=13\frac{3}{6}$(시간)

7 일차 기초 계산 연습 66~67쪽

❶ 5, 2, 3　❷ 18, 13, 1, 6
❸ 11, 4, 6　❹ 16, 13, 2, 3
❺ 13, 3, 5　❻ 38, 29, 2, 5
❼ $1\frac{3}{5}$　❽ $3\frac{5}{6}$　❾ $4\frac{2}{4}$
❿ $2\frac{2}{3}$　⓫ $1\frac{6}{9}$　⓬ $5\frac{6}{8}$
⓭ $3\frac{6}{7}$　⓮ $4\frac{5}{10}$　⓯ $1\frac{8}{11}$
⓰ $5\frac{7}{8}$　⓱ $2\frac{2}{6}$　⓲ $3\frac{9}{12}$
⓳ $5\frac{4}{9}$　⓴ $4\frac{7}{14}$　㉑ $2\frac{7}{10}$

❼ 방법 1 $2\frac{2}{5}-\frac{4}{5}=1\frac{7}{5}-\frac{4}{5}=1\frac{3}{5}$

방법 2 $2\frac{2}{5}-\frac{4}{5}=\frac{12}{5}-\frac{4}{5}=\frac{8}{5}=1\frac{3}{5}$

⓭ 방법 1 $4\frac{1}{7}-\frac{2}{7}=3\frac{8}{7}-\frac{2}{7}=3\frac{6}{7}$

방법 2 $4\frac{1}{7}-\frac{2}{7}=\frac{29}{7}-\frac{2}{7}=\frac{27}{7}=3\frac{6}{7}$

7 일차 플러스 계산 연습 68~69쪽

1 $\frac{3}{7}$　2 $1\frac{6}{8}$　3 $3\frac{7}{9}$
4 $6\frac{3}{6}$　5 $4\frac{9}{11}$　6 $2\frac{8}{14}$
7 $2\frac{8}{13}$　8 $3\frac{8}{10}$　9 $4\frac{7}{12}$
10 $4\frac{2}{3}$　11 $3\frac{5}{6}$　12 $2\frac{4}{12}$
13 $\frac{11}{13}$　14 $1\frac{11}{15}$　15 $2\frac{7}{16}$
16 $5\frac{5}{7}$, $4\frac{3}{7}$　17 $3\frac{7}{8}$, $1\frac{5}{8}$
18 $6\frac{12}{15}$, $3\frac{11}{15}$　19 $7\frac{16}{20}$, $2\frac{10}{20}$
20 $\frac{4}{9}$, $2\frac{7}{9}$　21 $2\frac{1}{13}$, $1\frac{8}{13}$
22 $5\frac{1}{4}$, $\frac{2}{4}$, $4\frac{3}{4}$　23 $6\frac{5}{10}$, $\frac{8}{10}$, $5\frac{7}{10}$

16 • $5\frac{1}{7}-\frac{5}{7}=4\frac{8}{7}-\frac{5}{7}=4\frac{3}{7}$

• $6\frac{3}{7}-\frac{5}{7}=5\frac{10}{7}-\frac{5}{7}=5\frac{5}{7}$

22 (캔 감자의 무게)

$=5\frac{1}{4}-\frac{2}{4}=4\frac{5}{4}-\frac{2}{4}=4\frac{3}{4}$ (kg)

23 (딴 딸기의 무게)

$=6\frac{5}{10}-\frac{8}{10}=5\frac{15}{10}-\frac{8}{10}=5\frac{7}{10}$ (kg)

8일차 기초 계산 연습 70~71쪽

❶ 4, 2, 2 ❷ 32, 15, 2, 3
❸ 9, 3, 6 ❹ 7, 6, 1, 2
❺ 10, 2, 3 ❻ 39, 17, 22, 2, 4
❼ $1\frac{2}{8}$ ❽ $2\frac{3}{4}$ ❾ $2\frac{3}{5}$
❿ $\frac{8}{9}$ ⓫ $3\frac{4}{6}$ ⓬ $4\frac{5}{7}$
⓭ $2\frac{8}{10}$ ⓮ $\frac{7}{8}$ ⓯ $2\frac{9}{11}$
⓰ $1\frac{3}{5}$ ⓱ $3\frac{4}{9}$ ⓲ $\frac{6}{12}$
⓳ $3\frac{6}{7}$ ⓴ $1\frac{9}{14}$ ㉑ $\frac{13}{15}$

❼ 방법 1 $3\frac{1}{8}-1\frac{7}{8}=2\frac{9}{8}-1\frac{7}{8}=1\frac{2}{8}$

방법 2 $3\frac{1}{8}-1\frac{7}{8}=\frac{25}{8}-\frac{15}{8}=\frac{10}{8}=1\frac{2}{8}$

참고
$\frac{1}{8}$에서 $\frac{7}{8}$을 뺄 수 없기 때문에 자연수에서 1만큼을 가분수로 바꾸어 계산하거나 대분수를 가분수로 바꾸어 계산합니다.

⓰ 방법 1 $7\frac{1}{5}-5\frac{3}{5}=6\frac{6}{5}-5\frac{3}{5}=1\frac{3}{5}$

방법 2 $7\frac{1}{5}-5\frac{3}{5}=\frac{36}{5}-\frac{28}{5}=\frac{8}{5}=1\frac{3}{5}$

⓱ 방법 1 $5\frac{2}{9}-1\frac{7}{9}=4\frac{11}{9}-1\frac{7}{9}=3\frac{4}{9}$

방법 2 $5\frac{2}{9}-1\frac{7}{9}=\frac{47}{9}-\frac{16}{9}=\frac{31}{9}=3\frac{4}{9}$

8일차 플러스 계산 연습 72~73쪽

1 $1\frac{2}{4}$ 2 $1\frac{4}{9}$ 3 $1\frac{4}{5}$
4 $4\frac{4}{7}$ 5 $3\frac{9}{10}$ 6 $4\frac{2}{8}$
7 $1\frac{2}{3}$ 8 $1\frac{3}{6}$ 9 $1\frac{6}{9}$
10 $2\frac{6}{11}$ 11 $1\frac{7}{13}$ 12 $1\frac{15}{20}$
13 $1\frac{3}{7}$, $3\frac{10}{15}$ 14 $1\frac{3}{9}$, $3\frac{12}{14}$
15 $1\frac{5}{8}$, $2\frac{5}{8}$ 16 $2\frac{9}{10}$, $3\frac{4}{10}$
17 $2\frac{9}{11}$, $5\frac{3}{11}$ 18 $9\frac{3}{12}$, $3\frac{10}{12}$
19 $4\frac{1}{5}$, $1\frac{2}{5}$, $2\frac{4}{5}$ 20 $3\frac{3}{8}$, $1\frac{6}{8}$, $1\frac{5}{8}$

13 • $3\frac{1}{7}-1\frac{5}{7}=2\frac{8}{7}-1\frac{5}{7}=1\frac{3}{7}$

• $5\frac{8}{15}-1\frac{13}{15}=4\frac{23}{15}-1\frac{13}{15}=3\frac{10}{15}$

15 (집~도서관)−(학교~도서관)

$=4\frac{2}{8}-1\frac{5}{8}=3\frac{10}{8}-1\frac{5}{8}=2\frac{5}{8}$ (km)

9일차 기초 계산 연습 74~75쪽

❶ 3, 3, 3, 1 ❷ 4, 3, 2, 1
❸ 2, 4, 2, 1 ❹ 34, 16, 16, 3, 1
❺ 86, 19, 23, 44, 4, 4
❻ $3\frac{4}{9}$ ❼ $5\frac{1}{6}$ ❽ $4\frac{1}{10}$ ❾ $3\frac{2}{7}$
❿ $2\frac{4}{8}$ ⓫ $2\frac{3}{11}$ ⓬ $3\frac{4}{5}$ ⓭ $4\frac{3}{4}$
⓮ $3\frac{2}{12}$ ⓯ $1\frac{7}{10}$

❻ 방법 1 $3\frac{8}{9}-\frac{3}{9}-\frac{1}{9}=3\frac{5}{9}-\frac{1}{9}=3\frac{4}{9}$
① ②

방법 2 $3\frac{8}{9}-\frac{3}{9}-\frac{1}{9}=\frac{35}{9}-\frac{3}{9}-\frac{1}{9}=\frac{31}{9}=3\frac{4}{9}$

9 일차 플러스 계산 연습 76~77쪽

1 $6\frac{2}{8}$ 2 $3\frac{1}{7}$ 3 $\frac{3}{4}$
4 $1\frac{6}{10}$ 5 $2\frac{13}{15}$ 6 $2\frac{2}{12}$
7 $3\frac{2}{9}$ 8 $3\frac{1}{6}$ 9 $1\frac{2}{7}$
10 $1\frac{4}{11}$ 11 $2\frac{6}{12}$ 12 $2\frac{15}{20}$
13 $2\frac{3}{7}$ 14 $\frac{6}{11}$
15 $\frac{2}{5}$, $2\frac{4}{5}$ 16 $1\frac{1}{8}$, $\frac{5}{8}$
17 $3\frac{2}{9}$, $\frac{5}{9}$, $2\frac{3}{9}$ 18 $4\frac{4}{12}$, $\frac{6}{12}$, $1\frac{8}{12}$
19 $3\frac{1}{4}$, $\frac{2}{4}$, 2 20 $5\frac{3}{10}$, $\frac{2}{10}$, $4\frac{8}{10}$

13 $6\frac{3}{7}-\frac{5}{7}-3\frac{2}{7}=5\frac{10}{7}-\frac{5}{7}-3\frac{2}{7}$
$=5\frac{5}{7}-3\frac{2}{7}=2\frac{3}{7}$

17 $3\frac{2}{9}>\frac{5}{9}>\frac{3}{9}$
➔ $3\frac{2}{9}-\frac{5}{9}-\frac{3}{9}=2\frac{11}{9}-\frac{5}{9}-\frac{3}{9}$
$=2\frac{6}{9}-\frac{3}{9}=2\frac{3}{9}$

18 $4\frac{4}{12}>2\frac{2}{12}>\frac{6}{12}$
➔ $4\frac{4}{12}-2\frac{2}{12}-\frac{6}{12}=2\frac{2}{12}-\frac{6}{12}$
$=1\frac{14}{12}-\frac{6}{12}=1\frac{8}{12}$

10 일차 기초 계산 연습 78~79쪽

❶ 2, 2, 2, 4 ❷ 7, 7, 4, 5
❸ 3, 6, 3, 3 ❹ 38, 13, 46, 5, 1
❺ 23, 18, 10, 1, 3
❻ $1\frac{3}{5}$ ❼ $3\frac{1}{8}$ ❽ $4\frac{5}{9}$ ❾ 6
❿ $4\frac{3}{4}$ ⓫ 3 ⓬ 1 ⓭ $5\frac{8}{10}$
⓮ $5\frac{2}{7}$ ⓯ $5\frac{2}{9}$

❻ 방법 1 $2\frac{4}{5}-1\frac{2}{5}+\frac{1}{5}=1\frac{2}{5}+\frac{1}{5}=1\frac{3}{5}$ (①, ②)

방법 2 $2\frac{4}{5}-1\frac{2}{5}+\frac{1}{5}=\frac{14}{5}-\frac{7}{5}+\frac{1}{5}$
$=\frac{8}{5}=1\frac{3}{5}$

❼ 방법 1 $4\frac{3}{8}+\frac{3}{8}-1\frac{5}{8}=4\frac{6}{8}-1\frac{5}{8}=3\frac{1}{8}$ (①, ②)

방법 2 $4\frac{3}{8}+\frac{3}{8}-1\frac{5}{8}=\frac{35}{8}+\frac{3}{8}-\frac{13}{8}$
$=\frac{25}{8}=3\frac{1}{8}$

10 일차 플러스 계산 연습 80~81쪽

1 3 2 $3\frac{5}{7}$ 3 $6\frac{2}{5}$
4 $4\frac{1}{8}$ 5 $1\frac{6}{9}$ 6 $2\frac{8}{11}$
7 $5\frac{3}{6}$ 8 $2\frac{4}{5}$ 9 $3\frac{2}{4}$
10 $2\frac{2}{7}$ 11 $3\frac{5}{16}$ 12 $2\frac{13}{15}$
13 $4\frac{5}{6}$, 5 14 $2\frac{1}{4}$, 2
15 $2\frac{1}{10}$, $\frac{8}{10}$ 16 $1\frac{2}{12}$, $\frac{7}{12}$
17 $4\frac{3}{9}$, $4\frac{7}{9}$ 18 $2\frac{6}{7}$, $3\frac{5}{7}$
19 $1\frac{4}{8}$, $1\frac{7}{8}$, $1\frac{7}{8}$ 20 $\frac{3}{5}$, $1\frac{2}{5}$, $3\frac{3}{5}$

13 • $4\frac{4}{6}-\frac{3}{6}+\frac{5}{6}=4\frac{1}{6}+\frac{5}{6}=4\frac{6}{6}=5$
• $5\frac{1}{6}-\frac{3}{6}+\frac{1}{6}=4\frac{7}{6}-\frac{3}{6}+\frac{1}{6}$
$=4\frac{4}{6}+\frac{1}{6}=4\frac{5}{6}$

17 $6\frac{8}{9}+2\frac{2}{9}-4\frac{3}{9}=8\frac{10}{9}-4\frac{3}{9}=4\frac{7}{9}$

평가 SPEED 연산력 TEST 82~83쪽

❶ $\frac{2}{5}$	❷ $\frac{4}{7}$	❸ $\frac{5}{9}$
❹ $6\frac{1}{3}$	❺ $2\frac{1}{6}$	❻ $2\frac{3}{10}$
❼ $2\frac{5}{8}$	❽ $5\frac{2}{5}$	❾ $6\frac{2}{4}$
⑩ $2\frac{8}{10}$	⑪ $2\frac{8}{9}$	⑫ $2\frac{13}{15}$
⑬ $3\frac{2}{8}$	⑭ $3\frac{5}{12}$	⑮ $4\frac{1}{6}$
⑯ $3\frac{9}{10}$	⑰ $\frac{2}{6}$	⑱ $\frac{3}{4}$
⑲ $3\frac{3}{8}$	⑳ $1\frac{1}{5}$	㉑ $4\frac{1}{3}$
㉒ $5\frac{7}{10}$	㉓ $2\frac{8}{12}$	㉔ $1\frac{16}{20}$
㉕ $1\frac{6}{9}$	㉖ $4\frac{1}{7}$	

⑪ $4\frac{5}{9}-1\frac{6}{9}=3\frac{14}{9}-1\frac{6}{9}=2\frac{8}{9}$

⑫ $5\frac{9}{15}-2\frac{11}{15}=4\frac{24}{15}-2\frac{11}{15}=2\frac{13}{15}$

㉑ $5-\frac{2}{3}=4\frac{3}{3}-\frac{2}{3}=4\frac{1}{3}$

㉒ $7-1\frac{3}{10}=6\frac{10}{10}-1\frac{3}{10}=5\frac{7}{10}$

㉕ $5\frac{7}{9}-2\frac{8}{9}-1\frac{2}{9}=4\frac{16}{9}-2\frac{8}{9}-1\frac{2}{9}$
$=2\frac{8}{9}-1\frac{2}{9}=1\frac{6}{9}$

㉖ $2\frac{3}{7}-1\frac{1}{7}+2\frac{6}{7}=1\frac{2}{7}+2\frac{6}{7}=3\frac{8}{7}=4\frac{1}{7}$

특강 문장제 문제 도전하기 84~85쪽

1 $\frac{2}{8}$; $\frac{7}{8}$, $\frac{5}{8}$, $\frac{2}{8}$; $\frac{2}{8}$

2 $3\frac{1}{5}$; $6\frac{3}{5}$, $3\frac{2}{5}$, $3\frac{1}{5}$; $3\frac{1}{5}$

3 $1\frac{5}{6}$; 4, $2\frac{1}{6}$, $1\frac{5}{6}$; $1\frac{5}{6}$

4 $6\frac{1}{4}$, $5\frac{3}{4}$, $\frac{2}{4}$

5 $2\frac{3}{20}$, $\frac{15}{20}$, $1\frac{8}{20}$

6 $6\frac{7}{10}$, $1\frac{3}{10}$, $\frac{5}{10}$, $4\frac{9}{10}$

(또는 $6\frac{7}{10}$, $\frac{5}{10}$, $1\frac{3}{10}$, $4\frac{9}{10}$)

4 (쌀의 무게)−(보리의 무게)

$=6\frac{1}{4}-5\frac{3}{4}=5\frac{5}{4}-5\frac{3}{4}=\frac{2}{4}$ (kg)

5 (감의 무게)−(토마토의 무게)

$=2\frac{3}{20}-\frac{15}{20}=1\frac{23}{20}-\frac{15}{20}=1\frac{8}{20}$ (kg)

6 (남은 밀가루의 양)

$=6\frac{7}{10}-1\frac{3}{10}-\frac{5}{10}=5\frac{4}{10}-\frac{5}{10}$

$=4\frac{14}{10}-\frac{5}{10}=4\frac{9}{10}$ (kg)

특강 창의·융합·코딩·도전하기 86~87쪽

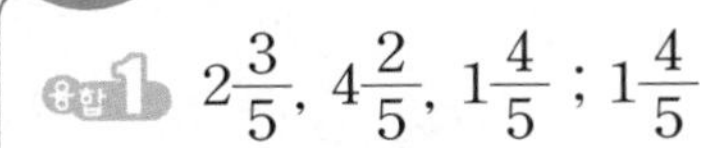

융합1 $2\frac{3}{5}$, $4\frac{2}{5}$, $1\frac{4}{5}$; $1\frac{4}{5}$

융합2 (1) $12\frac{5}{10}$ (2) $9\frac{4}{10}$

융합2 (1) (첨성대~문무대왕릉)

−(불국사~문무대왕릉)

$=34\frac{4}{10}-21\frac{9}{10}$

$=33\frac{14}{10}-21\frac{9}{10}=12\frac{5}{10}$ (km)

(2) (첨성대~불국사)−(첨성대~포석정지)

$=12\frac{5}{10}-3\frac{1}{10}=9\frac{4}{10}$ (km)

개념 OX 퀴즈 정답

$\frac{5}{8}-\frac{2}{8}=\frac{5-2}{8}=\frac{3}{8}$

3 소수의 덧셈

개념 OX 퀴즈

옳으면 ○에, 틀리면 ✕에 ○표 하세요.

분수 $\frac{1}{100}$은 소수로 0.01이라 쓰고, 영 점 일이라고 읽어요.

정답은 19쪽에서 확인하세요.

1일차 기초 계산 연습 90~91쪽

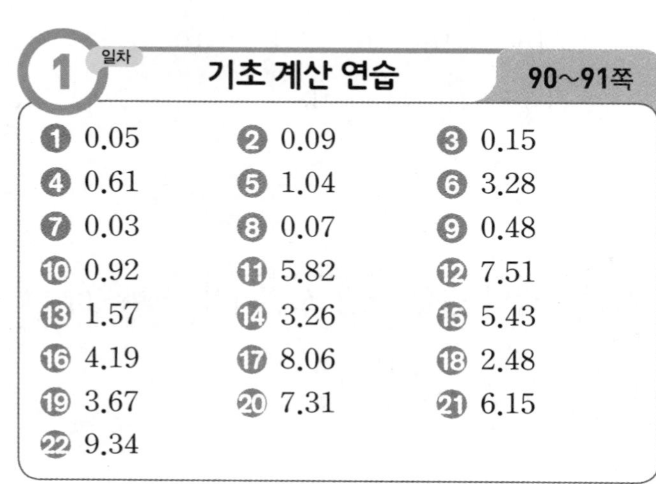

① 0.05	② 0.09	③ 0.15
④ 0.61	⑤ 1.04	⑥ 3.28
⑦ 0.03	⑧ 0.07	⑨ 0.48
⑩ 0.92	⑪ 5.82	⑫ 7.51
⑬ 1.57	⑭ 3.26	⑮ 5.43
⑯ 4.19	⑰ 8.06	⑱ 2.48
⑲ 3.67	⑳ 7.31	㉑ 6.15
㉒ 9.34		

③~④ $\frac{\blacksquare\blacktriangle}{100}=0.\blacksquare\blacktriangle$

⑤ $\bullet\frac{\blacktriangle}{100}=\bullet.0\blacktriangle$

1일차 플러스 계산 연습 92~93쪽

1 영 점 영팔 **2** 0.03
3 영 점 이칠 **4** 1.09
5 일 점 칠육 **6** 5.41
7 0.8 **8** 0.5 **9** 0.06
10 0.05 **11** 1 **12** 0.4
13 7 **14** 0.1 **15** 0.02
16 5, 0.3, 0.09 **17** 7, 0.2, 0.03
18 이 점 영오 **19** 삼 점 이사
20 2.54 **21** 8.16
22 1.88 **23** 4.25

16 5.39
→ 일의 자리 숫자, 5
→ 소수 첫째 자리 숫자, 0.3
→ 소수 둘째 자리 숫자, 0.09

2일차 기초 계산 연습 94~95쪽

① 0.003	② 0.008	③ 0.012
④ 0.107	⑤ 0.368	⑥ 2.145
⑦ 0.007	⑧ 0.026	⑨ 0.149
⑩ 0.762	⑪ 5.128	⑫ 8.491
⑬ 3.267	⑭ 1.294	⑮ 5.801
⑯ 4.173	⑰ 2.794	⑱ 3.534
⑲ 6.781	⑳ 7.072	㉑ 9.125
㉒ 8.554		

④~⑤ $\frac{\bullet\blacksquare\blacktriangle}{1000}=0.\bullet\blacksquare\blacktriangle$

⑥ $\star\frac{\bullet\blacksquare\blacktriangle}{1000}=\star.\bullet\blacksquare\blacktriangle$

2일차 플러스 계산 연습 96~97쪽

1 영 점 영영육 **2** 0.028
3 영 점 삼영칠 **4** 1.059
5 십오 점 이이사 **6** 6.183
7 0.4 **8** 0.5 **9** 0.08
10 1 **11** 0.06 **12** 0.002
13 0.004 **14** 8 **15** 0.04
16 2, 0.4, 0.05, 0.001
17 5, 0.3, 0.04, 0.007
18 3.514 **19** 8.815
20 3.728 **21** 5.693
22 4.336 **23** 8.713

16

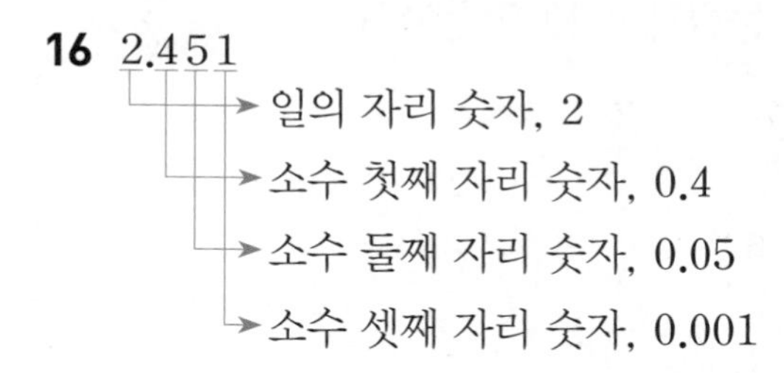

18 1 m=0.001 km
➔ 3 km 514 m=3.514 km

3일차 기초 계산 연습 98~99쪽

① <, < ② >, > ③ <, <
④ >, > ⑤ <, < ⑥ <, <
⑦ <, < ⑧ >, > ⑨ <, <
⑩ >, > ⑪ >, > ⑫ <, <
⑬ < ⑭ > ⑮ <
⑯ < ⑰ > ⑱ <
⑲ > ⑳ < ㉑ >
㉒ > ㉓ = ㉔ >
㉕ > ㉖ > ㉗ >
㉘ < ㉙ > ㉚ <

⑬ 0.16<0.61
(1<6)

⑭ 0.95>0.948
(5>4)

3일차 플러스 계산 연습 100~101쪽

1 = **2** > **3** <
4 < **5** > **6** <
7 > **8** > **9** >
10 2.69 **11** 3.51 **12** 5.18
13 7.358 **14** 6.011 **15** 15.59
16 0.172에 ○표, 0.158에 △표
17 4.71에 ○표, 4.007에 △표
18 0.28에 ○표, 0.029에 △표
19 6.18에 ○표, 6.059에 △표
20 ( )(○) **21** (○)( )
22 6.28 **23** 8.574
24 바나나 **25** 빨간색 끈

16 0.172>0.163>0.158

24 0.166<0.172
(6<7)
➡ 바나나가 더 무겁습니다.

4일차 기초 계산 연습 102~103쪽

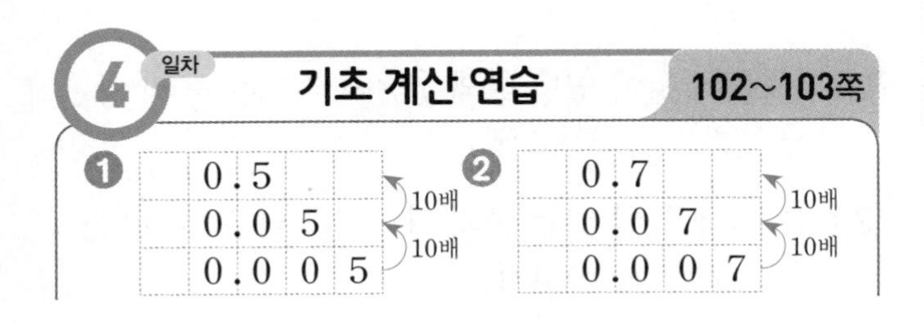

① 0.5 / 0.05 / 0.005 (10배, 10배)
② 0.7 / 0.07 / 0.007 (10배, 10배)
③ 15.6 / 1.56 / 0.156 (10배, 10배)
④ 42. / 4.2 / 0.42 (10배, 10배)
⑤ 3.8 / 0.38 / 0.038 (10배, 10배)
⑥ 621. / 62.1 / 6.21 (10배, 10배)
⑦ 3. / 0.3 / 0.03 ($\frac{1}{10}$, $\frac{1}{10}$)
⑧ 0.9 / 0.09 / 0.009 ($\frac{1}{10}$, $\frac{1}{10}$)
⑨ 2.5 / 0.25 / 0.025 ($\frac{1}{10}$, $\frac{1}{10}$)
⑩ 1.2 / 0.12 / 0.012 ($\frac{1}{10}$, $\frac{1}{10}$)
⑪ 36. / 3.6 / 0.36 ($\frac{1}{10}$, $\frac{1}{10}$)
⑫ 13.7 / 1.37 / 0.137 ($\frac{1}{10}$, $\frac{1}{10}$)
⑬ 0.06, 0.6, 6 ⑭ 3.08, 30.8, 308
⑮ 45.7, 457, 4570 ⑯ 1.1, 0.11, 0.011
⑰ 3.9, 0.39, 0.039 ⑱ 24.3, 2.43, 0.243
⑲ 576.2, 57.62, 5.762

①~⑥ 10배 하면 소수점을 기준으로 수가 왼쪽으로 한 자리씩 이동합니다.

⑦~⑫ $\frac{1}{10}$을 구하면 소수점을 기준으로 수가 오른쪽으로 한 자리씩 이동합니다.

4일차 플러스 계산 연습 104~105쪽

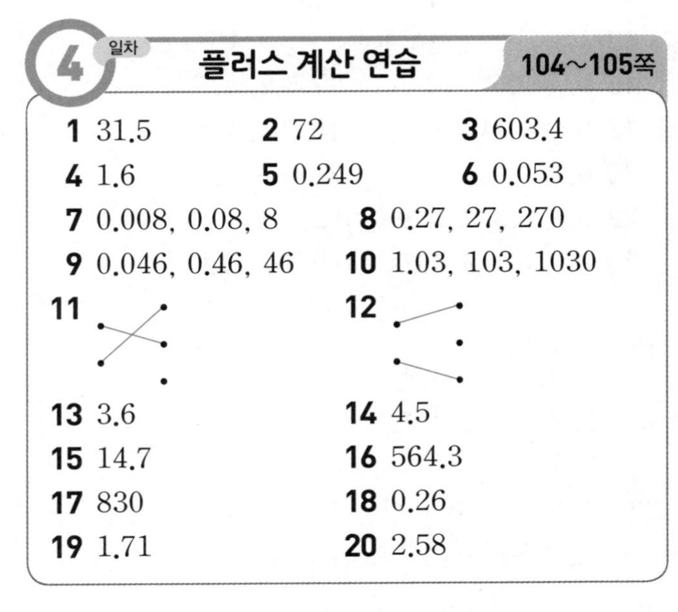

1 31.5 **2** 72 **3** 603.4
4 1.6 **5** 0.249 **6** 0.053
7 0.008, 0.08, 8 **8** 0.27, 27, 270
9 0.046, 0.46, 46 **10** 1.03, 103, 1030
11 **12**
13 3.6 **14** 4.5
15 14.7 **16** 564.3
17 830 **18** 0.26
19 1.71 **20** 2.58

17 8.3의 100배 ➡ 830 **19** 17.1의 $\frac{1}{10}$ ➡ 1.71

5 일차 기초 계산 연습 106~107쪽

❶ 0.3 ❷ 0.6 ❸ 0.9
❹ 1.1 ❺ 1.2 ❻ 0.8
❼ 0.6 ❽ 1.3 ❾ 1.1
❿ 0.9 ⓫ 1.1 ⓬ 1.4
⓭ 0.9 ⓮ 0.7 ⓯ 1.2
⓰ 0.6 ⓱ 1.4 ⓲ 1.2
⓳ 1.0(=1) ⓴ 1.2 ㉑ 1.7
㉒ 0.8 ; ㉓ 0.8 ; ㉔ 1.3 ;

$$\begin{array}{r} 0.2 \\ +\,0.6 \\ \hline 0.8 \end{array} \quad \begin{array}{r} 0.4 \\ +\,0.4 \\ \hline 0.8 \end{array} \quad \begin{array}{r} 0.9 \\ +\,0.4 \\ \hline 1.3 \end{array}$$

㉕ 1.5 ; ㉖ 1.6 ; ㉗ 1.5 ;

$$\begin{array}{r} 0.7 \\ +\,0.8 \\ \hline 1.5 \end{array} \quad \begin{array}{r} 0.8 \\ +\,0.8 \\ \hline 1.6 \end{array} \quad \begin{array}{r} 0.9 \\ +\,0.6 \\ \hline 1.5 \end{array}$$

㉒~㉗ 소수점의 자리를 맞추어 세로로 쓴 후 계산합니다.

5 일차 플러스 계산 연습 108~109쪽

1 0.4 **2** 0.7 **3** 0.4
4 1(=1.0) **5** 1.1 **6** 0.8
7 1.2 **8** 1.5 **9** 1.4
10 0.7 **11** 1(=1.0) **12** 0.9
13 1.3 **14** 1.4 **15** 1.8
16 0.5, 0.5 **17** 1.2, 1.7
18 0.4, 1.1 **19** 0.5, 1.3
20 0.4, 0.9 **21** 0.9, 1.5
22 0.6, 0.5, 1.1 (또는 0.5, 0.6, 1.1)
23 0.7, 0.9, 1.6 (또는 0.9, 0.7, 1.6)

17
$$\begin{array}{r} {}^{1} \\ 0.5 \\ +\,0.7 \\ \hline 1.2 \end{array}, \quad \begin{array}{r} {}^{1} \\ 0.8 \\ +\,0.9 \\ \hline 1.7 \end{array}$$

22 (감자의 무게)+(당근의 무게)
=0.6+0.5=1.1 (kg)

23 (흰 우유의 양)+(초코 우유의 양)
=0.7+0.9=1.6 (L)

6 일차 기초 계산 연습 110~111쪽

❶ 2.7 ❷ 5.7 ❸ 7.4
❹ 3.8 ❺ 6.1 ❻ 6.2
❼ 8.8 ❽ 6.3 ❾ 8.5
❿ 9.4 ⓫ 7.1 ⓬ 4.2
⓭ 3.4 ⓮ 7.7 ⓯ 5.1
⓰ 4.3 ⓱ 4.1 ⓲ 9.2
⓳ 6.3 ⓴ 10.3 ㉑ 9.3
㉒ 3.9 ; ㉓ 6.5 ; ㉔ 9.2 ;

$$\begin{array}{r} 1.4 \\ +\,2.5 \\ \hline 3.9 \end{array} \quad \begin{array}{r} 5.3 \\ +\,1.2 \\ \hline 6.5 \end{array} \quad \begin{array}{r} 6.5 \\ +\,2.7 \\ \hline 9.2 \end{array}$$

㉕ 15.8 ; ㉖ 8.1 ; ㉗ 9.3 ;

$$\begin{array}{r} 6.7 \\ +\,9.1 \\ \hline 15.8 \end{array} \quad \begin{array}{r} 3.5 \\ +\,4.6 \\ \hline 8.1 \end{array} \quad \begin{array}{r} 7.8 \\ +\,1.5 \\ \hline 9.3 \end{array}$$

6 일차 플러스 계산 연습 112~113쪽

1 3.4 **2** 5.9 **3** 7.4
4 7.5 **5** 6.5 **6** 7.6
7 9.3 **8** 13.8 **9** 16.1
10 4.4 **11** 7.1 **12** 5.4
13 10.2 **14** 18.2 **15** 10.1
16 3.8, 6.1 **17** 8.1, 9.3
18 2.1, 5.8 **19** 2.7, 7(=7.0)
20 1.6, 3.9 **21** 6.5, 9.4
22 1.7, 1.1, 2.8 **23** 3.6, 1.8, 5.4

16
$$\begin{array}{r} 2.4 \\ +\,1.4 \\ \hline 3.8 \end{array}, \quad \begin{array}{r} {}^{1} \\ 2.4 \\ +\,3.7 \\ \hline 6.1 \end{array}$$

22 (처음에 들어 있던 물의 양)+(더 넣은 물의 양)
=1.7+1.1=2.8 (L)

23 (처음에 들어 있던 물의 양)+(더 넣은 물의 양)
=3.6+1.8=5.4 (L)

7일차 기초 계산 연습 114~115쪽

① 0.57 ② 0.39 ③ 0.79
④ 0.52 ⑤ 0.89 ⑥ 0.91
⑦ 0.39 ⑧ 0.85 ⑨ 0.92
⑩ 0.75 ⑪ 0.71 ⑫ 1.06
⑬ 0.66 ⑭ 0.95 ⑮ 0.84
⑯ 1.14 ⑰ 1.16 ⑱ 1.23
⑲ 1.31 ⑳ 1.31 ㉑ 1.17

㉒ 1.01 ;

	0.	9	4
+	0.	0	7
	1.	0	1

㉓ 0.75 ;

	0.	4	6
+	0.	2	9
	0.	7	5

㉔ 0.81 ;

	0.	2	5
+	0.	5	6
	0.	8	1

㉕ 1.6(=1.60) ;

	0.	7	2
+	0.	8	8
	1.	6	0

7일차 플러스 계산 연습 116~117쪽

1 0.37 **2** 0.84 **3** 0.88
4 1.06 **5** 1.21 **6** 1.26
7 1.04 **8** 1.28 **9** 0.94
10 0.93 **11** 1.06 **12** 1.39
13 1.36 **14** 1.27
15 (위부터) 0.45, 0.81 **16** (위부터) 0.97, 1.39
17 (위부터) 0.84, 0.97 **18** (위부터) 1.12, 1.78
19 0.73, 0.98 **20** 0.84, 1.53
21 0.64, 0.38, 1.02 (또는 0.38, 0.64, 1.02)
22 0.95, 0.56, 1.51 (또는 0.56, 0.95, 1.51)

15
$$\begin{array}{r} {\scriptstyle 1} \\ 0.2\,7 \\ +\,0.1\,8 \\ \hline 0.4\,5 \end{array}, \quad \begin{array}{r} {\scriptstyle 1} \\ 0.2\,7 \\ +\,0.5\,4 \\ \hline 0.8\,1 \end{array}$$

21 (빨간색 끈의 길이)+(파란색 끈의 길이)
=0.64+0.38=1.02 (m)

22 (밤의 무게)+(호두의 무게)
=0.95+0.56=1.51 (kg)

8일차 기초 계산 연습 118~119쪽

① 3.97 ② 9.56 ③ 7.53
④ 8.41 ⑤ 8.27 ⑥ 3.33
⑦ 7.13 ⑧ 8.61 ⑨ 8.63
⑩ 6.18 ⑪ 9.49 ⑫ 10.51
⑬ 5.57 ⑭ 8.56 ⑮ 9.01
⑯ 6.23 ⑰ 12.25 ⑱ 9.08
⑲ 8.43 ⑳ 7.03 ㉑ 12.31

㉒ 8.16 ;

	4.	4	8
+	3.	6	8
	8.	1	6

㉓ 9.76 ;

	1.	0	7
+	8.	6	9
	9.	7	6

㉔ 8.54 ;

	2.	8	1
+	5.	7	3
	8.	5	4

㉕ 11.01 ;

	7.	0	8
+	3.	9	3
1	1.	0	1

8일차 플러스 계산 연습 120~121쪽

1 6.56 **2** 6.69 **3** 6.97
4 8.07 **5** 9.33 **6** 9.34
7 12.01 **8** 12.56 **9** 5.84
10 9.91 **11** 9.06 **12** 6.92
13 8.43 **14** 11.13
15 **16**
17 191.39 **18** 184.03
19 4.55, 7.81 **20** 3.74, 9.35
21 2.26, 4.05, 6.31 (또는 4.05, 2.26, 6.31)
22 1.39, 3.14, 4.53 (또는 3.14, 1.39, 4.53)

17
$$\begin{array}{r} {\scriptstyle 1} \\ 6\,6.1\,4 \\ +\,1\,2\,5.2\,5 \\ \hline 1\,9\,1.3\,9 \end{array}$$

18
$$\begin{array}{r} {\scriptstyle 1\;1} \\ 6\,3.6\,8 \\ +\,1\,2\,0.3\,5 \\ \hline 1\,8\,4.0\,3 \end{array}$$

21 (승연이가 딴 사과의 무게)
+(세희가 딴 사과의 무게)
=2.26+4.05=6.31 (kg)

9일차 기초 계산 연습 122~123쪽

❶ 0.63 ❷ 1.94 ❸ 1.95
❹ 1.09 ❺ 1.16 ❻ 1.71
❼ 2.27 ❽ 3.28 ❾ 6.06
❿ 4.37 ⓫ 6.14 ⓬ 8.18
⓭ 7.95 ⓮ 8.54 ⓯ 9.24
⓰ 9.08 ⓱ 8.07 ⓲ 10.15
⓳ 8.21 ⓴ 13.65 ㉑ 14.48

㉒ 1.82 ;

	1	.	1	2
+	0	.	7	
	1	.	8	2

㉓ 5.57 ;

	3	.	4	7
+	2	.	1	
	5	.	5	7

㉔ 8.13 ;

	4	.	2	3
+	3	.	9	
	8	.	1	3

㉕ 8.24 ;

	5	.	6	4
+	2	.	6	
	8	.	2	4

9일차 플러스 계산 연습 124~125쪽

1 0.71 **2** 6.92 **3** 7.58
4 7.09 **5** 9.08 **6** 6.56
7 12.41 **8** 14.22 **9** 6.15
10 4.06 **11** 9.79 **12** 11.46
13 8.15 **14** 12.23
15 4.15, 4.01 **16** 6.33, 9.58
17 0.3, 1.65 **18** 0.2, 1.78
19 2.5, 4.37 **20** 4.74, 6.04
21 0.3, 1.84 **22** 0.7, 35.25

16
$$\begin{array}{r} \overset{1}{2}.6\,3 \\ +\ 3.7 \\ \hline 6.3\,3 \end{array},\quad \begin{array}{r} \overset{1}{3}.9\,8 \\ +\ 5.6 \\ \hline 9.5\,8 \end{array}$$

21 (아버지의 키)=(승아의 키)+0.3
=1.54+0.3=1.84 (m)

22 (형의 몸무게)=(정우의 몸무게)+0.7
=34.55+0.7=35.25 (kg)

10일차 기초 계산 연습 126~127쪽

❶ 0.67 ❷ 0.95 ❸ 1.89
❹ 3.64 ❺ 7.91 ❻ 9.03
❼ 2.02 ❽ 6.66 ❾ 2.38
❿ 6.21 ⓫ 6.07 ⓬ 9.25
⓭ 9.53 ⓮ 8.14 ⓯ 7.39
⓰ 7.18 ⓱ 9.11 ⓲ 9.02
⓳ 8.19 ⓴ 12.58 ㉑ 15.57

㉒ 1.98 ;

	1	.	9	
+	0	.	0	8
	1	.	9	8

㉓ 6.23 ;

	5	.	5	
+	0	.	7	3
	6	.	2	3

㉔ 9.02 ;

	7	.	2	
+	1	.	8	2
	9	.	0	2

㉕ 8.29 ;

	2	.	6	
+	5	.	6	9
	8	.	2	9

10일차 플러스 계산 연습 128~129쪽

1 0.81 **2** 4.69 **3** 4.93
4 8.06 **5** 8.34 **6** 5.17
7 10.45 **8** 12.33 **9** 7.67
10 8.38 **11** 7.87 **12** 8.13
13 9.18 **14** 12.71
15 7.83, 5.01 **16** 6.97, 8.04
17 6.73, 9.14 **18** 6.49, 8.76
19 1.72, 5.12 **20** 12.7, 16.28
21 1.2, 1.55 **22** 0.38, 3.08

15
$$\begin{array}{r} 3.8 \\ +\ 4.0\,3 \\ \hline 7.8\,3 \end{array},\quad \begin{array}{r} \overset{1}{3}.8 \\ +\ 1.2\,1 \\ \hline 5.0\,1 \end{array}$$

21 (인형의 무게)+(빈 상자의 무게)
=1.2+0.35=1.55 (kg)

22 (장난감의 무게)+(빈 상자의 무게)
=2.7+0.38=3.08 (kg)

11 일차 기초 계산 연습 130~131쪽

(계산 순서대로)

1 3.8, 8.4, 8.4	2 4.4, 10.2, 10.2
3 7.5, 11.2, 11.2	4 4.4, 12.8, 12.8
5 5.95, 7.75, 7.75	6 4.42, 7.92, 7.92
7 9.2, 9.4, 9.4	8 4.33, 5.13, 5.13
9 3.91, 7.61, 7.61	10 6.1, 6.35, 6.35
11 4.34, 7.84, 7.84	12 7.5, 8.67, 8.67
13 3.75, 8.65, 8.65	14 4.36, 13.06, 13.06
15 5.02, 7.62, 7.62	16 8.03, 12.83, 12.83

11 일차 플러스 계산 연습 132~133쪽

1 4.13	2 8.04	3 4.94
4 10.14	5 12.18	6 10.37
7 2.74	8 5.51	9 8.07
10 11.56	11 6.97	12 9.48
13 17.51	14 13.28	15 8.28
16 7.76	17 381.02	18 734.3
19 2.53, 4.67	20 1.71, 6.31	
21 0.3, 0.87	22 0.7, 2.62	

17 320.5+15.12+45.4=381.02 (kcal)

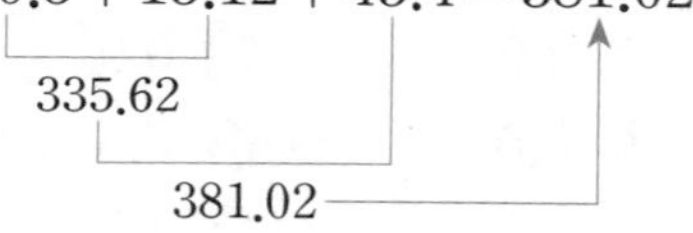

평가 SPEED 연산력 TEST 134~135쪽

1 2.65	2 5.307	3 0.13
4 0.265	5 11.7	6 48
7 50.14	8 7.3	9 0.214
10 0.56	11 <	12 >
13 <	14 <	15 >
16 >	17 0.7	18 1.4
19 3.5	20 7.2	21 1.26
22 0.81	23 5.94	24 8.06
25 8.37	26 7.17	27 8.12
28 10.08	29 2.48	30 11.48

29 1.54+0.14+0.8=2.48

1.68

2.48

30 2.2+5.68+3.6=11.48

7.88

11.48

특강 문장제 문제 도전하기 136~137쪽

1 1.1 ; 0.8, 0.3, 1.1 ; 1.1

2 5.2 ; 2.8, 2.4, 5.2 ; 5.2

3 15.41 ; 8.15, 7.26, 15.41 ; 15.41

4 170 **5** 귤

6 3.8, 5.45, 2.3, 11.55

5 149 g=0.149 kg

➜ 0.149<0.152<0.18이므로 무게가 가장 가벼운 것은 귤입니다.

6 3.8+5.45+2.3=11.55 (m)

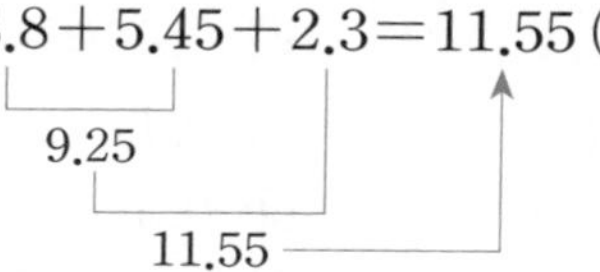

특강 창의·융합·코딩·도전하기 138~139쪽

융합1 3.5, 3.1 ; 서당 창의2 주하네 집

융합3 (1) 13.12 (2) 5.38

창의2

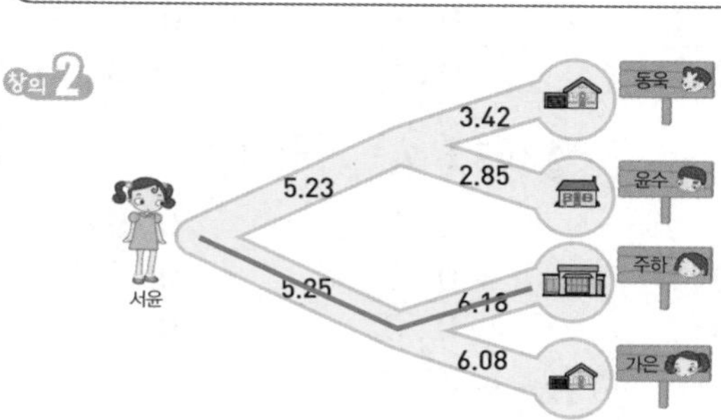

5.23<5.25, 6.18>6.08이므로 서윤이가 도착한 곳은 주하네 집입니다.

개념 OX 퀴즈 정답

$\frac{1}{100}$ ➜ 0.01(영 점 영일)

4 소수의 뺄셈

개념 OX 퀴즈

옳으면 ○에, 틀리면 ✕에 ○표 하세요.

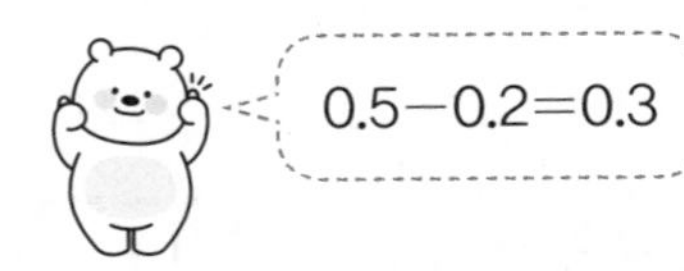

○ ✕

정답은 24쪽에서 확인하세요.

1일차 기초 계산 연습 142~143쪽

❶ 0.1 ❷ 0.4 ❸ 0.2
❹ 0.2 ❺ 0.4 ❻ 0.2
❼ 0.1 ❽ 0.1 ❾ 0.4
❿ 0.5 ⓫ 0.5 ⓬ 0.3
⓭ 0.3 ⓮ 0.1 ⓯ 0.3
⓰ 0.3 ⓱ 0.2 ⓲ 0.7
⓳ 0.6 ⓴ 0.3 ㉑ 0.1

㉒ 0.2 ; $\begin{array}{r} 0.5 \\ -\ 0.3 \\ \hline 0.2 \end{array}$
㉓ 0.1 ; $\begin{array}{r} 0.4 \\ -\ 0.3 \\ \hline 0.1 \end{array}$
㉔ 0.3 ; $\begin{array}{r} 0.8 \\ -\ 0.5 \\ \hline 0.3 \end{array}$

㉕ 0.2 ; $\begin{array}{r} 0.7 \\ -\ 0.5 \\ \hline 0.2 \end{array}$
㉖ 0.5 ; $\begin{array}{r} 0.6 \\ -\ 0.1 \\ \hline 0.5 \end{array}$
㉗ 0.2 ; $\begin{array}{r} 0.9 \\ -\ 0.7 \\ \hline 0.2 \end{array}$

❶ $\begin{array}{r} 0.3 \\ -\ 0.2 \\ \hline 0.1 \end{array}$
❷ $\begin{array}{r} 0.5 \\ -\ 0.1 \\ \hline 0.4 \end{array}$

⓴ $\begin{array}{r} 0.6 \\ -\ 0.3 \\ \hline 0.3 \end{array}$
㉑ $\begin{array}{r} 0.8 \\ -\ 0.7 \\ \hline 0.1 \end{array}$

㉒~㉗ 소수점의 자리를 맞추어 세로로 쓴 후 계산합니다.

1일차 플러스 계산 연습 144~145쪽

1 0.2 **2** 0.1 **3** 0.2
4 0.1 **5** 0.6 **6** 0.2
7 0.1 **8** 0.2 **9** 0.7
10 0.2 **11** 0.4 **12** 0
13 0.1 **14** 0.3 **15** 0.3
16 0.1, 0.3 **17** 0.1, 0.2
18 0.3, 0.6 **19** 0.5, 0.4
20 0.1, 0.3 **21** 0.7, 0.5
22 0.5, 0.2, 0.3 **23** 0.8, 0.4, 0.4

18~19 (마신 물의 양)
=(처음 물의 양)−(남은 물의 양)

22 (처음 우유의 양)−(마신 우유의 양)
=0.5−0.2=0.3 (L)

23 (처음 주스의 양)−(마신 주스의 양)
=0.8−0.4=0.4 (L)

2일차 기초 계산 연습 146~147쪽

❶ 1.1 ❷ 2.3 ❸ 3.4
❹ 2.3 ❺ 3.8 ❻ 1.9
❼ 3.2 ❽ 2.9 ❾ 0.9
❿ 1.8 ⓫ 6.6 ⓬ 3.8
⓭ 1.3 ⓮ 2.7 ⓯ 1.7
⓰ 2.6 ⓱ 2.3 ⓲ 2.8
⓳ 0.4 ⓴ 0.9 ㉑ 4.6

㉒ 3.2 ; $\begin{array}{r} 4.9 \\ -\ 1.7 \\ \hline 3.2 \end{array}$
㉓ 2.3 ; $\begin{array}{r} 7.4 \\ -\ 5.1 \\ \hline 2.3 \end{array}$
㉔ 1.9 ; $\begin{array}{r} 5.2 \\ -\ 3.3 \\ \hline 1.9 \end{array}$

㉕ 1.7 ; $\begin{array}{r} 6.2 \\ -\ 4.5 \\ \hline 1.7 \end{array}$
㉖ 5.4 ; $\begin{array}{r} 8.2 \\ -\ 2.8 \\ \hline 5.4 \end{array}$
㉗ 4.6 ; $\begin{array}{r} 9.3 \\ -\ 4.7 \\ \hline 4.6 \end{array}$

❺ $\begin{array}{r} {\scriptsize 4\ 10} \\ 5.3 \\ -\ 1.5 \\ \hline 3.8 \end{array}$
❻ $\begin{array}{r} {\scriptsize 5\ 10} \\ 6.2 \\ -\ 4.3 \\ \hline 1.9 \end{array}$

2 일차 플러스 계산 연습 148~149쪽

1 2.1	**2** 2.6	**3** 0.3
4 5.1	**5** 3.8	**6** 2.5
7 1.7	**8** 2.9	**9** 3.9
10 3.1	**11** 2.7	**12** 2.8
13 1.9	**14** 1.8	**15** 1.6

16 (위부터) 5.7, 2.8 **17** (위부터) 6.8, 4.1
18 2.8 **19** 3.9
20 1.2, 3.3 **21** 5.1, 3.4, 1.7
22 6.4, 3.7, 2.7 **23** 7.2, 4.6, 2.6

11 3.5<6.2 ➔ $\begin{array}{r} {}^{5\ 10} \\ \not{6}.2 \\ -\ 3.5 \\ \hline 2.7 \end{array}$

22 6.4>3.7 ➔ 6.4−3.7=2.7 (cm)

23 4.6<7.2 ➔ 7.2−4.6=2.6 (cm)

3 일차 기초 계산 연습 150~151쪽

❶ 0.17	❷ 0.33	❸ 0.14
❹ 0.30(=0.3)	❺ 0.17	❻ 0.14
❼ 0.31	❽ 0.27	❾ 0.18
❿ 0.49	⓫ 0.28	⓬ 0.46
⓭ 0.11	⓮ 0.41	⓯ 0.56
⓰ 0.28	⓱ 0.06	⓲ 0.48
⓳ 0.49	⓴ 0.57	㉑ 0.28

㉒ 0.46 ; $\begin{array}{r} 0.67 \\ -\ 0.21 \\ \hline 0.46 \end{array}$ ㉓ 0.09 ; $\begin{array}{r} 0.56 \\ -\ 0.47 \\ \hline 0.09 \end{array}$

㉔ 0.14 ; $\begin{array}{r} 0.71 \\ -\ 0.57 \\ \hline 0.14 \end{array}$ ㉕ 0.48 ; $\begin{array}{r} 0.92 \\ -\ 0.44 \\ \hline 0.48 \end{array}$

❽ $\begin{array}{r} {}^{7\ 10} \\ 0.\not{8}\,6 \\ -\ 0.5\,9 \\ \hline 0.2\,7 \end{array}$ ❾ $\begin{array}{r} {}^{3\ 10} \\ 0.\not{4}\,3 \\ -\ 0.2\,5 \\ \hline 0.1\,8 \end{array}$

3 일차 플러스 계산 연습 152~153쪽

1 0.23	**2** 0.16	**3** 0.12
4 0.28	**5** 0.47	**6** 0.28
7 0.15	**8** 0.18	**9** 0.13
10 0.18	**11** 0.17	**12** 0.17

13 0.34 **14** 0.18
15 0.17, 0.1(=0.10) **16** 0.44, 0.18
17 0.45, 0.28 **18** 0.67, 0.23
19 0.56, 0.23 **20** 0.33, 0.07
21 0.56, 0.12, 0.44 **22** 0.82, 0.45, 0.37

17 $\begin{array}{r} {}^{7\ 10} \\ 0.\not{8}\,4 \\ -\ 0.3\,9 \\ \hline 0.4\,5 \end{array}$, $\begin{array}{r} {}^{7\ 10} \\ 0.\not{8}\,4 \\ -\ 0.5\,6 \\ \hline 0.2\,8 \end{array}$

21 (처음 철사의 길이)−(사용한 철사의 길이)
=0.56−0.12=0.44 (m)

22 (처음 털실의 길이)−(사용한 털실의 길이)
=0.82−0.45=0.37 (m)

4 일차 기초 계산 연습 154~155쪽

❶ 0.56	❷ 2.21	❸ 2.32
❹ 2.33	❺ 1.09	❻ 2.43
❼ 1.74	❽ 1.52	❾ 4.18
❿ 3.15	⓫ 4.85	⓬ 7.62
⓭ 2.36	⓮ 3.26	⓯ 2.92
⓰ 1.68	⓱ 3.82	⓲ 3.84
⓳ 3.27	⓴ 1.67	㉑ 3.62

㉒ 4.41 ; $\begin{array}{r} 6.76 \\ -\ 2.35 \\ \hline 4.41 \end{array}$ ㉓ 3.04 ; $\begin{array}{r} 4.31 \\ -\ 1.27 \\ \hline 3.04 \end{array}$

㉔ 3.09 ; $\begin{array}{r} 5.94 \\ -\ 2.85 \\ \hline 3.09 \end{array}$ ㉕ 2.82 ; $\begin{array}{r} 6.33 \\ -\ 3.51 \\ \hline 2.82 \end{array}$

⓫ $\begin{array}{r} {}^{6\ 10\ 10} \\ \not{7}.\not{1}\,4 \\ -\ 2.2\,9 \\ \hline 4.8\,5 \end{array}$ ⓬ $\begin{array}{r} {}^{8\ 11\ 10} \\ \not{9}.\not{2}\,1 \\ -\ 1.5\,9 \\ \hline 7.6\,2 \end{array}$

4일차 플러스 계산 연습 156~157쪽

1 2.51 **2** 2.32 **3** 1.94
4 7.09 **5** 1.09 **6** 0.64
7 2.67 **8** 2.79 **9** 1.05
10 3.14 **11** 2.17 **12** 3.89
13 3.99 **14** 3.32
15 3.85, 2.78 **16** 4.49, 1.61
17 0.62, 2.43 **18** 0.44, 1.47
19 2.69, 2.15 **20** 6.73, 2.48
21 3.14, 1.05, 2.09 **22** 5.06, 1.22, 3.84

17 (사과가 담긴 바구니의 무게)－(빈 바구니의 무게)
＝3.05－0.62＝2.43 (kg)

18 (귤이 담긴 접시의 무게)－(빈 접시의 무게)
＝1.91－0.44＝1.47 (kg)

21 (은수가 딴 딸기의 무게)
＝(현우가 딴 딸기의 무게)－1.05
＝3.14－1.05＝2.09 (kg)

5일차 기초 계산 연습 158~159쪽

❶ 0.15 ❷ 1.13 ❸ 1.54
❹ 2.39 ❺ 3.61 ❻ 4.52
❼ 3.03 ❽ 3.98 ❾ 3.85
❿ 2.58 ⓫ 3.82 ⓬ 3.74
⓭ 0.39 ⓮ 3.25 ⓯ 0.79
⓰ 4.95 ⓱ 1.93 ⓲ 2.75
⓳ 1.89 ⓴ 0.87 ㉑ 2.87

㉒ 2.08 ;

$$\begin{array}{r} 7.88 \\ -\ 5.8 \\ \hline 2.08 \end{array}$$

㉓ 2.95 ;

$$\begin{array}{r} 6.15 \\ -\ 3.2 \\ \hline 2.95 \end{array}$$

㉔ 3.92 ;

$$\begin{array}{r} 5.32 \\ -\ 1.4 \\ \hline 3.92 \end{array}$$

㉕ 2.83 ;

$$\begin{array}{r} 9.33 \\ -\ 6.5 \\ \hline 2.83 \end{array}$$

❺

$$\begin{array}{r} {\scriptstyle 3\ 10} \\ \not{4}.51 \\ -\ 0.9 \\ \hline 3.61 \end{array}$$

❻

$$\begin{array}{r} {\scriptstyle 5\ 10} \\ \not{6}.22 \\ -\ 1.7 \\ \hline 4.52 \end{array}$$

5일차 플러스 계산 연습 160~161쪽

1 4.03 **2** 2.55 **3** 1.91
4 2.76 **5** 4.74 **6** 1.62
7 3.86 **8** 3.75 **9** 2.91
10 0.85 **11** 2.93 **12** 4.49
13 1.98 **14** 7.85
15 0.94, 1.26 **16** 0.77, 5.82
17 5.3, 4.95 **18** 6.8, 1.82
19 5.6, 1.12 **20** 7.59, 3.8, 3.79
21 2.64, 1.7, 0.94 **22** 5.43, 2.9, 2.53

16

$$\begin{array}{r} {\scriptstyle 4\ 10} \\ \not{5}.57 \\ -\ 4.8 \\ \hline 0.77 \end{array}, \quad \begin{array}{r} {\scriptstyle 7\ 10} \\ \not{8}.42 \\ -\ 2.6 \\ \hline 5.82 \end{array}$$

21 2.64＞1.7 ➔ 2.64－1.7＝0.94 (m)

22 2.9＜5.43 ➔ 5.43－2.9＝2.53 (m)

6일차 기초 계산 연습 162~163쪽

❶ 0.54 ❷ 3.06 ❸ 3.58
❹ 1.13 ❺ 3.57 ❻ 4.22
❼ 3.24 ❽ 4.56 ❾ 3.83
❿ 2.87 ⓫ 4.81 ⓬ 1.79
⓭ 4.65 ⓮ 1.36 ⓯ 3.24
⓰ 1.83 ⓱ 4.15 ⓲ 2.97
⓳ 0.89 ⓴ 1.34 ㉑ 2.22

㉒ 0.32 ;

$$\begin{array}{r} 0.9 \\ -\ 0.58 \\ \hline 0.32 \end{array}$$

㉓ 0.17 ;

$$\begin{array}{r} 1.7 \\ -\ 1.53 \\ \hline 0.17 \end{array}$$

㉔ 1.86 ;

$$\begin{array}{r} 5.5 \\ -\ 3.64 \\ \hline 1.86 \end{array}$$

㉕ 3.68 ;

$$\begin{array}{r} 7.6 \\ -\ 3.92 \\ \hline 3.68 \end{array}$$

❽

$$\begin{array}{r} {\scriptstyle 5\ 10\ 10} \\ \not{6}.\not{1} \\ -\ 1.54 \\ \hline 4.56 \end{array}$$

❾

$$\begin{array}{r} {\scriptstyle 7\ 12\ 10} \\ \not{8}.\not{3} \\ -\ 4.47 \\ \hline 3.83 \end{array}$$

6일차 플러스 계산 연습 164~165쪽

1 0.21	**2** 1.08	**3** 2.18
4 3.76	**5** 3.88	**6** 4.29
7 0.81	**8** 4.97	**9** 0.64
10 0.77	**11** 1.49	**12** 4.88

13 1.95 **14** 4.82
15 (위부터) 3.19, 1.91 **16** (위부터) 4.78, 2.16
17 2.84, 2.46 **18** 1.65, 4.55
19 1.05, 2.45 **20** 8.2, 4.84
21 4.4, 1.23, 3.17 **22** 6.5, 1.66, 4.84

15 $\begin{array}{r} 4.5 \\ -\ 1.31 \\ \hline 3.19 \end{array}$, $\begin{array}{r} 4.5 \\ -\ 2.59 \\ \hline 1.91 \end{array}$

16 $\begin{array}{r} 7.9 \\ -\ 3.12 \\ \hline 4.78 \end{array}$, $\begin{array}{r} 7.9 \\ -\ 5.74 \\ \hline 2.16 \end{array}$

21 (주연이가 가지고 있는 털실의 길이)
=4.4−1.23=3.17 (m)

22 (승민이가 가지고 있는 리본의 길이)
=6.5−1.66=4.84 (m)

7일차 기초 계산 연습 166~167쪽

(계산 순서대로)

❶ 2.9, 1.5, 1.5	❷ 4.2, 1.8, 1.8
❸ 6.9, 4.4, 4.4	❹ 0.49, 0.09, 0.09
❺ 1.65, 1.42, 1.42	❻ 4.6, 3.25, 3.25
❼ 0.38, 0.19, 0.19	❽ 3.99, 2.69, 2.69
❾ 5.39, 2.09, 2.09	❿ 0.53, 0.26, 0.26
⓫ 7.79, 5.39, 5.39	⓬ 3.79, 0.19, 0.19
⓭ 3.11, 0.21, 0.21	⓮ 4.83, 0.62, 0.62
⓯ 5.83, 4.94, 4.94	⓰ 7.33, 5.63, 5.63

주의
세 수의 뺄셈은 앞에서부터 차례로 계산해야 합니다.

7일차 플러스 계산 연습 168~169쪽

1 0.25	**2** 1.6	**3** 0.29
4 3.94	**5** 0.16	**6** 2.85
7 0.1	**8** 0.24	**9** 2.5
10 3.17	**11** 3.37	**12** 1.89

13 0.2, 0.35 **14** 0.7, 3.5
15 0.47, 0.28 **16** 4.72, 1.47
17 0.32, 0.03 **18** 3.1, 0.11
19 0.45, 1.05 **20** 0.18, 1.06

11 7.9−3.5−1.03=3.37

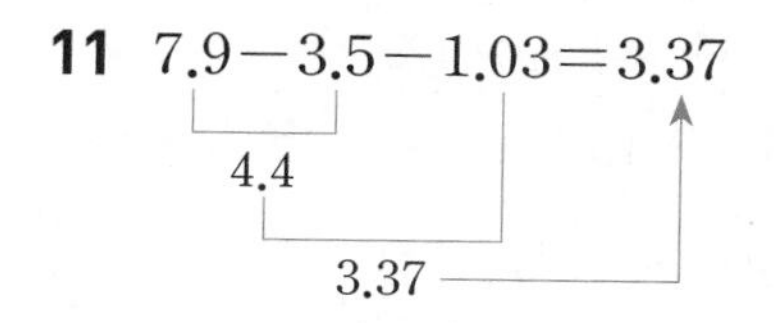

13 0.7−0.2−0.3=0.2, 0.9−0.15−0.4=0.35
0.5, 0.2 / 0.75, 0.35

17 0.9>0.55>0.32
➜ 0.9−0.55−0.32=0.35−0.32=0.03

18 3.1>1.5>1.49
➜ 3.1−1.5−1.49=1.6−1.49=0.11

19 (남은 우유의 양)
=1.7−0.45−0.2=1.25−0.2=1.05 (L)

20 (남은 주스의 양)
=1.6−0.36−0.18=1.24−0.18=1.06 (L)

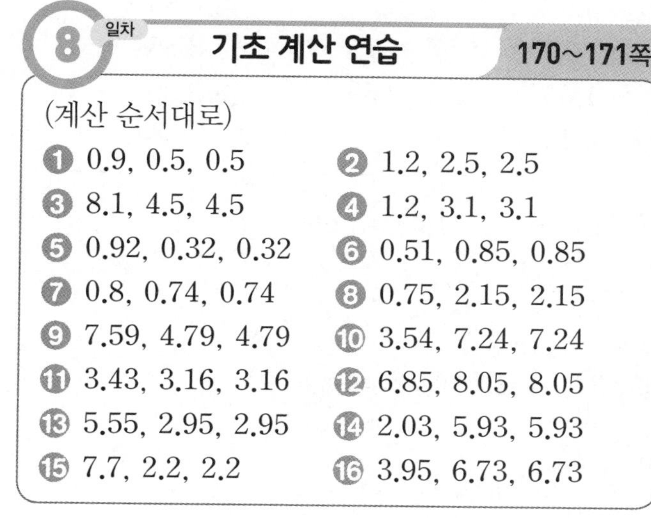

8일차 기초 계산 연습 170~171쪽

(계산 순서대로)

❶ 0.9, 0.5, 0.5	❷ 1.2, 2.5, 2.5
❸ 8.1, 4.5, 4.5	❹ 1.2, 3.1, 3.1
❺ 0.92, 0.32, 0.32	❻ 0.51, 0.85, 0.85
❼ 0.8, 0.74, 0.74	❽ 0.75, 2.15, 2.15
❾ 7.59, 4.79, 4.79	❿ 3.54, 7.24, 7.24
⓫ 3.43, 3.16, 3.16	⓬ 6.85, 8.05, 8.05
⓭ 5.55, 2.95, 2.95	⓮ 2.03, 5.93, 5.93
⓯ 7.7, 2.2, 2.2	⓰ 3.95, 6.73, 6.73

8 일차 플러스 계산 연습 172~173쪽

1 1.18　2 1.3　3 1.4
4 3.05　5 9.66　6 9.13
7 3.88　8 0.96　9 3.96
10 3.82　11 1.5　12 5.04
13 0.88, 4.94　14 3.75, 10.16
15 2.6, 0.85　16 3.3, 0.78
17 0.7, 1.01　18 5.54, 6.66
19 4.6, 7.7　20 2.8, 11.4

15 (집~도서관)+(도서관~학교)−(집~학교)
=1.4+2.05−2.6=3.45−2.6=0.85 (km)

16 (집~소방서)+(소방서~학교)−(집~학교)
=2.3+1.78−3.3=4.08−3.3=0.78 (km)

19 (색 테이프 2장의 길이의 합)
−(겹쳐진 부분의 길이의 합)
=4.6+4.6−1.5=9.2−1.5=7.7 (cm)

20 (색 테이프 2장의 길이의 합)
−(겹쳐진 부분의 길이의 합)
=7.1+7.1−2.8=14.2−2.8=11.4 (cm)

평가 SPEED 연산력 TEST 174~175쪽

① 0.3　② 1.2　③ 2.7
④ 0.17　⑤ 0.15　⑥ 5.28
⑦ 3.82　⑧ 3.03　⑨ 4.64
⑩ 4.02　⑪ 5.71　⑫ 1.17
⑬ 2.39　⑭ 0.66　⑮ 5.02
⑯ 0.6　⑰ 2.8　⑱ 0.56
⑲ 2.79　⑳ 5.75　㉑ 3.85
㉒ 1.66　㉓ 2.59　㉔ 0.39
㉕ 6.13

㉒ 5.19−2.5−1.03=1.66
2.69
1.66

㉔ 0.9+0.21−0.72=0.39
1.11
0.39

특강 문장제 문제 도전하기 176~177쪽

1 0.3 ; 0.9, 0.6, 0.3 ; 0.3
2 2.7 ; 4.2, 1.5, 2.7 ; 2.7
3 2.14 ; 2.5, 0.36, 2.14 ; 2.14
4 2.13, 1.87, 0.26
5 9.2, 3.5, 2.4, 3.3 (또는 9.2, 2.4, 3.5, 3.3)
6 5.5, 2.8, 1.6, 4.3

4 (당근 한 봉지의 무게)−(호박 한 봉지의 무게)
=2.13−1.87=0.26 (kg)

5 (처음 철사의 길이)−(동생에게 준 철사의 길이)
−(친구에게 준 철사의 길이)
=9.2−3.5−2.4=5.7−2.4=3.3 (m)

6 (처음에 들어 있던 물의 양)−(꽃밭에 준 물의 양)
+(다시 채워 넣은 물의 양)
=5.5−2.8+1.6=2.7+1.6=4.3 (L)

특강 창의·융합·코딩·도전하기 178~179쪽

융합 1 8.54 ; 8.54
융합 2 0.46
코딩 3 7

융합 2 10.75＞10.29이므로 두 석탑의 높이의 차는 10.75−10.29=0.46 (m)입니다.

코딩 3 9.1−3.68=5.42
5.42는 5보다 크므로 5.42−3.68=1.74에서 소수 첫째 자리 숫자 7이 출력됩니다.

개념 OX 퀴즈 정답

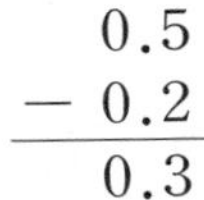